LA ESPAÑA MEDIEVAL

LA ESPAÑA MEDIEVAL
SOCIEDADES. ESTADOS. CULTURAS

Emilio Mitre

ISTMO

Colección Fundamentos n.º 63

Maqueta de portada:
Sergio Ramírez

Diseño interior y cubierta:
RAG

1.ª Reimpresión, 2014

© Emilio Mitre, 1979

© Ediciones Istmo, S. A.,1979, 1999, 2008

Sector Foresta, 1
28760 Tres Cantos
Madrid - España

Tel.: 918 061 996
Fax.: 918 044 028

www.istmo.es

ISBN: 978-84-7090-094-5

Depósito legal: M. 12.664-2008
Impreso en España / *Printed in Spain*

10

11

INTRODUCCION

La buena acogida de mi síntesis INTRODUCCIÓN A LA HISTORIA DE LA EDAD MEDIA EUROPEA y el interés en concreto expresado por alumnos y compañeros del Departamento de Historia Medieval de la Universidad Complutense, me han animado a completar aquella obra con otra que expusiese más extensamente lo que fue la trayectoria histórica peninsular en el Medievo.

El término España que hemos puesto en el título de este libro no supone alineamiento alguno con las manipulaciones que de él se han hecho con harta frecuencia. Lo empleamos porque *Hispania* fue la expresión utilizada, entre otros, por romanos, Isidoro de Sevilla, cronistas peninsulares del Medievo y padres conciliares de Constanza. Estos últimos designarían con el nombre de «nación española» al conjunto de los Estados ibéricos.

La España cristiana medieval no fue, en efecto, un bloque monolítico, por más que algunos autores áulicos, por encima del cantonalismo político, comulgasen con la idea de una especie de unidad moral superior. Sobre bases sociales semejantes a las del resto de Europa, la cristiandad española se articuló en un conjunto de Estados y culturas dotados de una fuerte personalidad. De ahí, el sentido del subtítulo que hemos dado a esta obra.

Para designar esta variedad, Rodrigo Jiménez de Rada habló, en la primera mitad del siglo XIII, de los *Cinco Reinos*. Expresión que puede resultar, en el momento presente, un tanto convencional, pero que podemos tomar como punto de referencia para reconocer hasta qué punto las distintas entidades político-culturales hispánicas llegaron a adquirir conciencia de su personalidad. En la CRÓNICA DE LOS REYES DE NAVARRA, redactada bajo la dirección del Príncipe de Viana a mediados del XV, se escribirá, refiriéndose a este por entonces modesto Estado: «E tu, Navarra, non consintiendo que las otras *nasciones de España* se igualen contigo en la antigüedad de la dignidad real, ni en el triunfo e merescimiento de fieles conquistas...»

Pero la trayectoria histórica de la España medieval no debe ser circunscrita sólo a unos Estados cristianos que a la postre acabarán imponiéndose. La historia de la España medieval es también la de una de las más florecientes civilizaciones del Occidente, en algunos momentos la única digna de este nombre: Al-Andalus. Bien bajo la unidad, bien bajo la atomización política, la España islámica fue en todo momento el vehículo de transmisión de las más elevadas concepciones filosóficas y la más refinada cultura material. La figura de un Averroes, aunque sólo fuera por su proyección en la cultura europea de la Plenitud del Medievo, merecería ocupar un lugar de honor en la historia del pensamiento occidental.

* * *

En la elaboración del presente libro hemos seguido, a grandes rasgos, el esquema utilizado en INTRODUCCIÓN A LA HISTORIA DE LA EDAD MEDIA EUROPEA, partiendo de una división cuatripartita de la trayectoria histórica medieval. Aunque conscientes de la artificialidad de cualquier periodización de la Historia, a efectos puramente didácticos hemos adoptado aquella que creemos más acorde con el sentido de los hechos expuestos.

En ocasiones, en aras también de una mayor claridad, hemos optado por una simplificación de algunos hechos y conceptos, reduciendo al máximo el aparato erudito. En ningún caso, sin embargo, hemos perseguido el enfrentamiento de concisión y rigor científico, cualidad esta última que debe presidir todo trabajo de historiador, incluso aquel que —como el presente— persiga unos objetivos sumamente limitados.

El sentido de muchos de los acontecimientos que en este libro se exponen habría que encontrarlo en un más amplio contexto: el de la Historia del Islam en el caso de Al-Andalus o el de la Europa Occidental en el de los Estados hispanocristianos. En las obras de conjunto referidas a estos dos ámbitos podrá encontrar el lector el encuadre idóneo. Siempre que lo hemos creído conveniente hemos procedido a un esbozo de tal encuadre.

LA ESPAÑA MEDIEVAL. SOCIEDADES. ESTADOS. CULTURAS quiere ser, en definitiva, un aporte más para la comprensión de un pasado histórico en la medida en que éste se ha proyectado en nuestro presente. Los problemas que de ello puedan derivarse más que motivo de inquietud deben serlo de reflexión y de serena asunción.

PRIMERA PARTE

LA TRANSICION AL MEDIEVO
(313-711)
(DEL BAJO IMPERIO ROMANO AL FIN DE LA MONARQUIA VISIGODA)

1

DE LOS INICIOS DE LA CRISIS DEL IMPERIO ROMANO AL ASENTAMIENTO DEL ELEMENTO GODO EN LA PENINSULA

La muerte de Marco Aurelio (180 d. C.) se ha tomado como el momento en el que el Estado romano empieza a presentar los primeros síntomas de decadencia. El siglo III pondrá a prueba la solidez de un organismo político pacientemente construido en las anteriores centurias.

Crisis política, crisis social y económica, crisis espiritual... constituyen otras tantas manifestaciones de la *quiebra del Imperio*. Quiebra que ha constituido y constituye un tema de encendida controversia entre los historiadores.

Aunque no sea nuestro objetivo el detenernos a analizar estas cuestiones a fondo, conviene hagamos al respecto algunas observaciones. En efecto, en ciertos síntomas de crisis del mundo antiguo se encuentran larvadas algunas de las características típicas de la sociedad medieval: ruralización profunda, quiebra de la unidad política en amplias parcelas del Mediterráneo, decadencia del latín literario, papel de la Iglesia como heredera cultural e incluso política del Imperio, etcétera. La Península Ibérica, lógicamente, no estuvo al margen de este conjunto de transformaciones.

Las incursiones del III y los intentos de enderezamiento del IV

La anarquía militar (uno de tantos síntomas de la crisis) que sacudió al Imperio a lo largo del siglo III trajo, entre otras, dos consecuencias: la inestabilidad del principio de sucesión a la más alta magistratura y la indefensión de las fronteras.

La política de defensa de éstas, mantenida con eficacia a lo largo de las dos primeras centurias de la Era cristiana, quebró aparatosamente desde el momento en que los distintos generales del Imperio echaron mano de los efectivos a sus órdenes para imponerse en la capital. Los pueblos bárbaros tendrán, así, el camino expedito para realizar profundas *incursiones* en el interior del territorio imperial. Godos en el Danubio y francos en el Occidente fueron los principales protagonistas de un conjunto de razzias tanto más demoledoras cuanto las ciudades del Imperio —al calor de la «pax romana»— se encontraban en buena parte sin fortificar.

La Península Ibérica no fue la excepción. Las oleadas de franco-alamanos llevaron a cabo sobre su territorio una serie de devastadoras operaciones. Los trabajos de Balil, Blázquez, Vigil, Jordá, Palol, etc., han dejado constancia de la destrucción —o al menos debilitamiento— de importantes núcleos de población. Los incursores llegaron a saltar a la Mauritania, quizá en torno al 280. Para entonces ya el emperador Claudio II había infligido a los bárbaros una severa derrota que les obligó en los años siguientes a un repliegue. Los daños, sin embargo, habían sido incalculables: ciudades como Ilerda, Bílbilis y Calagurris figuran como desiertas a comienzos del IV. Otras como Tarraco o Barcino, que sufrieron un duro castigo, hubieron de amurallarse rápidamente, contrayendo, consiguientemente, su viejo perímetro y renunciando a buena parte de sus actividades económicas. La inseguridad de los tiempos contribuyó a crear un endémico problema de bandidaje que será el germen de los futuros *movimientos bagáudicos*, expresión acabada de un bandolerismo social que será característico de distintas zonas del Imperio.

* * *

El Imperio resistió a duras penas la ruda prueba del siglo III. Desde finales de la centuria, y a lo largo del IV, la labor de una serie de emperadores supuso un serio intento de *enderezamiento*. Las figuras de Diocleciano, Constantino, Juliano o Teodosio merecen una especial mención al respecto. En el saldo de su actuación cabe situar: medidas de tipo fiscal y monetario, intentos de sujeción del trabajador a su oficio, defensa eficaz de las fronteras, solución —tras de diversas alternativas— del problema religioso del Imperio, reorganización administrativa a fondo de éste, etc.

Hispania a lo largo de estos años fue una diócesis de la Prefectura de las Galias dividida en varias provincias: Bética, Cartaginense, Lusitania, Galecia, Tarraconense y Tingitana.

Las medidas del gobierno imperial —auténtica monarquía con un enorme aparato burocrático—

se mostraron a la postre insuficientes. El sentido dirigista de la economía no trajo consigo mejoras notorias. La inquietud social a lo largo del siglo IV fue una constante. Pequeños propietarios y gentes sin recursos hubieron de buscar su protección en el latifundista. Este se convertía así en algo más que una potencia económica dada la creciente usurpación de unas funciones públicas que el Estado se veía incapaz de ejercer. La ruina de las viejas instituciones municipales es enmarcable también dentro de este ambiente.

El *triunfo del Cristianismo* dio, en teoría, una mayor cohesión espiritual a la población. Pero a su lado pervivieron amplios resabios de paganismo que el Concilio de Ilíberis (309) atacó. También las corrientes heréticas minaron la solidez de la ortodoxia. En el caso español fue, en particular, la herejía de Prisciliano, síntesis de rigorismo y gnosticismo, de origen galaico, que pervivió en amplias zonas de la Península después de la ejecución del fundador en el 385.

La irrupción de suevos, vándalos y alanos

El precario equilibrio logrado por los emperadores del siglo IV se rompe a comienzos del V. En esta ocasión, la presencia de los bárbaros dentro del Imperio fue algo más que un conjunto de razzias. Fueron ya los primeros asentamientos formales.

La Península Ibérica hubo de sufrir la llegada en el 409 de *suevos, vándalos y alanos* que, tres años antes, habían cruzado el Rin.

El número de invasores no debió ser muy crecido. Los alanos se desperdigaron por las provincias de Cartaginense y Lusitania y su rastro se perderá enseguida. Los suevos acabaron acantonándose en Galecia y los vándalos en la Bética. Desde aquí pasarían en el 430 al Norte de Africa.

Las autoridades romanas de la Península se limitaron a mantenerse en la Tarraconense. ¿Intento de mantener a todo trance el control político del Mediterráneo? Es una hipótesis razonable.

¿Fueron graves los daños causados por los invasores? Los testimonios más o menos coetáneos difieren. Idacio, obispo de Aquae Flaviae, habla de una auténtica catástrofe, aunque culpa en buena parte de ella a la peste y al hambre. Por el contrario, Salviano, hacia el 440, dijo que muchos romanos emigraron hacia los bárbaros «puesto que prefieren vivir libres bajo apariencia de esclavitud, que ser esclavos bajo apariencia de libertad». Mención, sin duda, a ciertas medidas opresivas —las fiscales, por ejemplo— que el Estado imperial había tomado en los últimos tiempos.

En cualquier caso, el asentamiento de suevos, vándalos y alanos era grave, en tanto se había producido sin fundamento legal alguno: el pacto con las autoridades romanas no había sido suscrito previamente.

El asentamiento de los visigodos

Caso distinto será el de los *visigodos*. Su asentamiento se deberá, al menos, a una ficción jurídica: el «foedus» con el Estado romano suscrito en el 418 después de un largo deambular por el territorio imperial. Entrega de tierras a cambio de su ayuda para someter a otros grupos de germanos constituyó la base del acuerdo.

Desde el 507 (derrota a manos de los francos en Vouille) se puede decir que el elemento godo hace de la Península su definitivo lugar de asentamiento.

Resulta difícil saber el número exacto de germanos instalados en territorio hispánico.

El número de vándalos que pasó al Norte de Africa no debió de ser superior a los ochenta mil. Para los visigodos se han barajado cifras entre las ochenta mil almas (Reinhart) y las trescientas mil (Pérez Pujol). En cualquier caso, efectivos reducidos si los comparamos con los aproximadamente cuatro millones de hispano-romanos.

Los trabajos de autores como Reinhardt y Palol han logrado señalarnos las zonas principales de asentamiento de las masas de godos. Esencialmente, corresponderían a las actuales provincias de Segovia, Burgos, Soria, Guadalajara, Madrid, Toledo, Avila, Valladolid, Cáceres y Palencia. Los hallazgos arqueológicos son, al respecto, sumamente elocuentes. En el resto de la Península cabría hablar del asentamiento de guarniciones, pero nunca de grandes masas populares. Sería el caso de las zonas fronterizas con vascones, bizantinos instalados en el Sur y francos en el Pirineo Oriental.

¿En qué forma se llevó a cabo este asentamiento?

Dada la irregular distribución del elemento germánico, los *repartos de tierras* entre romanos y godos debieron de afectar sólo a áreas muy concretas de la Península.

Los acuerdos suscritos con las autoridades romanas por pueblos germánicos, autorizaban a éstos a tomar una parte de las tierras de aquellos propietarios que les hubieran dado alojamiento. Ahora bien, ¿afectó el reparto sólo a los latifundios o también alcanzó a la pequeña propiedad? Sobre la base de los términos «sortes goticae» y «tertia romanorum», algunos autores han deducido que a los provinciales romanos les correspondería una tercera parte de las tierras, mientras que los recién llegados se apropiarían de las otras dos. De hecho, si la estructura latifundiaria se debilitó en algunas zonas por efecto de estos repartos, ello no duró demasiado tiempo. Los patrimonios de la realeza, de la Iglesia y de los grandes nobles acabaron por dar la pauta en los años sucesivos.

¿Cuáles fueron las *relaciones entre godos e hispano-romanos?*

Ramón de Abadal sugirió que en la España visigoda coexistieron tres estructuras de gobierno: la visigoda, que sustituyó a la antigua autoridad militar romana; la hispano-romana, que sostuvo el semidesintegrado aparato civil y administrativo de la población indígena; y la eclesiástica, que tenderá a absorber a la anterior. Su influencia será mayor aún cuando se produzca la conversión del elemento godo al catolicismo.

En teoría, y hasta finales del siglo VI, se mantuvo el principio de separación radical entre las dos comunidades étnicas. Ello se debió tanto a los preceptos legales romanos como a los germánicos. Las diferencias religiosas —godos arrianos, romanos católicos— constituyeron en principio un fuerte elemento diferenciador.

Si embargo, las prohibiciones de matrimonios mixtos fueron con frecuencia quebrantadas. Leovigildo, en consecuencia, acabó derogándolas. La conversión de los godos al catolicismo en los años siguientes obró poderosamente en la progresiva integración de las dos comunidades. Los trabajos de José Orlandis han mostrado claramente cómo a partir de entonces las funciones militares y eclesiásticas —hasta ese momento monopolio de germanos y romanos, respectivamente— pasaron a ser indistintamente ejercidas por miembros de ambas procedencias.

En un contexto semejante cabe explicar también la promulgación de un código único —el LIBER JUDICIORUM— en el que se venía a reconocer la unidad de la población hispánica, en la que sólo un grupo —los judíos— se mantenía en situación de aislamiento.

2

ESTRUCTURAS ECONOMICAS Y SOCIALES DE LA ESPAÑA ROMANO-GODA

Una economía de base agrícola

El latifundio o villa fue bajo la monarquía visigoda la unidad básica de *explotación agraria*. Una parte era explotada a beneficio directo del propietario —monarca, miembro de la alta nobleza o del alto clero—, mientras que otra era cedida a colonos para su cultivo a cambio de un canon. Aunque el clero se vio exento de prestaciones e impuestos personales desde el III Concilio de Toledo, los patrimonios de las distintas diócesis eran sumamente desiguales.

La existencia de una pequeña propiedad derivó —como hemos adelantado— de los repartos de tierras entre romanos y godos. Hay que pensar, en efecto, que muchos de estos últimos explotarían directamente sus lotes de tierra que, sin duda, gozarían de exención fiscal.

Los mecanismos tributarios siguieron siendo los del Bajo Imperio, aunque sumamente degradados: impuestos directos fundamentalmente —iugatio et capitatio— que recaerían sobre la población hispano-goda, y algunos sobre aduanas y tránsito: portorium, teloneum...

El Estado visigodo no tuvo demasiada intervención en la regulación de la vida económica. El deterioro del aparato fiscal es una buena muestra.

La *producción agrícola* —los datos, sin embargo, son muy escasos— siguió siendo en líneas generales la misma que la de época romana. El cereal ocupaba el lugar clave. Algunas disposiciones legislativas nos hablan de cierta protección al regadío, huertas y determinadas especies arbóreas: olivo, manzano, encina y vid, por cuya destrucción se imponían (por este orden) determinadas multas.

En el ámbito de la ganadería, ésta actúa como complemento y, a veces, elemento competitivo de la agricultura. Se ha jugado con la hipótesis de una trashumancia entre zonas relativamente alejadas. Distintas noticias —por lo demás escasas— nos permiten hablar de un desarrollo de la especie lanar en las zonas Norte y N-W de la Península. La Bética conoció la cría de equinos a cierta escala. El ganado de cerda constituyó la base principal para el abastecimiento de carne.

Actividades industriales y mercantiles

La parquedad de noticias es aún mayor en lo que se refiere a la *minería* y la *industria*.

En lo concerniente a la primera, se ha jugado con la idea de una prosecución de la tradición romana —arenas auríferas, plomo, salinas, etc.—, aunque desconozcamos el valor global de la producción.

Algo semejante cabe decir de la industria, cuya decadencia fue notable, limitándose a una producción para las necesidades más inmediatas. En la transformación de los productos agrícolas, la fabricación del aceite ocupa un destacado lugar, rebasando el ámbito del puro consumo local.

De la artesanía del metal los visigodos tenían una amplia tradición. La legislación, que culminará en el LIBER JUDICIORUM, contempla la regulación laboral en este ramo. La orfebrería —tesoros de Guarrazar o Torredonjimeno— alcanza un elevado nivel.

* * *

Cuestión sumamente controvertida es la del *tráfico comercial* en la España visigoda en esta época de transición.

A nivel interior, el tráfico se orientó a través de las calzadas romanas o de los grandes ríos («flumina maiora»). Sabemos de la existencia de reuniones de mercaderes («conventi mercantium.»). En cualquier caso, el tráfico interior sería muy reducido ya que cada región se orientó a la producción de aquello que necesitaba para su consumo.

Cara al exterior, las actividades mercantiles vieron la prosecución de una decadencia iniciada en el siglo III. Sin embargo, la ruptura de contactos entre España y otros puntos del Mediterráneo no fue total. Los testimonios del momento nos hablan de los «transmarini negotiatores», comerciantes de otros países asentados en la Península: griegos, sirios, judíos... que se verían auxiliados por indígenas a los que se da el nombre de «mercenarii». El «cataplus», especie de lonja, sería punto de almacenamiento de los distintos productos, entre los que destacarían la sal, vino, aceite para la exportación y determinados productos de lujo (sedas, joyas...) para las importaciones. La presencia de los bizantinos en el Sur de la Península entre el 554 y el 628 contribuiría, sin duda, a mantener la actividad de este tráfico.

Las áreas con las que la España visigoda mantiene su comercio vienen a ser las siguientes: Italia —con la que se tuvieron las relaciones más intensas—; Africa del Norte, en donde Cartago era escala obligada; Oriente, de donde no sólo llegan distintos productos, sino también claras influencias artísticas; la Galia franca, según se deduce de noticias que nos ha legado Gregorio de Tours; y, en menor grado, las Islas Británicas.

* * *

El *tráfico monetario* siguió, bajo los visigodos, la curva descendente del Bajo Imperio Romano. Su radio de acción quedó prácticamente reducido a las ciudades.

La base del sistema fue el «tremis», equivalente a la tercera parte del sueldo de oro, la moneda fuerte bizantina. En los primeros tiempos de la monarquía hispano-goda, las acuñaciones se hacen, incluso, con la efigie del emperador. A fines del siglo VI, Leovigildo rompió con esta tradición y procedió a poner su nombre en las monedas.

Junto a las monedas de oro, siguieron circulando numerosas de plata de origen romano: las «siliquae».

Desde mediados del siglo VII, la ley de los tremises es cada vez más baja. Existe una equivalencia entre degeneración política y deterioro monetario: en los tremises de comienzos de la siguiente centuria apenas entra oro en la aleación.

Estructura social de la España visigoda

a) La aristocracia senatorial romana junto con la de ascendencia goda constituyeron las bases de la *nobleza hispanogoda*.

Sólo cuando la monarquía toledana consiga el control de la Bética y se produzca la conversión del elemento germánico al catolicismo puede hablarse de una avanzada fusión entre los dos elementos étnicos. A lo largo del siglo VII, en efecto, numerosos personajes cuyos nombres tienen un marcado origen latino ocupan lugares destacados en la milicia o la administración: el duque Claudio, gobernador de Lusitania bajo Recaredo; su contemporáneo Escipión, jefe de los «numerarii» encargados de la recaudación tributaria; el duque Paulo, usurpador frustrado en tiempos de Wamba, etc.

Bien sea por su estirpe (nobleza de linaje detentadora de amplios latifundios) o por sus funciones administrativas (nobleza burocrática o palatina) la aristocracia hispano-goda disfrutará de una serie de privilegios que se verán definitivamente ratificados en el XIII Concilio de Toledo (683). En él se le daban una serie de garantías que algunos autores han llamado el «Habeas corpus de los godos». Era el triunfo de la nobleza sobre cualquier intento de autoritarismo regio. Hecho que a corto plazo habría de incidir en el debilitamiento del cuerpo político-social visigodo desintegrado ante la invasión musulmana en el 711.

31

En un contexto semejante hay que plantearse el desarrollo de determinados *mecanismos prefeudales* en la España visigoda, paralelos a otros semejantes que prenden en la Galia merovingia.

En efecto, la ancestral costumbre del comitatus germánico no se perdió entre los godos, sino que adquirió particulares matices. Así, los monarcas hispano-godos se rodearon de clientelas armadas. Son los *gardingos*, cuyo significado es el de «domésticos» y a quienes se da también el apelativo de «fideles». En principio, vivían en palacio recibiendo el sustento del rey. Sin embargo, se fue también desarrollando otro medio de recompensar sus servicios: la entrega de beneficios en la figura de propiedades territoriales cuyo disfrute, en principio, sólo debía ser durante la vida del donante o del receptor.

Con el tiempo, la formación de estas clientelas sería nefasta para la consolidación del Estado visigodo: los grandes propietarios territoriales acabaron usurpando algunas de las funciones públicas, en una confusión entre los principios de propiedad y autoridad. Las violentas medidas de un Chindasvinto (642-653) contra la aristocracia se mostraron a la larga ineficaces. Por otro lado, las obligaciones militares contraídas hacia el soberano se vieron con frecuencia conculcadas. Los últimos tiempos de la monarquía visigoda constituyen, así, una claudicación de la realeza frente a una aristocracia dividida en facciones irreconciliables y que hace de las áreas donde ejerce su autoridad territorios verdaderamente autónomos. Las formas prefeudales visigodas, así, hicieron prácticamente imposible la aplicación de formas de derecho público sobre las que los reyes quisieron asentar su autoridad. La frecuente deposición de monarcas resulta la consecuencia más llamativa de este fenómeno.

b) Por debajo de la aristocracia hispano-goda quedaba el estrato sin duda más amplio —y también más pobremente documentado— del momento: el de los *libres no privilegiados*. Su distanciamiento de la nobleza se hará cada vez más profundo.

La población urbana sigue experimentando el retroceso iniciado en el Bajo Imperio. Los viejos organismos municipales de época romana se pueden dar, según sugiere Sánchez Albornoz, por muertos a lo largo del siglo VII, a pesar de las menciones recogidas en algunos testimonios legislativos.

Un peso infinitamente mayor tenía la población rural (rustici, rusticani...), en la que se integrarían pequeños propietarios libres de ascendencia goda o romana y grupos de «colonos» y «encomendados».

Las progresivas dificultades por las que la España visigoda atraviese, obligarán a muchos de los libres no privilegiados a vincularse a algún poderoso señor. De esta forma, en paralelo a la formación de clientelas por parte de los monarcas, se desarrollan otras a nivel de particulares. Así, *bucelarios y sayones* (por lo general gentes de escasos recursos) entraban en dependencia de un noble de quien recibían tierras a cambio de un compromiso de fidelidad y obediencia. La condición de hombres libres, sin embargo, no se perdía, y en virtud de ello la ruptura del lazo se podía llevar a cabo en cualquier momento previa devolución del beneficio obtenido anteriormente.

En la práctica, sin embargo, estas relaciones de patrocinio duraban de por vida y eran transmisibles a los herederos.

A diferencia del patrocinado o encomendado, el *colono* tiene su libertad más coartada —es un auténtico semilibre—, por cuanto su sujeción no lo es sólo a la tierra, sino también a la persona del dueño de ésta a quien es devuelto en caso de fuga. Si bien transmite su condición por herencia, dispone de peculio propio a diferencia de los miembros de estratos inferiores.

c) Las personas de *condición servil* en la España visigoda no constituyeron un grupo social homogéneo. El propio término «servus» resulta de por sí muy ambiguo. Las fuentes de la época nos hablan de distintas categorías: desde los trabajadores agrícolas («vilissimi», «rusticani»), quizá los de más dura condición, a los siervos de la Iglesia («servi Ecclesiarum»), en posición algo más ventajosa. Hay que tener en cuenta, a este respecto, que la. Iglesia alentó la práctica de las manumisiones, que permitieron el desarrollo de una clase —la de los *libertos*— en la que acabaron difuminándose las fronteras entre colonato y servidumbre.

«Por lo que al trato que los siervos y semilibres visigodos recibían de sus amos —dice José Orlandis— puede presumirse que se dieron en la realidad concreta toda suerte de conductas.»

Si en principio el siervo era considerado como una cosa, las leyes y cánones conciliares contribuyeron a mitigar algo sus sufrimientos. Así, bajo Chindasvinto-Recesvinto, se prohibió matar o mutilar a los siervos sin haberse oído públicamente la causa. Igualmente, el LIBER JUDICIORUM castigó con trescientos azotes la prostitución de esclavas. Sin embargo, estas medidas fueron contrapesadas en momentos de debilidad —muy frecuentes— de la monarquía goda, con otras —las dadas por Ervigio, juguete de la nobleza— en las que al amo se le dejaba un amplio margen de libertad para maltratar al siervo.

A medida que nos acercamos al ocaso de la monarquía visigoda, el número de siervos del mundo rural debió de crecer ampliamente. De ahí la preocupación de los legisladores por la recuperación de los fugitivos —leyes desde Leovigildo hasta Egica— cuya huída podía significar un deterioro progresivo en las condiciones de productividad de la tierra.

d) Romanos y visigodos constituían —en los distintos niveles sociales— la base más importante de la población peninsular. Algunos grupos, sin embargo, quedaron *al margen* de esta construcción político-social o tuvieron dentro de ella un particular status.

Los vascones no llegaron a ser sometidos de forma efectiva en ningún momento pese a las sucesivas campañas desatadas por los monarcas godos: parte del Pirineo y la orla cantábrica permanecieron, así, prácticamente independientes.

Entre los grupos minoritarios destacarían pequeñas comunidades de francos (descendientes de los protagonistas de las razzias del siglo III); bretones huidos tras la irrupción en su isla de anglos y sajones; africanos huidos de las persecuciones de los vándalos; mercaderes orientales y, sobre todo, *judíos*.

La unidad religiosa lograda oficialmente en el III Concilio de Toledo dejó a estos últimos en una peculiar situación. Mérida, Tarragona y las ciudades de la Bética contaron con las colonias más numerosas.

La tolerancia relativa de que disfrutaron bajo la monarquía arriana se trocó, desde Recaredo, en una hostilidad cada vez más acentuada. Bajo Sisebuto (612) se promulgaron severas medidas para separar a judíos y católicos y para que aquéllos no pudieran acceder a los cargos públicos. Los sucesivos concilios toledanos siguieron legislando en este sentido. En el LIBER JUDICIORUM se condenan expresamente las prácticas y ritos mosaicos. Por último, en el XVII Concilio de Toledo (694), el rey Egica acusa a los judíos de conspirar contra la seguridad del Estado y dispone la confiscación de sus bienes y su reducción a la servidumbre, «para que con la pobreza sintiesen más el trabajo»...

Algunos años más tarde, el elemento hebreo tendría que encontrarse, lógicamente, entre los colaboradores de los invasores musulmanes.

3

CULTURA Y VIDA ESPIRITUAL EN LA ESPAÑA VISIGODA: CONTRACCION Y CLERICALIZACION

La entrada de los visigodos en la Península puso en contacto a dos comunidades (romana y germánica) adscritas a dos confesiones religiosas distintas: *catolicismo niceno y arrianismo.*

No puede hablarse de persecuciones abiertas de los monarcas arrianos hacia los hispano-romanos católicos como ocurrió en Africa del Norte a la llegada de los vándalos. Los testimonios de un Sidonio Apolinar juzgando duramente a Eurico por su actuación en el Sur de la Galia y parte de la Península han de ser vistos con muchas precauciones. La vacancia de numerosas sedes episcopales y parroquias rurales no se debió tanto a la animosidad de los visigodos como a la confusa situación general en los momentos de transición al Medievo. Más aún, los titulares de los obispados actuaron numerosas veces como intermediarios entre la minoría germánica y la masa de población de ascendencia romana.

El triunfo del catolicismo en la España visigoda

Cuando los visigodos se asentaron definitivamente en Hispania, pretendieron seguir bajo la misma pauta. El *arrianismo* era considerado como la «fides gótica» en la misma medida en que el catolicismo se veía como la «fides romana». Ahora bien, el aislamiento de ambas comunidades acabó siendo, como ya adelantamos, imposible. Los contactos —matrimonios mixtos incluidos— entre romanos y godos propiciaron un acercamiento religioso en el que los católicos —mayoritarios y con un clero mucho más capacitado— hubieron de cobrar ventaja. Destacados personajes de linaje germánico como Másona de Mérida o Juan Biclarense acabaron haciendo defección hacia la ortodoxia católica. Leovigildo —excelente monarca— propició un diálogo entre teólogos de ambas confesiones con la finalidad de hacer triunfar las tesis de la «fides gótica». La sublevación de su hijo Hermenegildo, pasado también al campo católico, hay que explicarla en este contexto, aunque las razones de índole política tuvieran en este acontecimiento un peso tan grande como las de orden espiritual.

El fracaso de la política religiosa de Leovigildo habría de ser subsanado en el reinado de su sucesor, invirtiendo totalmente los términos. Las razones que llevaron a Recaredo a abjurar del arrianismo no cuentan con una explicación lo bastante convincente en los testimonios de que disponemos: San Isidoro, San Gregorio Magno, VIDAS DE LOS PADRES EMERITENSES... Pero en cualquier caso, la abjuración de Recaredo en el III Concilio de Toledo (589) supuso para la monarquía goda la aceptación de una religión —el catolicismo— que a fin de cuentas era la confesión de la mayoría de la población de la Península.

Por estos mismos años también (561), un concilio provincial celebrado en Braga daba un golpe de muerte al *priscilianismo* galaico.

Con todo, la *ortodoxia católica* siguió chocando con duras resistencias. Así, el arrianismo tardó en ser desarraigado de aquellas zonas donde el elemento godo mantenía mejor su cohesión de grupo. Por otro lado, los vascones permanecieron compactamente paganos hasta después de la caída de la monarquía visigoda. Y, en definitiva, resabios de paganismo y abundancia de supersticiones siguieron dando la pauta en el medio rural. Para el siglo VI, y referido a Galicia, San Martín de Braga nos dejó en su DE CORRECTIONE RUSTICORUM un magnífico testimonio a este respecto. Para años posteriores son de sumo interés los cánones de distintos concilios toledanos y las severas penas impuestas por Chindasvinto contra quienes recurrieran a sortilegios y adivinos.

Situación y funciones del clero secular

Al *episcopado* se encomendó la salvaguarda de la cohesión espiritual y la erradicación de las prácticas paganizantes de una sociedad —como la hispano-goda— muy superficialmente cristianizada.

El III Concilio de Toledo aceleró la penetración del elemento germánico en las filas del episcopado. Los estudios de Orlandis —aun advirtiendo, como hace este autor, los posibles márgenes de error a que nos conduzca la utilización de métodos antroponímicos aplicados al estudio de las Actas conciliares— son reveladores en este sentido. El papel no sólo eclesiástico sino también político que muchos prelados desempeñaron, hizo que las más importantes sedes fuesen codiciadas por miembros de la aristocracia goda. De ahí que veamos al primado Sisberto implicado en una conspiración contra Egica, o al prelado hispalense Oppas apoyando la irrupción islámica en la Península.

Para fines del VII, E. A. Thompson ha señalado fuertes proporciones de obispos godos (o al menos con nombre germánico) en todas las provincias hispánicas: entre el 27 por 100 para la Bética y el 43 por 100 para la Lusitania. Hay que considerar también que el margen de autonomía con que la Iglesia visigoda se desenvolvió en relación con Roma hizo que el intervencionismo real en la provisión de cargos fuera bastante fuerte, particularmente desde el XII Concilio de Toledo.

De la baja moral del clero (episcopado a la cabeza) contamos con amplias pruebas. La simonía, rapacidad, crueldad, escándalos sexuales, etc., fueron moneda corriente. Las disposiciones conciliares expresan una constante preocupación por estos vicios, muestra inequívoca de la imposibilidad de desarraigarlos. La situación del bajo clero fue por lo general deplorable. La ignorancia fue un mal generalizado. A él se unieron la pobreza y opresión frecuentes que muchos sacerdotes padecieron a manos de sus prelados. Los del antiguo reino suevo de Galicia parece fueron los peores: en un concilio provincial del 675, fueron acusados de tratar a sus subordinados como a bandidos. En el XVI Concilio de Toledo, Egica hubo de tomar severas medidas para evitar la ruina de muchas iglesias parroquiales... Males todos ellos que, sin embargo, respondían a la tónica general de toda la Iglesia del Occidente.

El monacato y sus tendencias

Al igual que en todo el ámbito de la Cristiandad, el *monacato* tuvo un amplio florecimiento en la Península. Sus manifestaciones oscilarán entre el *anacorismo* de un San Millán o un San Valerio y las grandes *reglas monásticas* de San Martín, San Fructuoso o San Isidoro. En la de este último se aspira a una síntesis entre diversas influencias: San Pacomio, San Benito, San Agustín y Cesáreo de Arlés. La abnegación, pobreza, humildad, trabajo y oración son sus notas más destacadas.

La forma más original del monacato hispánico será, sin embargo, el *pactum*, acuerdo entre los monjes y un abad, por el que la comunidad monástica se aleja sensiblemente de los sentimientos jerárquicos del benedictismo.

No estuvo exento el monacato hispano-godo de vicios. Las tendencias priscilianistas fueron perseguidas hasta fecha muy tardía sin ser desarraigadas totalmente en el medio gallego. La girovagia, al igual que en el resto del Occidente, fue una práctica muy difundida. Y contra ella se darán sentencias en los Concilios III y XIII de Toledo. Por último, la intromisión de los obispos en la vida de los monasterios amenazó repetidas veces a éstos con el despojo de sus bienes. Desde el III Concilio de Toledo se trató, sin demasiado éxito, de poner freno a estos abusos.

Los concilios

La reglamentación de la vida eclesiástica y la discusión de los artículos de fe se ejercían a través de los *concilios*.

En el IV Concilio de Toledo se estipuló que se celebraran sínodos provinciales una vez al año, rebajando las exigencias —dos reuniones— que el derecho canónico había estipulado. No parece, sin embargo, que estas reglas se cumplieran a rajatabla. Más aún, las ausencias de obispos a reuniones sinodales fueron muy numerosas. Las grandes distancias, la pobreza de algunas iglesias o la pura desidia se encuentran entre otros motivos.

De hecho, sólo por orden expresa del rey podía reunirse un concilio, aunque a los de carácter provincial no asistiera. En fecha ya tardía (693) se tomó la determinación de que, una vez concluido el concilio, cada obispo reuniese al clero de su diócesis para comunicar las decisiones sinodales y que éstas pudieran ser cumplidas.

De mayor trascendencia serán los concilios reunidos en la capital del reino, que se abrían con la presencia del rey. El monarca entregaba al comienzo de las sesiones el «tomus», escrito en el que constaban aquellas cuestiones que deseaba se debatieran.

Los *concilios de Toledo* rebasaron con mucho —luego insistiremos en ello— el carácter puramente eclesiástico. Numerosos asuntos de orden político fueron objeto de su atención. Puede decirse, por ello, que constituyeron una institución nacional inexistente en cualquier otro país del Occidente, en donde la práctica conciliar —caso de la Galia merovingia— fue muy restringida.

Al III Concilio toledano sucedieron otros, cada vez con más frecuencia, hasta la cifra de diecisiete. Aunque no se pueda hablar de que tuvieran una capacidad legislativa propiamente dicha, de hecho se convirtieron en el punto de convergencia de los intereses de la Iglesia y el Estado visigodos. Así, sus disposiciones (cánones) habían de ser confirmados por la sanción real.

Iglesia y cultura en la España visigoda. El «renacimiento» isidoriano

Habitualmente se sostiene que la Iglesia fue, en el turbulento período de transición al Medievo, la *receptora y conservadora* de la cultura clásica.

Tal afirmación requiere múltiples matizaciones, ya que los hechos resultan mucho más complejos. En efecto, desde tiempo atrás, el vehículo de expresión de la cultura clásica, el latín literario, estaba en franca decadencia. Sidonio Apolinar, un cultivado galorromano, se expresó amargamente en este sentido en el siglo v. En términos semejantes se manifestó en el siglo siguiente Gregorio de Tours. Algunos años después, una de las grandes figuras del momento, el papa Gregorio Magno, lanzó un violento ataque contra la enseñanza de determinados aspectos de la cultura antigua puesto que «en una misma boca las alabanzas a Júpiter no caben junto a las alabanzas a Cristo»...

Las grandes figuras de la Iglesia, por tanto,

aceptaron la cultura profana en tanto se pusiera al servicio de la ciencia sagrada, pero en ningún caso admitieron una dualidad de ciencias. Nos encontramos, en definitiva, ante una ciencia cada vez más clericalizada y al servicio de la teología. Idea que más tarde se expresará en el «Philosophia ancilla theologiae».

Dentro de estas limitaciones, por tanto, se moverán los autores que en la España visigoda trabajen.

Durante el más duro período de las migraciones germánicas, personajes como Orosio, Idacio o el poeta Merobaudes pueden ser tomados como destellos de luz en un mundo en franca decadencia cultural.

A lo largo del siglo VI, la periferia peninsular actúa como refugio de figuras como: Justo de Urgel, autor de unos comentarios a EL CANTAR DE LOS CANTARES; Eutropio de Valencia, Apringio de Beja, Martín de Braga, Liciniano de Cartagena, el Biclarente, autor de una CRÓNICA en la que se recogen sucesos acaecidos en la segunda mitad del siglo VI y, sobre todo, Leandro de Sevilla, alma del III Concilio de Toledo y autor de un LIBRO DE LA INSTITUCIÓN DE LAS VÍRGENES Y DEL DESPRECIO DEL MUNDO. Uno de sus grandes méritos, sin embargo, fue el haber sido educador de su hermano Isidoro.

* * *

El siglo VII peninsular puede ser considerado como la *era isidoriana*. Los centros culturales experimentan un desplazamiento hacia el interior del país. La superación de algunas viejas dificultades —tensiones religiosas, en especial— contribuyó a favorecer un cierto renacimiento cultural. En cualquier caso, sin embargo, reconoce Manuel Díaz, no se podría hablar de cultura clásica, sino a lo sumo de «erudición clásica» y, en el caso de Isidoro, por la vía de los autores eclesiásticos más que de los clásicos del pasado greco-romano.

Obispo de Sevilla desde el 599 y consejero de Sisebuto —el más culto de los reyes godos— desde el 621, Isidoro dejará al morir a los ochenta años una obra indudablemente poco original pero la más brillante de su momento.

Las ETIMOLOGÍAS serán, en sus veinte libros, producto de un saber enciclopédico más que de un entendimiento profundo de las materias tratadas, desde la gramática y retórica a la vida de las ciudades, navegación y útiles de labranza.

Otro tanto podría decirse del resto de su producción, que cubre obras doctrinales y ascéticas, «científicas», filosóficas (mera coordinación de materiales legados por la Antigüedad) y, sobre todo, históricas. Su HISTORIA DE LOS REYES GODOS, SUEVOS Y VÁNDALOS nos muestra ya una identificación de la monarquía goda con el propio pueblo español.

La proyección de Isidoro perdurará de forma directa hasta la extinción del Estado visigodo. De manera indirecta, el obispo de Sevilla podrá ser considerado como uno de los fundadores de la Edad Media, puente entre el período constantino-teodosiano y el «renacimiento carolingio» (Fontaine).

En lo que concierne al primer extremo, Isidoro dejó su influencia sobre personajes como Braulio, obispo de Zaragoza, y su sucesor en esta sede, el abad Tajón, que completó los LIBRI SENTEN-TIARUM del maestro. De la misma forma, varios prelados toledanos, Eugenio, Ildefonso y Julián se encontrarán entre las últimas luminarias de la cultura hispanogoda. La obra del tercero —HIS-TORIAE GALLIAE TEMPORIBUS WAMBAE— es un excelente testimonio para el conocimiento de las conmociones que sacudieron al Estado visigodo en sus últimos tiempos.

* * *

La contracción y clericalización, muy claras en las manifestaciones culturales escritas, tienen lugar también en la *producción artística* de la España visigoda.

Es cierto que de ésta conservamos muy poco. Lo más valioso se reduce a un conjunto de iglesias de muy reducidas dimensiones, datadas en el siglo VII, momento culminante de la monarquía visigoda: San Juan de Baños, Santa Comba de Bande, San Pedro de la Nave... Todas ellas se encuentran ubicadas en zonas pobres que sufrieron poco la irrupción islámica que, sin duda, debió barrer otras manifestaciones más importantes. La bóveda de cañón, la utilización de la sillería y, sobre todo, el arco de herradura —quizá de procedencia oriental— son sus características más destacadas.

Ninguna de ellas se podría considerar como originalmente goda. Lo más novedoso de la producción artística está en otro campo: el de las artes industriales, en donde los visigodos se manifestaron como poseedores de una amplia tradición.

Jarrones bautismales, fíbulas, armas, coronas votivas, joyas con piedras engastadas, etc., figurarían en este capítulo. Su estudio rebasaría el mero tratamiento artístico y enlazaría con el de una producción artesanal escasamente documentada pero de indudable interés.

4

LA MONARQUIA VISIGODA
A LA BUSQUEDA DE LA UNIDAD PENINSULAR

Cuando los visigodos tomaron sus primeros contactos con la Península, constituían el pueblo bárbaro en más avanzado proceso de romanización. Las autoridades imperiales vieron en él un excelente auxiliar para enderezar las fuerzas del Imperio. Paulo Orosio dijo de uno de los primeros monarcas godos, Ataulfo, que «eligió la gloria de aplicarse a restaurar íntegramente el nombre romano gracias a las fuerzas de los godos. Ambición que lo hace a los ojos de la posteridad restaurador del régimen romano, ya que no había podido ser su destructor». La consagración de esta política parecía que se podía ratificar a través de la firma de un acuerdo (el «Foedus» del 418) por el que los visigodos quedaban acantonados en el Sur de la Galia, con la misión de destruir a los bárbaros asentados en la Península.

De Tolosa a Toledo

Tolosa fue la primera capital del Estado visigodo en Occidente. Desde ella, y a lo largo de una serie de años, los primeros monarcas llevaron a cabo una gran labor: expulsión de los vándalos de la Península, arrinconamiento de los suevos en su extremo noroccidental, colaboración con las autoridades romanas en la detención del peligro huno, reducción de las bandas de bagaudas que asolaban la Tarraconense, etc.

Coincidiendo con los estertores del Imperio en Occidente, un monarca de indudable talla —Eurico— hizo la figura de un excelente político. Con él puede hablarse de un *Estado a caballo del Pirineo*, entre el Ródano y el Atlántico. La Península experimentó un decisivo proceso de «visigotización». En el 476, el último emperador romano era destronado. Eurico pudo actuar con mayores márgenes de maniobra y erigirse en la gran potencia política del Occidente.

Con su sucesor, Alarico II, estas buenas perspectivas se malograron rápidamente. Las dificultades con sus súbditos católicos y el engrandecimiento del Estado franco de Clodoveo, convertido en el 496, coadyuvaron a la expulsión de los visigodos de la zona norte del Pirineo. La derrota sufrida en Vouillé (507) fue clave para la basculación definitiva hacia la Península de los centros políticos del Estado visigodo. *Toledo sustituirá a Tolosa* como capital.

A partir de estos momentos se asiste a una dura pugna en la que la monarquía visigoda llega prácticamente a identificarse con la vieja Hispania, en la que otras fuerzas políticas mostraron su resistencia a la labor unitaria:

a) Los suevos. Las noticias relativas a ellos son escasas. Algunos de sus reyes llegaron a hacer figuras de monarcas capaces como: Requiario, que llegó a extender sus operaciones militares hasta la Cartaginense; aunque fue derrotado por los visigodos en el 456. El Estado suevo resistirá aún siglo y pico más, aunque en sus últimos tiempos prácticamente como Estado vasallo de la monarquía visigoda. Hacia el 583, Leovigildo —uno de los grandes artífices de la unidad peninsular— reducía el reino suevo a la categoría de provincia del Estado godo.

b) Los francos. Beneficiarios de la desaparición del reino de Tolosa llevarán en ocasiones a cabo incursiones a este lado del Pirineo. Bajo Recaredo, sin embargo, la frontera parece consolidarse en esta línea, conservando al otro lado la monarquía toledana el enclave de la Narbonense o Septimania.

c) Los bizantinos. Asentados en la Península al calor de discordias intestinas (554), retendrán posiciones entre la desembocadura del Júcar y la del Guadalquivir. No se trató más que de una ocupación militar que no llegó a cuajar entre la masa de población. Leovigildo y sus sucesores lucharán por contraer esta faja de tierra. Sin embargo, la expulsión definitiva no se conseguirá más que por Suintila en el año 621. Refiriéndose a este monarca y a esta circunstancia, San Isidoro podría escribir que «más que otros reyes gozó de la gloria del triunfo y de una felicidad admirable, pues —cosa que ningún otro príncipe había logrado— realizó en sus manos la monarquía de toda España».

* * *

Tan triunfalistas declaraciones ocultaban graves limitaciones del Estado visigodo. En efecto, los monarcas hubieron de luchar tenazmente contra algunos pueblos de la Península cuya ubicación, en algunos casos, nos es poco conocida: sappos, rucones, cántabros y, sobre todo, *vascones*.

En el intento de sometimiento de estos últimos gastaron sus energías algunos de los monarcas godos. De hecho, heredaban un problema que las autoridades romanas no habían conseguido solucionar totalmente. Algunas campañas montadas en toda regla (Leovigildo, Suintila, Wamba...) no fueron suficientes para domeñar a los rebeldes, que mantuvieron una actitud de abierta hostilidad tanto contra visigodos como contra francos. En este contexto cabe explicar la fundación o fortificación de una serie de plazas que los monarcas toledanos utilizarían como línea de defensa frente a los pueblos del Norte de la Península: Amaya, Victoriaco (identificada comúnmente con Vitoria), Olite... Un verdadero «limes» parecido a los que se mantenían frente a francos o bizantinos.

La irrupción de los musulmanes en el 711 coincidirá, precisamente, con el intento del último monarca godo —Rodrigo— de reducir a la sumisión a los vascones. El Islam, así, habrá de enfrentarse en el futuro con los mismos pueblos a quienes los visigodos no habían logrado colocar bajo su autoridad.

La realeza visigoda y su sentido

Las bases de la *realeza visigoda* en España tienen su punto de partida en Eurico, que rompe con la ficción imperial romana al ser destronado el último emperador del Occidente. La consolidación vendrá con Leovigildo, momento en que el monarca visigodo da un mayor realce a su dignidad, al tomar algunos de los atributos romanos. La elevación sobre el pavés, típica de los reyes germánicos, se ve sustituida por la elevación al trono y —desde fecha imprecisa— la unción real, que sólo desde mediados del siglo VIII se dará en la monarquía franca.

De hecho, la realeza visigoda pretendió una síntesis entre elementos germánicos —monarquía popular, asamblea de hombres libres— y romanos, que legaron toda una estructura político-administrativa que trató de aprovecharse.

En principio, el monarca visigodo goza de amplísimos poderes como jefe militar, legislador, juez supremo, jefe del aparato administrativo, etcétera. Pero, en la práctica, la monarquía no pudo ser absoluta por varias razones.

En primer lugar, por la falta de un *sistema sucesorio estable*. Toda la historia política de la España visigoda es prácticamente una constante pugna entre los sistemas electivo y hereditario. El predominio de un procedimiento u otro dependerá de las distintas situaciones históricas. Bajo Leovigildo pareció triunfar el sistema hereditario. Sin embargo, sólo pudo ser mantenido bajo sus dos descendientes. En el IV Concilio de Toledo (633) se estipularon las condiciones bajo las que un monarca debía ser elegido. Reuniones conciliares posteriores ratificaron estas decisiones, que dejaban a la alta nobleza un amplio margen de maniobra. Pero, también, dejaban la puerta abierta a la formación de facciones rivales que, en los últimos tiempos de la España visigoda, pugnarán por elevar al trono a sus candidatos. El cronista franco Fredegario habló al respecto del «morbo gótico del destronamiento». Con Wamba (672-80) se hicieron los últimos intentos serios de imponer la autoridad monárquica sobre unas fuerzas —nobleza, ciertos sectores del clero— que amenazaban con la disolución del Estado. El destronamiento de este monarca precipitó la crisis de una construcción política que treinta años después desaparecería con la irrupción islámica.

De otra parte, la *influencia de la Iglesia*, a partir del III Concilio de Toledo, será decisiva en la configuración de la teoría política visigoda. San Isidoro será uno de sus más acabados valedores. Sobre la base de que todo gobernante tiene su poder de Dios, el obispo de Sevilla —en una línea sumamente conservadora— reconoce que incluso los malos gobernantes han de ser obedecidos puesto que «cuando los reyes son buenos, es don de Dios; cuando son malos, la culpa es del pueblo. Porque según los méritos del pueblo se dispone la vida de los gobernantes, lo atestigua Job: Dios hace que reine el hipócrita a causa de los pecados del pueblo». Ahora bien, San Isidoro establece, a su vez, la necesaria diferenciación entre el rey y el tirano. Cuando un monarca obra inicuamente, pierde su condición de rey. Es el conocido proverbio: «rex eris si recte facies, si non facies non eris».

La Iglesia se reservaba, de esta forma, una especie de rectoría moral sobre el Estado, cuyos actos deberían ajustarse a los principios de la ética cristiana. En los *Concilios de Toledo* se verá perfectamente la conjunción de ambas fuerzas.

En efecto, si los concilios fueron esencialmente asambleas eclesiásticas, ello no fue obstáculo para que las potestades civil y eclesiástica tomasen contacto en ellos. Si bien se ocuparon poco de política, contribuyeron a regular situaciones dudosas, como la usurpación del trono por Sisenando en el 631, que fue legitimada en el IV Concilio de Toledo. La fijación de normas para la elección de monarcas, los anatemas contra los usurpadores, la protección moral a la realeza, etc., son otros tantos capítulos a tener en cuenta en la actividad política de estas asambleas. Ramón de Abadal ha dicho que los concilios llegaron a tener una doble finalidad: la disciplina del clero y la erradicación —imposible a la larga— del «morbo gótico».

El aparato administrativo y sus limitaciones

Los mecanismos administrativos de la España visigoda son una síntesis de elementos germanos y romanos ya muy degradados.

El cuerpo político más importante estaba representado por el *Aula Regia*, quizá heredera de un Senado visigodo que, según Sánchez Albornoz, debió desaparecer definitivamente en el siglo VII. Como organismo de gobierno fue utilizado por el rey para asesorarse en asuntos políticos y en la elaboración de las leyes. Como asamblea, la integraban un conjunto de oficiales y magnates, bien ostentadores de algún poder público o bien personajes distinguidos por su linaje o su poder económico.

En cualquier caso, el núcleo fundamental del Aula Regia estaba constituido por los miembros del *Palatium*, auténtica corte del monarca y sede de una administración central que prácticamente se confundía con los servicios domésticos del rey. Bajo el **nombre genérico de Cómites, dirigían** el patrimonio real, el tesoro, la cancillería, la mesa del rey, la guardia del monarca (los **espatarios**), etcétera.

La *administración territorial* visigoda respetó la creada por el Bajo Imperio: provincias de Tarraconense, Bética, Cartaginense, Galecia y la Septimania o Narbonense. Al frente de cada una de ellas figura un dux o duque. Estos gobernadores en repetidas ocasiones tomaron sus provincias como bases de apoyo para conjuras que acabaron con el derrocamiento de distintos monarcas. Con el transcurso del tiempo también, el papel administrativo de la provincia perdió importancia frente a otras circunstancias nuevas: los «territoria», regidos por un juez o un conde, e incluso, los simples latifundios, sobre los que los propietarios ejercerán una serie de funciones sustraídas al Estado.

El deterioro de la autoridad pública —a pesar de los reiterados intentos de algunos monarcas por enderezarla— se vio también en otras esferas. Así, el municipio prácticamente estaba arruinado en el siglo VI, y las ciudades vieron sus funciones reducidas de hecho a lo espiritual. La *Hacienda* hispano-goda se confundió casi con los recursos particulares de la Corona; algunos impuestos —en especial los indirectos— prácticamente desaparecieron, según hemos adelantado, o perdieron su carácter público. El *ejército*, en definitiva, nunca fue un cuerpo permanente. La obligación de todos los hombres libres de asistir a la llamada del rey fue repetidamente conculcada. Las duras medidas de Wamba (673) fueron semiabandonadas al ser destronado. Cuando los musulmanes irrumpan en la Península en el 711 se enfrentarán con un ejército minado por una serie de vicios feudales. En efecto, para entonces tanto los duces como los grandes terratenientes se habían arrogado unas funciones administrativas y militares en detrimento del Estado y de su solidez económica.

El Derecho y la administración de justicia

El aparato legislativo de los Estados germánicos se ha considerado en base a una *dualidad de leyes:* los romanos se regirían de acuerdo con sus disposiciones legales y los recién llegados se gobernarían por las suyas.

Tal idea aplicada a la España visigoda nos daría el siguiente esquema: el elemento visigodo se rigió por el CÓDIGO DE EURICO y los romanos por el BREVIARIO DE ALARICO. A una dualidad de leyes correspondería también una dualidad de jurisdicciones. Los romanos serían juzgados por jueces romanos, y los godos por el juez godo o «thiufado». Las diferencias sociales, religiosas, culturales, etc., de las dos comunidades favorecerían —se ha dicho— estas distinciones. La progresiva eliminación de diferencias, consiguientemente, ayudaría a uniformar el Derecho y la práctica jurídica. En este caso, el LIBER JUDICIORUM, promulgado por Recesvinto (649-672), habría supuesto la consumación de este proceso.

En los últimos años se han lanzado serias dudas sobre la personalidad del Derecho en la España visigoda. Los trabajos de autores como García Gallo y Alvaro D'Ors han contribuido a crear la imagen de la territorialidad de las manifestaciones legislativas godas. En virtud de ello, no habría jueces específicos para cada comunidad, sino que el thiufado sería el jefe de una unidad militar y, a lo sumo, desempeñaría funciones de justicia criminal. En virtud de ello, también, tanto el Código de Eurico como el Breviario de Alarico supondrían la recepción sin resistencia del derecho romano por los monarcas visigodos y su aplicación indistintamente a romanos y a godos. El segundo de los códigos se sumó al primero, pero ni lo derogó ni funcionó independientemente de él.

Sobre estos cuerpos legales, se sumarían otras disposiciones: la Ley de Teudis (564), que quedó incluida en el Breviario, y el Codex revisus, promulgado por Leovigildo hacia el 580, con un sentido también territorial.

Por último, con Recesvinto, se procedería a dar una mayor homogeneidad al sistema legislativo, no a promulgar una ley igual para dos comunidades étnicas cuya fusión se habría producido ya mucho tiempo antes. El Liber Judiciorum, en este caso, reunió aquellas leyes promulgadas hasta Leovigildo (leges antiquae) y las que se fueron dando hasta el 654.

Homogeneidad legislativa que podría ser tomada como el paso decisivo en la política de unidad por la que los monarcas visigodos lucharon a lo largo de varios siglos. Sin embargo, los hechos subsiguientes, que desembocarían en la ya reiterada invasión islámica, demostrarían la debilidad de un Estado al que las medidas enérgicas de algunos monarcas no habían conseguido dar la debida solidez.

LA ALTA EDAD MEDIA (711-1031) (EL ESPLENDOR DE AL-ANDALUS Y LOS NUCLEOS DE RESISTENCIA CRISTIANOS)

1

EL ASENTAMIENTO
DE LOS MUSULMANES EN LA PENINSULA

La rápida expansión del Islam se justifica parcialmente por la debilidad de los Estados con los que hubo de enfrentarse en su camino. La Persia sasánida y el Imperio bizantino se habían enfrentado en una guerra a muerte que sólo concluyó —Persia derrotada, Bizancio desgastado— en vísperas del triunfo del Islam en Arabia. Por otro lado, el Estado visigodo se encontraba en el 711 en una situación de auténtica quiebra. El grupo de bereberes y los posteriores refuerzos árabes que en breve plazo ocuparon la Península se limitaron a dar cuenta de la superestructura política vigente en el país. La destrucción del reino godo no era, en principio, más que una de tantas etapas en la creación de un Imperio islámico que se había gestado en el otro extremo del Mediterráneo. Los mismos valíes que gobernaron en la Península durante los primeros tiempos de la conquista, dependieron del gobernador árabe de Cairuán sin que, posiblemente, tuvieran demasiado contacto con la Siria califal.

Entre la masa de población hispano-goda —que asistió indiferente al hundimiento de la monarquía de Rodrigo— no se produjeron reacciones sensibles ante el cambio de situación política. Habrá que esperar al 754 para que un anónimo cronista afincado en un Toledo sometido al Islam tome conciencia de lo que había sido «la pérdida de España». El descalabro sufrido en el 722 por un cuerpo de ejército musulmán en las fragosidades de las montañas astures, no debió superar las características de una escaramuza «colonial», posteriormente magnificada por los cronistas del reino astur-leonés.

Instalación y efectivos demográficos

El número de *musulmanes instalados* en la Península fue sumamente reducido. Sobre la masa de población hispano-goda se establecerá una minoría de ascendencia árabe o bereber que progresivamente se irá mezclando con aquélla. Su llegada a la Península se ha estudiado en función de una serie de contingentes sucesivos: de diez a diez y siete mil bereberes y otros tantos árabes con Tarik y Muza. Unos años más tarde, con el vali Al-Hurr llegaron algunos cientos de notables que echaron las bases de una incipiente administración. En el 741, el general Balch pasó el Estrecho con un ejército de siete mil sirios a fin de ayudar a someter una rebelión de bereberes peninsulares. Otros grupos, como el que acompañó a Abd-al-Rahmán I en su exilio, debieron de ser muy reducidos. Más importante a efectos demográficos sería el «goteo» de población bereber que se fue asentando en Al-Andalus una vez que se consolidó la conquista. Por todo ello, llegaríamos a la conclusión de que el número de «viejos» islamitas instalados en la Península un siglo después de Guadalete no superaría la cifra de cincuenta mil. La islamización de la Península vendría, por tanto, con la progresiva conversión de la masa de población hispanogoda. Ella contribuiría a reforzar unos sentimientos islámicos en un principio mantenidos sólo por la superestructura política que había creado el elemento inmigrante.

Repartos de tierra

En un principio muy poco cambió de la estructura social legada por los visigodos. La movilidad de los guerreros musulmanes impidió que en este terreno se pudieran llevar a cabo modificaciones sensibles.

Las *actitudes del Islam hacia la tierra* —principal fuente de riqueza del momento— experimentaron una evolución al compás de la que los acontecimientos políticos sufrieron.

En una primera etapa, los bienes ganados se repartieron entre los guerreros en calidad de botín (ganima) una vez descontado el quinto del califa (jums) que éste habría de repartir entre los desvalidos.

Este criterio —que seguía fielmente las prescripciones del Profeta— fue modificado bajo Omar, momento en que el botín territorial fue inmenso. ¿Se podría considerar la tierra bajo los mismos criterios anteriores? El propio Omar dio una solución de compromiso: la tierra no sería repartida, sino que permanecería como bien de la comunidad islámica cultivada por sus antiguos ocupantes.

Este sistema apenas tuvo vigencia. Omar y sus sucesores hicieron ya concesiones, bien en propiedad, bien con un amplio derecho de disfrute (iqta) sobre algunas de las tierras del jums califal.

España, cuya conquista marcó el cénit del poder musulmán, se vio ampliamente afectada por este fenómeno recientemente analizado por Pedro Chalmeta. Muza procedió ya a un primer reparto de tierras, en el que el elemento árabe salió sensiblemente beneficiado en relación con el bereber. En líneas generales, se puede decir que el viejo latifundismo de origen visigodo fue sustituido por otro nuevo en el que los magistrados y funcionarios musulmanes fueron los beneficiarios. La aristocracia guerrera, que había constituido el alma de la conquista, se fue transformando en una especie de nobleza territorial, bien por la plena posesión de la tierra, bien por su usufructo. Las tensiones entre los diversos grupos tribales, que los islamitas transplantaron a la Península, habrían de afectar profundamente a la evolución social de la España omeya.

En líneas generales, la estructura de la propiedad permaneció casi inalterable tras la convulsión del 711. Lo que resultó sensiblemente matizado fue el sistema de explotación de la tierra. Los árabes introdujeron en la Península la aparcería, tomada de los bizantinos. Diversas figuras aparecen, así, al lado del propietario, al que se ha de entregar entre 4/5 y 1/5 de la cosecha recogida: el cultivador o amir, el socio propietario o xaric, el medianero o munasif... Por lo general, el propietario islámico suele residir en la ciudad, y al frente de sus explotaciones figura un delegado.

En el caso de las propiedades del emir, será el sahib al-diya (señor de la aldea) que desempeña las funciones de intendente.

La ciudad hispanoárabe

Aunque el campo sigue siendo, bajo la dominación islámica, el terreno más propicio para el asentamiento de la población, la *ciudad* va a desempeñar también un papel que no es desdeñable en absoluto.

El desarrollo de las actividades mercantiles que el Islam impulsó en todo el ámbito de su influencia política, provocó un resurgir de la vida urbana en aquellas zonas que habían permanecido en un clima de postración en los años anteriores. Estudios como los de Torres Balbás han permitido seguir el crecimiento de algunas ciudades de la España islámica. Núcleos de población como Córdoba se convirtieron en centros de atracción de la minoría dirigente. La capital del califato hispano-musulmán llegó a ser la urbe más populosa del Occidente con sus aproximadamente 100.000 habitantes. A estas cifras habría que añadir también las muy elocuentes de 37.000 para Toledo, en torno a 27.000 para Granada y Almería, y alrededor de 17.000 para Málaga, Zaragoza o Valencia. Si bien no se puede hablar de muchas creaciones de nuevo cuño (Talamanca, Machrit...), sí hay que tener en cuenta el renacimiento de ciudades antiguas en vías de extinción: Murcia sobre el solar de la antigua Ello, Lérida o Badajoz.

«Opuesto, antitético a este trazado de calles regulares, vías todas de tránsito público, al mismo tiempo que de acceso a las viviendas que las flanqueaban, abiertas por sus dos extremos, sin soluciones de continuidad, como las de nuestras ciudades modernas, era el trazado de las ciudades musulmanas, tanto orientales como occidentales, pues la islamización supuso un molde uniforme urbano, consecuencia de una forma de vida» (Torres Balbás).

El trazado de las *calles* responde a un principio de absoluta irregularidad. El plano laberíntico característico de la ciudad islámica recuerda, sugiere Chueca Goitia, el de un corte de masa encefálica. En puridad, la calle no existe dada la abundancia de quiebros y recodos que le caracterizan. Callejones cerrados y adarves sin salida rompen toda la perspectiva. De forma semejante, la plaza de las ciudades del Occidente se ve sustituida en sus funciones por los patios de las casas, los de las mezquitas y, en último término, el *zoco,* un espacio libre dedicado a mercado permanente o periódico.

El núcleo fundamental de la ciudad musulmana lo constituye la *madina,* en donde se encuentra enclavada la mezquita mayor. En un primer cinturón, se encuentra un conjunto de callejuelas que albergan los distintos ramos del comercio; es la *alcaicería,* con una dedicación a aquellos productos más valiosos. Se encuentran también las alhóndigas *(funduks),* depósitos de mercancías y lugar de alojamiento para mercaderes venidos del exterior. Un segundo cinturón albergaba a los barrios residenciales de la localidad. Quedan, por último, los arrabales *(rabad),* bien dentro del recinto amurallado, bien extramuros, o bien dotados de sus propias cercas. En el siglo x,

Córdoba tenía hasta veintiún arrabales rodeando a la madina. En ocasiones, alojan a la población de acuerdo con sus oficios. Torres Balbás, así, ha señalado arrabales de curtidores en Zaragoza, alconeros en Granada, barberos en Toledo, de soldados y sus familias al pie de algunas fortalezas... Razones de índole religiosa pueden llevar a determinados sectores de población a agruparse en zonas muy concretas de las ciudades: judíos y mozárabes, estos últimos en torno a las iglesias cristianas cada vez más reducidas en número.

La ciudad hispano-musulmana, en definitiva, como lugar de asentamiento responde a unas condiciones de vida y a una mentalidad muy dispar de aquella que generará su vecina hispano-cristiana.

2

ESTRUCTURAS SOCIO-ECONOMICAS DE AL-ANDALUS EN LA ALTA EDAD MEDIA

La agricultura y sus innovaciones

La *agricultura* peninsular experimentó bajo el dominio musulmán un indudable auge. La introducción de nuevos productos se sumó al perfeccionamiento de las viejas técnicas.

Cereal, olivo y *viñedo* constituyen la conocida trilogía de cultivos típicamente mediterráneos. En cuanto el primero, el trigo constituyó la especie más cultivada. En lo referente al olivo basta considerar que la zona óptima para su producción fue controlada por el Islam durante buena parte del Medievo. El viñedo, pese a las prescripciones coránicas, fue cultivado en la Península con el mismo énfasis que en tiempos pasados. La afición a la bebida de poetas y funcionarios andalusíes constituye una curiosa peculiaridad del mundo hispano-islámico.

La higuera, el limonero, el almendro y el naranjo constituyen otras tantas expresiones de una muy cuidada arboricultura.

Si los musulmanes no fueron los introductores del *regadío* en España, elevaron su tecnología a un alto grado. Las experiencias cosechadas en el Creciente Fértil se sumaron, así, a las recogidas en el litoral levantino. Las reliquias del pasado árabe son, en este sentido, numerosas: sistemas de acequias (saqiya), multiplicación de norias (naura) y aceñas (saniya), creación de un régimen administrativo para la equitativa repartición del agua mediante inspecciones, etc.

Bajo la dominación islámica, las *especies forestales* —encinas y pinos fundamentalmente— se encontraron ampliamente extendidas. Muebles y barcos —importantes atarazanas había en Tortosa— constituyeron buenas expresiones del aprovechamiento de las posibilidades madereras de la Península.

El desarrollo de una industria artesanal contó con la excelente cobertura de toda una serie de plantas industriales: algodón en el bajo Guadalquivir, lino en la cuenca del Genil, seda en Murcia y Granada, esparto en la zona sudoriental, aparte de los colorantes como la rubia y el pastel.

* * *

La *ganadería* constituyó un excelente complemento de la agricultura en Al-Andalus. Muchos de sus aspectos están aún por dilucidar. Así, el problema de la trashumancia, que para algunos autores entroncaría con rancias tradiciones ibéricas y para otros habría sido importada a la Península por el elemento bereber invasor. Asnos y bueyes constituyeron la base de la prosperidad agrícola de Al-Andalus, mientras que el caballo era utilizado —como en el Occidente europeo— de forma esencial como máquina de guerra.

Avicultura y apicultura bastante perfeccionadas constituyeron el complemento de la economía rural islámica.

Minería e industria

En el campo de la *minería y la industria*, una serie de productos crearon la infraestructura necesaria. Hierro, plomo, mercurio y oro entre los metales. Aceite, harina y vino entre los productos alimenticios. Lana y seda entre los textiles. Los brocados cordobeses (tiraz), las armas toledanas, los cordobanes de la capital califal, las cerámicas dispersas por todo el territorio peninsular, etcétera, constituyeron importantes capítulos del artesanado andalusí. Los arsenales de Pechina, Sevilla, Tortosa y Alcacer do Sal fueron protagonistas del desarrollo de una importante industria naval.

La orfebrería, el trabajo del vidrio y el papel (el primer molino aparece en Játiva en el siglo X) completan el esquema.

La religión islámica desarrolló una moral laboral propia (la *hisba*) por medio de la cual el trabajo tuvo su reglamentación, plasmada en la redacción de algunos tratados sumarios. Un personaje, el almotacen *(al-muhtasib)*, era encargado, como adjunto del cadí o juez, de velar por la rectitud de las transacciones y el buen funcionamiento de las corporaciones profesionales.

Comercio

Frente al oscuro *panorama mercantil* de la Europa cristiana del Alto Medievo, el mundo musulmán en general y Al-Andalus en particular presentan un floreciente aspecto.

El Islam supo reavivar la red de comunicaciones heredada de Roma y semiabandonada bajo los godos. El renacimiento urbano permitió un activo tráfico ciudad-campo que hizo de centros como Córdoba puntos de irradiación de las más importantes comunicaciones.

En cuanto al comercio internacional es necesario tener en cuenta el importante papel que desempeña el control del Mediterráneo por el Islam en estos momentos. El profesor Imamuddin ha distinguido varias áreas de irradiación del comercio omeya: el Norte de Africa, el Próximo Oriente, el Lejano Oriente, Bizancio, Italia y Francia-Europa del Norte. Habría que sumar también, los Estados hispano-cristianos.

El volumen del tráfico resulta difícil de cuantificar. Se ha sugerido, en función del número de productos en juego, una superioridad de las exportaciones (cincuenta productos) sobre las importaciones (una veintena). Uno de los productos, el aceite andalusí, se convertirá en el rey de las exportaciones, llegando incluso hasta el otro extremo del Mediterráneo. La continuidad en su comercialización —destaca Martínez Montávez— se prolongará incluso más allá del control islámico sobre el espacio bético.

La circulación monetaria

Frente a la *contracción monetaria* que la Europa cristiana sufre en la Alta Edad Media, el Islam desarrolla una economía de este signo de indudable empuje. El mundo musulmán —y Al-Andalus consiguientemente— desempeñará un importante papel en el tráfico de metal precioso desde el momento en que ejerza el control político en algunas de sus principales fuentes. La polémica entre los historiadores en torno a este tema —en la que más adelante insistiremos— sigue teniendo una gran viveza.

Si el Islam se inspiró en modelos bizantinos y persas a la hora de crear su aparato administrativo, ello fue también extensible al sistema monetario. El sueldo de oro bizantino fue tomado como base para la acuñación de una moneda, el *dinar*. La dracma de plata persa sirvió de complemento de un sistema bimetálico al tomarse como modelo para otra pieza, el *dirhem*. Aún se puso en circulación una tercera moneda de menor valor, el *fals*, de cobre.

Al igual que en los aspectos estrictamente políticos, en las acuñaciones la España islámica dependió al principio de los modelos orientales. La progresiva independencia política acarreó una hispanización de las monedas, prácticamente total en el reinado de Abd-al-Rahmán III, momento en que la ley de los dinares es excelente. La disolución del califato cordobés en el primer tercio del siglo XI traerá consigo la consiguiente degeneración monetaria: disminución de las acuñaciones en oro y envilecimiento de la plata.

La estructura social de Al-Andalus

La *sociedad hispano-musulmana* va adquiriendo unos caracteres bastante definidos a lo largo de las tres centurias que dura el Alto Medievo.

Las capitulaciones (suhl) y los tratados de paz (ahd) suscritos con los poderes locales de ascendencia visigoda no fueron más que pasos en el progresivo proceso de islamización. El impulso decisivo en este campo se dio con la llegada a la Península de Abd-al-Rahmán I y la adopción del rito jurídico-religioso malekí, rigurosamente ortodoxo.

Si cupiese establecer una estratificación social en el territorio andalusí en estos momentos, nos encontraríamos, a grandes rasgos, con el siguiente esquema:

a) La cúspide de la sociedad andalusí estaría ocupada por el elemento de *ascendencia sirio-arábiga*. De hecho, no se trataba de un grupo coherente, sino de un conjunto de familias de distinto linaje que trajeron a la Península sus odios ancestrales: yemeníes y qaysíes, estrictamente árabes, y sirios, venidos en los contingentes militares del general Balch.

A pesar de sus profundas diferencias, hay un elemento común entre todos ellos: la apropiación de las mejores tierras de la Península, correspondientes a los valles del Ebro y Guadalquivir.

b) Un escalón por debajo, pero superiores en número, fueron los contingentes *bereberes*, asentados en tierras de peor calidad (la zona de la Meseta) en donde parece se dedicaron al pastoreo, actividad desarrollada en su país de origen. La hostilidad hacia el elemento sirio-arábigo permaneció latente en todo momento, materializándose en explosiones como la rebelión del 741, a partir de la cual el vacío demográfico del valle del Duero se acentuó.

c) En tercer lugar nos encontraríamos con un heterogéneo grupo integrado por aquellas personas en alguna medida ligadas a la aristocracia dominante. Los Omeyas habían desarrollado en el Próximo Oriente esta categoría de clientes o patrocinados, colocados bajo el denominador común de maulas *(mawali)*.

Destino parecido fue el experimentado por numerosos esclavos de la más variada procedencia geográfica, desde el Sudán hasta las tierras habitadas por los eslavos. Muchos de ellos acabarían logrando la manumisión y constituyendo la médula de los ejércitos califales. Su promoción social se ratificará a la caída del califato omeya, cuando jefes militares de ascendencia eslavona se erijan en cabezas políticas de algunos de los reinos de taifas.

d) La tolerancia del Islam hacia los adeptos de otras religiones fue amplísima cuando se trataba de «pueblos de libro revelado». En esta categoría, el Corán incluía a judíos, cristianos y mazdeos. Con el transcurso del tiempo otras religiones (la hindú, por ejemplo) recibirían este trato de favor. La diferencia con los creyentes se materializaba en el pago de tributos especiales: capitación (chizya) y contribución sobre la tierra (jarach).

Bajo emires y califas cordobeses, los *judíos* se beneficiaron de una política de amplia tolerancia que contrastaba vivamente con las violencias que la comunidad israelita había sufrido en los últimos tiempos de la monarquía visigoda. Abd-al-Rahmán I mantuvo buenas relaciones con ellos, aunque imponiendo la obligación de profesar en el Islam a los hijos de matrimonios mixtos. Por estos años, los judíos controlaban un amplio sector del comercio de la seda y esclavos.

Bajo el califato, el judaísmo alcanzó una verdadera edad de oro, personificada en figuras como Hasday ben Schaprut, Jusuf ben Ishaq, Aben Labrat... La crisis y posterior hundimiento del edificio califal habría de incidir negativamente en la prosperidad de la judería cordobesa, dispersada por los reinos de taifas.

e) La inmensa mayoría de la población de Al-Andalus bajo los Omeyas estaba integrada por gentes de *ascendencia hispano-goda.*

El proceso de islamización de este elemento debió de estar relativamente avanzado a la llegada a España de Abd-al-Rahmán I. A ello contribuyó, sin duda, lo superficial de su cristianización y el incentivo que suponía una cierta promoción socio-económica al abrazar el Islam. Los términos bajo los cuales se conoce a esta categoría de nuevos muslmanes son variados: renegados, muladíes, muwalladun, etc.

Frente a ellos, una categoría cada vez más reducida (los mozárabes) mantuvo sus creencias al amparo de las actitudes en principio tolerantes de las autoridades musulmanas.

Muladíes y *mozárabes* se irán incorporando progresivamente al edificio político-social de la España omeya. Ello no se producirá, sin embargo, sin serias alteraciones. Las más graves tendrán lugar a lo largo del siglo IX. Una serie de circunstancias contribuirán a enrarecer la situación: la adopción por los Omeyas de los patrones orientales malekíes, rígidamente ortodoxos, la mayor presión fiscal impulsada por algunos gobernantes y, lógicamente, las diferencias de índole religiosa que el elemento mozárabe pretendió resaltar a toda costa como elemento de defensa de su propia personalidad cultural.

Bien a través de acciones conjuntas de los dos grupos —muladíes y mozárabes—, bien independientemente o, en algunos casos, de forma alternativa, el emirato cordobés se verá sacudido por una serie de conmociones que pondrán en grave peligro su unidad. Diversos focos de tensión cabe reconocer:

En primer lugar Toledo, ciudad con una escasa población de viejos musulmanes. Un primer conato de rebelión fue bárbaramente reprimido en el 807. Fue la tristemente célebre «Jornada del Foso». En los años sucesivos, sin embargo, la ciudad logrará prácticamente emanciparse de Córdoba bajo la rectoría de mozárabes y muladíes.

En el valle medio del Ebro, por los mismos años, los descendientes de un legendario conde visigodo (Casio), conocidos como los Banu Qasi, llegaron a hacer lo propio. Uno de ellos, Musa ben Musa, llegará a ser considerado como «el tercer rey de España», junto con el emir y el soberano astur.

En Córdoba, el descontento popular frente a las medidas del emir Al-hakam I fue capitalizado en una primera fase por el elemento muladí. La «Jornada del Arrabal» en el 814 fue una repetición de la toledana del 807 pero aún a mayor escala. Unos años después, ante las restricciones hacia la práctica religiosa, los mozárabes cordobeses recogieron la antorcha de oposición al régimen emiral. Entre el 850 y el 860 transcurre una etapa en la que las discusiones doctrinales alternan con el sacrificio martirial de algunos de los prohombres de la comunidad mozárabe.

En Mérida otro muladí, de nombre Ibn Marwan, mantendrá viva la rebelión contra el poder cordobés desde el 874 al 930.

El más grave peligro para el emirato procedió, sin embargo, de las cadenas subbéticas, desde Algeciras hasta Murcia. Desde la fortaleza de Bobastro, y apoyado en plazas como Ecija, Martos, Cañete y Archidona, otro muladí de indudable genio militar, Omar ben Hafsun (supuesto descendiente de un conde visigodo), mantuvo en jaque a las fuerzas cordobesas desde el 880 hasta el 917.

En esta última fecha, la descomposición política y la desintegración social del emirato omeya parecía sumamente avanzada. La subida al trono de Abd-al-Rahmán III supuso el inicio de un enderezamiento de la situación. Las distintas fuerzas centrífugas fueron controladas. Cara a las distintas comunidades, el futuro califa adoptó una política de auténtica reconciliación social. El problema muladí prácticamente desapareció. La comunidad mozárabe (muy reducida ya por las muertes y la emigración hacia los núcleos de resistencia del Norte) recuperó la paz perdida. Alguno de sus miembros (caso del abad Recemundo) llegarán a desempeñar importante papel en la corte califal.

A la disolución del califato, los residuos de la comunidad mozárabe no tendrán ningún obstáculo para integrarse en los reinos de taifas y actuar como intermediarios entre éstos y los Estados hispano-cristianos.

La organización interna del elemento mozárabe se apoya en buena medida en la mencionada política de tolerancia de las autoridades islámicas. Una serie de funcionarios de ascendencia goda (el conde, el exceptor, el censor o juez) se encuentran al frente de una comunidad que sigue rigiéndose de acuerdo con los principios del LIBER JUDICIORUM. La estructura eclesiástica siguió también en principio las pautas anteriores al 711: tres sedes metropolitanas (Toledo, Sevilla y Mérida) y 18 episcopales, amén de algunos monasterios que, en los momentos más dramáticos, fueron los principales focos de resistencia moral: Cauliana, El Cuervo, Tábanos... Tal organización, sin embargo, dadas las antedichas vicisitudes, experimentará una evolución en un sentido francamente regresivo.

¿Hasta qué punto cabe hablar de mozarabías como barrios tipificados en el recinto de las ciudades hispano-musulmanas? Es un hecho que los núcleos urbanos fueron más propicios a la concentración del elemento mozárabe. La comunicación humana en ellas, mucho más directa que en el campo, facilitaba las posibilidades de cohesión y, consiguientemente, de defensa frente a las presiones de las autoridades. Los grandes núcleos de población —Córdoba, Toledo, Mérida, Sevilla, Granada, Málaga, Zaragoza y Coimbra— conocieron las mayores aglomeraciones de mozárabes. Sin llegar a formar barrios especiales, la tendencia a la concentración en determinados puntos se aprecia en algunas localidades: en Zaragoza, por ejemplo, en torno a la Iglesia de Santa María.

3

LA FORMACION DE UNA CULTURA HISPANO-MUSULMANA

La capital del emirato y luego califato cordobés se convirtió, desde fecha relativamente temprana, en una de las «microscópicas Bagdades» (García Gómez) de las que el mundo islámico se vio salpicado. Desde Abd-al-Rahmán II (822-852) cabe hablar de una fusión en Al-Andalus de las distintas corrientes culturales (India, Grecia, Babilonia, Persia...) que van a constituir el crisol de la cultura islámica. La protección de algún destacado miembro de la clase política —caso de Al-hakam II— constituirá una importantísima baza.

Corrientes doctrinales

Las *tendencias teológico-jurídicas* empezaron a desarrollarse en el ámbito del sunnismo, desde el momento en que éste se enfrentó a las grandes disidencias heterodoxas: kharidjismo y chiísmo. De las cuatro escuelas *sunnitas* (hanafita, malekí, safiíta y hanbalita) surgidas en Oriente, el *malekismo* fue la que adquirió mayor arraigo en España. Con Al-hakam I llegará a convertirse en doctrina oficial del emirato. Sin embargo, el monopolio de tal doctrina fue en cierta medida mitigado por la protección de algunos gobernantes musulmanes hacia disidentes adscritos a otras tendencias teológicas marginales. Así, el polígrafo Ibn-Hazm militó en el zairismo. Ibn Masarra simpatizó con el motazilismo, defensor del libre albedrío, y con el sufismo, tendencia místico-ascética que entroncaba con las tradiciones neoplatónicas...

La historia

El *género histórico* fue cultivado desde época temprana por los árabes por la vía de la genealogía. El siglo x conocerá el primer momento de esplendor en este campo. En la primera mitad de la centuria escriben Ahmad al-Razi, autor de una llamada CRÓNICA DEL MORO RASIS, Al-Jusani que redacta una HISTORIA DE LOS JUECES DE CÓRDOBA, e Ibn al-Qutiya que nos ha dejado una HISTORIA DE LA CONQUISTA DE AL-ANDALUS. Esta producción, dice M. Watt, nos hace pensar que los musulmanes españoles que vivieron bajo el califato tenían ya una avanzada conciencia de pertenecer a un mundo específico dentro de la comunidad islámica. En la siguiente generación, a caballo entre la disolución del califato y la aparición de los primeros reinos de taifas, tal tradición se prosigue con Ibn al-Faradi (HISTORIA DE LOS SABIOS DE AL-ANDALUS) y sobre todo con uno de los grandes historiadores hispano-musulmanes, Ibn-Hayyan, del que, sin embargo, sólo conservamos algunos fragmentos de su importante obra.

La poesía

Al igual que en otras manifestaciones de la vida andalusí, la *poesía* se presenta en un principio como un trasunto de la oriental. Del otro extremo del mundo islámico vinieron, precisamente, algunos poetas como el cantante Ziryab. De otros apenas si conocemos algo más que el nombre.

Será con el califato cordobés cuando la cultura hispano-musulmana cuente con una poesía ya propia. La *qasida*, el *zejel* y la *mwasaja* se encuentran entre sus principales manifestaciones.

La *qasida*, anterior a la predicación del Islam, constituye la forma estrófica monorrima con la que los árabes cantaban al amor o a la vida nómada. En torno a estas ideas cristalizarán dos formas de amor que darán amplio juego en la lírica: el amor sensual y el amor platónico o *udhri*.

Frente a esta poesía refinada importada de Oriente, Al-Andalus dio a la cultura islámica dos manifestaciones líricas más populares: el zejel y la mwasaja. El primero va escrito en lengua dialectal, con abundancia de frases en romance o aljamía que le hacen propicio a las expresiones desenfadadas. El alcance de su difusión llegará hasta el Irak. La mwasaja, aunque también tenga un carácter popular, se escribe en árabe clásico y tiene una proyección más cortesana.

Bajo Abd-al-Rahmán III, la lírica alcanza un momento de esplendor que se arrastrará hasta la dictadura de Almanzor. El mejor representante será Ibn Haní de Elvira, que emigró a Oriente, donde fue poeta de corte del califa fatimí **Al-Muizz,** A su lado cabe colocar las figuras de Ibn Farah de Jaen (muerto hacia 973) o los posteriores **Al-Chazirí** e Ibn Darrach.

La crisis y disolución del califato no afectó de manera sensible a la producción literaria. En efecto, los titulares de los reinos de taifas establecieron una auténtica carrera de emulación en el mecenazgo. Los moldes establecidos en el período anterior serán utilizados con un gran refinamiento. En las nuevas promociones se encuentran los nombres de Ibn-Zaydun, Abu Isaq, Ibn Amma, y hasta dos monarcas: los sevillanos Mutadid y su hijo Mutámid.

Las ciencias

El rigorismo malekí imperante de forma oficial en Al-Andalus no obstaculizó el desarrollo de determinados sectores de las *ciencias*, particularmente las Matemáticas, Astronomía y Medicina. La protección de los dos primeros califas fue decisiva para su impulso.

En el campo de la *Astronomía* será clave la figura de Maslama al-Machrikí (muerto hacia el 1007). En su labor cabe situar la fundación de una escuela en la que descollaron Ibn al-Saffar e Ibn al-Samh.

Aunque fuese casi un monopolio de los judíos, los musulmanes dieron también algunas figuras en el campo de la Medicina. Abu al-Qasim al-Zahrawi fue autor de una monumental enciclopedia médica.

Bajo los primeros taifas, la Astronomía y la *Ma-*

temática fueron especialmente protegidas. La figura de Al-Zarqali (el Azarquiel de los cristianos) ocupa un lugar de honor con sus TABLAS ASTRONÓMICAS y su astrolabio plano, que tanto habrían de influir en la obra científica de Alfonso X.

Judíos y mozárabes en la cultura andalusí

Las *minorías étnico-religiosas* desempeñarán también un importante papel en la configuración de la cultura andalusí.

El destacado papel del *elemento hebreo* durante el califato cordobés no declinó en los años siguientes, cuando Al-Andalus se vio atomizado en una serie de pequeños Estados. Entre las figuras más destacadas nos encontramos con: Sulayman ben Yahya ben Gabirol («Avicebron»), autor de FONS VITAE, de fuerte inspiración neoplatónica, y Bahya ben Yusuf ben Paquda (muerto hacia 1100), autor de DEBERES DE LOS CORAZONES, que se mueve en parecidas coordenadas.

La decadencia del latín literario y las escasas relaciones con la Europa cristiana impidieron a la *comunidad mozárabe* la creación de una cultura de cierta enjundia. De hecho, los cristianos de Al-Andalus se desenvolvieron bajo las pautas marcadas en los últimos tiempos de la España visigoda. Los aportes dignos de mención son escasos: algunos testimonios cronísticos, el VITA EULOGII de Alvaro, el LIBER APOLOGETICUS MARTYRUM de Eulogio, el CALENDARIO del obispo Recemundo y poco más. Mayor relieve alcanzarán las manifestaciones litúrgicas. En el 924, el papa Juan X dio su aprobación al rito que hoy conocemos por mozárabe. Rito que en los Estados hispánicos no perderá su carácter oficial más que a fines del siglo XI.

Las dificultades internas —presiones políticas, herejía adopcionista, apostasías crecientes— y la formación de una sólida cristiandad independiente en los núcleos de resistencia del Norte de la Península, contribuyeron de forma decisiva al progresivo debilitamiento de la comunidad mozárabe.

Ibn Hazm

La figura clave de esta primera etapa de la cultura hispano-musulmana es, sin duda, el polígrafo *Ibn Hazm*. Como ha resaltado García Gómez, la Política, el Derecho, la Filosofía y la Literatura coexistieron a lo largo de una vida que se desenvolvió a caballo entre la disolución del califato y la cristalización de los primeros reinos de taifas (994-1063).

Los conflictos políticos («la flor de la guerra civil es estéril», dirá con amargura) contribuyeron a forjar su personalidad. Prisiones y desengaños le llevaron a una postura de inadaptación y soledad que le ganó la incomprensión de sus contemporáneos.

Como historiador, redactó la CHAMHARA, repertorio de genealogías árabes del Occidente, y la EPÍSTOLA APOLOGÉTICA DE ESPAÑA, especie de historia literaria de Al-Andalus. Como filósofo conservamos de él un LIBRO DE LOS CARACTERES Y DE LAS CONDUCTAS QUE TRATA DE LA MEDICINA DE LAS ALMAS. Como teólogo fue un verdadero precursor del estudio comparado de las religiones con su HISTORIA CRÍTICA DE LAS RELIGIONES, SECTAS Y ESCUELAS. Pero la mejor obra del autor y de toda la literatura arábigo-andaluza, en opinión de García Gómez, ha sido EL COLLAR DE LA PALOMA, fechado en Játiva hacia 1022. Se trata de un auténtico recetario poético-retórico sobre el tema amoroso. No falta quien ha encontrado en él conexiones con EL BANQUETE de Platón, refundido en el amor «udhri». Desde Ribera se ha especulado ampliamente sobre su proyección en la literatura romance: el amor cortés, el «dolce stil nuovo», el Arcipreste de Hita...

El primer esplendor artístico

La unidad cultural (a pesar de los distintos cismas y escuelas) que el Islam creó entre la Meseta del Irán y el Atlántico, se reflejó ampliamente en el terreno artístico: escasa utilización de la piedra, exuberancia decorativa, aniconismo, preferencia por el arco de herradura, mezquita como pieza fundamental de la arquitectura... son las características más representativas.

Dentro de esta homogeneidad, el Islam adoptó algunos de los elementos artísticos de los países vencidos. En el caso de la Península, sería el aprovechamiento de columnas de construcciones visigodas o el aparejo de soga y tizón ampliamente utilizado.

La mezquita de Córdoba es una verdadera síntesis del arte hispano-musulmán en su primer momento de esplendor. Iniciada bajo Abd-al-Rahmán I en el emplazamiento de la antigua basílica visigoda de San Vicente, sufrirá una serie de ampliaciones, al calor del crecimiento demográfico de la ciudad y del empuje político y económico andalusí. No en balde el período del califato cordobés coincide con las últimas grandes experiencias arquitectónicas en el edificio, hasta culminar en la ampliación que a fines del siglo x promovió Almanzor.

Junto a la mezquita cordobesa, otras manifestaciones del arte andalusí reflejan lo que fue expresión de la más avanzada cultura del momento. Concretamente, los palacios de Madinat al-Zahra, construido bajo Abd-al-Rahmán III, y el de al-Amiriyya, propiedad de Almanzor. Las turbulencias por las que atravesó Al-Andalus desde comienzos del siglo xi redujeron a ruinas tan esplendorosas construcciones.

La pujanza creadora del arte hispano-musulmán no concluyó con la ruina política del califato. Los primeros reinos de taifas fueron los herederos del mecenazgo de sus antecesores cordobeses. Dentro de unos marcos más barrocos y con la utilización de materiales modestos, los pequeños Estados hispano-musulmanes fueron capaces de producir aún obras como la Aljafería de Zaragoza construida por Abu Chafar.

4

LA SUPERESTRUCTURA POLITICA DE AL-ANDALUS EN LA ALTA EDAD MEDIA

El valiato

La Península constituyó en los comienzos de la presencia islámica una simple provincia del califato omeya de Damasco.

El *vali* actuaba en ella como simple delegado del califa en los aspectos administrativos, militares, judiciales o fiscales. De hecho, incluso los lazos fueron más estrechos con Kairwan —la gran base musulmana en el Norte de Africa— que con Siria.

Los sucesores del primer vali —Abd-el-Aziz, casado con la viuda de Rodrigo, Egilona— impulsaron la expansión hacia el otro lado del Pirineo con escaso éxito. Al-Samh fracasó ante el conde Eudes en las cercanías de Tolosa. En los años siguientes se obtuvieron algunos éxitos parciales, pero la incursión que Al-Gafeqi llevó hasta el corazón de Francia fue frenada por el mayordomo de palacio Carlos Martel en los alrededores de Poitiers (732). Desde este momento, el reflujo de los árabes hacia el Pirineo va a ser ineluctable. Por otro lado, las dificultades de los valíes frente a vascones y astures obligaron a los gobernantes hispano-musulmanes a pensar seriamente en la organización administrativa de un territorio tan rápidamente ocupado.

La enemiga entre los distintos clanes árabes y el descontento del elemento bereber, a quien se había concedido las peores tierras, amenazaron de descomposición a Al-Andalus, cuando en el 756 el único superviviente de la matanza de los Omeyas en Oriente, el príncipe Abd-al-Rahmán, desembarcaba en España.

El emirato independiente y su aparato administrativo

Este momento será decisivo en el proceso de independencia progresiva de Al-Andalus respecto a sus patronos orientales. Con Abd-al-Rahmán I, la Península se erige en un Estado independiente, *Emirato*. Su titular, haciendo uso del legitimismo dinástico que le prestaba su ascendencia, asumió los títulos de emir (príncipe) y malik (rey). Respetó, sin embargo, la supremacía espiritual del califa de Oriente como «príncipe de los creyentes».

Los primeros tiempos del emirato coinciden con el período de enderezamiento político y administrativo. El peligro de disolución interna quedó conjurado y las incursiones de francos o astures acabaron perdiendo mucho de su anterior impulso.

Con Al-hakam I —duro represor de diversos movimientos subversivos— los bereberes neomusulmanes y «esclavones» constituirán el principal núcleo de fieles. Los emires, a la hora de articular su Estado independiente, siguieron las pautas marcadas por el califato de Oriente, tanto bajo Omeyas como bajo Abasidas. Los modelos persa y bizantino estuvieron permanentemente presentes.

Con Abd-al-Rahmán II se dan los primeros pasos para la vertebración administrativa de Al-Andalus. El soberano es un autócrata que se apoya en un conjunto de oficiales encabezados por un visir. El Diwan designa el conjunto del aparato administrativo en donde ocupan lugar preferente la Cancillería *(Kitaba)* y la Hacienda *(Diwan al-jizana).* Carácter más restringido tenían los oficios palatinos o «fatas».

La administración territorial se basó en la existencia de circunscripciones provinciales *(coras)* y fronterizas *(thugur)*, a cuyo frente había un gobernador y a veces un jefe militar o qa'id.

A nivel local, en la España islámica no existieron organismos semejantes a los municipios del mundo cristiano, pese al desarrollo de la vida urbana. A lo sumo se puede hablar de funcionarios encargados del buen funcionamiento de los mercados *(Sahib al-suq)*, del mantenimiento del orden público (el *Sahib al-Surta)* o del ejercicio de las facultades judiciales *(Sahib al-Madina* o Zalmedina).

La cima política: el califato

La nueva crisis política andalusí desde mediados del 843 —rebeliones de muladíes y mozárabes, movimientos secesionistas diversos— no hundió el entramado administrativo creado en los años anteriores. Por el contrario, cuando Abd-al-

Rahmán III se hace con el control de la situación desde su ascenso al trono (912), los mecanismos institucionales no dejan de perfeccionarse. Al-Andalus dará un paso más hacia su independencia político-espiritual al crearse el *califato* cordobés.

Se ha acostumbrado a ver en el siglo escaso de esplendor de esta construcción política, la aplicación de las tesis de Ibn-Jaldun sobre la teoría de las generaciones. Hubo así un creador del califato —Abd-al-Rahmán III—, un conservador —Al-hakam II— y un destructor —Hixem II—.

La proclamación del califato cordobés significó un llevar hasta sus últimas consecuencias las tesis de legitimismo omeya apoyadas en la tradición ortodoxa del malekismo. El despotismo del que hicieron gala los califas andalusíes les aproximó más aún a la figura del autócrata bizantino, con quien se restablecen unas relaciones diplomáticas que contrapesan el poder del califato de Bagdad. Las embajadas recibidas de Otón I y de Hugo Capeto dieron al califato la imagen de una potencia que supo hacer hábil uso de la diplomacia en sus primeros años. La unificación del Norte de Africa por los fatimíes constituiría, sin embargo, un grave peligro para la estabilidad política del Mediterráneo. Tánger, Ceuta, Melilla, Arcila, constituyeron las bases que los cordobeses trataron de mantener codiciosamente en el Mogreb.

Bajo el sucesor de Abd-al-Rahmán, el culto y pacífico Al-hakam II, Córdoba va a alcanzar su momento de mayor esplendor. El califa, al igual que su antecesor, se erigirá en árbitro de las disputas de los príncipes hispano-cristianos.

Los esquemas de *gobierno y administración* siguen siendo, en esencia, los mismos de los emires. Visires, secretarios e intendentes dirigen la hacienda, cancillería, servicios de la corte, etc. El primer lugar en la jerarquía de funcionarios lo ocupa el hachib, especie de mayordomo en quien el monarca delega las más importantes funciones. Bajo el débil Hixem II, su hachib Ibn Abu Amir (el Almanzor de las crónicas cristianas) actuó de hecho como verdadero soberano.

Los éxitos militares obtenidos durante la etapa califal se debieron a la paciente labor de los monarcas y de alguno de sus colaboradores: el intendente Galib o el hachib Almanzor. Al viejo sistema en el que el ardor neófito de cada musulmán constituía la base del éxito, sucedió una creciente *profesionalización de la milicia*. Bajo el emirato se dieron algunos pasos en este sentido, que fueron perfeccionados a lo largo del siglo x. El ejército se constituyó a base de: cuerpos de mercenarios acuartelados en Córdoba; soldados voluntarios que integraban milicias locales de acuerdo con su grupo tribal de procedencia (los chunds); los voluntarios alistados para las grandes campañas; y los «combatientes de la fe», verdadera reserva del espíritu de guerra santa. El reparto de contingentes de primera línea se hizo bajo Abd-al-Rahmán III en función de la división de la frontera en tres grandes circunscripciones: superior (valle del Ebro), media (Sistema Central) e inferior (en Extremadura).

El momento culminante del poderío político se alcanza en la España omeya en los años finales del siglo x. Su artífice sería un miembro de una vieja familia árabe asentada en los alrededores de Algeciras: Ibn Abu Amir, más conocido en las fuentes cristianas con el nombre de Almanzor.

Desde el 964 inició una carrera política que culminaría en el 981 al alcanzar el cargo de hachib y relegar a un segundo plano al débil califa Hixem. Se ha hablado, con razón, de la «dictadura amirí» para designar el período que se abrió desde este año. Las primeras víctimas del primer ministro fueron los representantes de la aristocracia árabe y eslavona y los alfaquíes cordobeses, que quedaron relegados a un segundo plano. La expurgación de la biblioteca de Al-hakam II y la ampliación de la mezquita cordobesa fueron concesiones por parte del dictador. El ejército fue profundamente remodelado: los chunds fueron refundidos en unidades de nueva planta y a ellos se agregaron numerosos bereberes e incluso mercenarios cristianos.

Con todos los resortes políticos en la mano y con un formidable ejército fiel a su persona, Almanzor consolidó las posiciones en el Norte de Africa pero, sobre todo, dejó sentir su fuerza sobre los Estados hispano-cristianos del Norte de la Península. Desde los tiempos de Abd-al-Rahmán III, las relaciones entre el califato y estos pequeños Estados habían conocido duros enfrentamientos (Valdejunquera, Simancas...), pero la pauta la había dado la mutua tolerancia. Con Almanzor, los cordobeses volverán a tomar la iniciativa militar, plasmada en cincuenta razzias que alcanzaron desde Barcelona (tomada en el 985) a Compostela (saqueada en el 997). Por fortuna para la Cristiandad, las operaciones de los musulmanes se limitaron a la simple rapiña, sin intentar seriamente recuperar el suelo pacientemente ocupado por los cristianos en los años anteriores.

La férrea dictadura de Almanzor sobrevivió al hachib durante algunos años, bajo el mando de su hijo Al-Muzaffar, que murió en el 1008.

La disolución de la unidad política: las taifas

El cuarto de siglo siguiente fue trágico para el Islam español. Aunque el califato se mantuviera nominalmente, de hecho no existió ningún poder central fuerte. El legitimismo omeya había quedado sumamente deteriorado después de treinta años de dictadura amirí. Las fuerzas que el hachib había sometido a una férrea disciplina se desataron en sangrientas querellas en las que los cristianos del Norte intervinieron en réplica al duro castigo sufrido en el período anterior.

Córdoba fue teatro de sucesivas intrigas que culminaron en 1031 con una revuelta que depuso al último omeya, Hixem III. La beneficiaria de la operación fue la aristocracia de la ciudad, que estableció sobre ella una especie de república oligárquica.

Para entonces ya Al-Andalus se había atomizado en un conjunto de pequeños Estados. ¿Resultado de la propia decadencia de la clase omeya dirigente? ¿Producto de la ausencia de una clase media interesada en mantener un gobierno central sólido? ¿Ausencia de una suficiente contextura ideológica en el campo político? ¿Triunfo de los distintos gobernantes locales que se erigieron en poderes independientes? Se trata de un conjunto de interrogantes que darían amplio motivo a la meditación.

El último podría tener una respuesta afirmativa en lo que concierne a la zona fronteriza. Las marcas, en efecto, tuvieron su equivalencia en sendos reinos de taifas de cierta envergadura: Badajoz (antigua frontera inferior), Toledo (en la frontera media) y Zaragoza y Tudela (en la superior). A retaguardia, sin embargo, quedaba un conglomerado de minúsculos Estados —hasta casi medio centenar se han reconocido— enfrentados entre sí.

Una visión ya clásica tiende a agrupar a los *reinos de taifas* en tres categorías, de acuerdo con el elemento étnico-social rector.

En primer lugar, las taifas andalusíes, gobernadas por árabes, muladíes o bereberes hispanizados. Su mayor fuerza la tendrían en las tres fronteras y en algunos puntos de Andalucía: Sevilla y Córdoba.

Las taifas de ascendencia estrictamente bereber tuvieron sus principales posiciones en la costa meridional, entre Arcos y Granada.

Desde este punto hasta Tortosa —archipiélago balear incluido— el elemento eslavón tuvo la preeminencia.

Los monarcas de los reinos de taifas organizaron sus Estados sobre el modelo cordobés. Si bien su poder era absoluto, sus posibilidades de supervivencia descansaban en el apoyo de costosas milicias de mercenarios. No atreviéndose a tomar el título de califa, adoptarán, sin embargo, otros que refuercen la ficción de su poder: el de sultán, utilizado por los ziríes de Granada, habrá de tener grán realce.

Débiles políticamente, los reinos de taifas fueron presa de continuas discordias entre ellos y de la presión de los Estados hispano-cristianos.

Como contrapartida de su incapacidad política, los soberanos andalusíes adoptaron una actitud de amplio mecenazgo: poetas en Sevilla, científicos en Toledo, astrónomos en Zaragoza, encontraron amplio apoyo en estas «repúblicas italianas con turbante».

5

LA MONARQUIA ASTUR-LEONESA Y LOS COMIENZOS DE LA CASTILLA CONDAL

La «Reconquista», a partir de los focos de resistencia astur-cántabros en el período de la Alta Edad Media, responde a tres momentos bastante bien definidos:

La lucha por la supervivencia

A lo largo del siglo VIII no cabe hablar de que exista entre los resistentes la conciencia de iniciar un proceso de recuperación territorial. Y ello por dos razones. En primer término, porque apenas se produce rescate de tierras ocupadas por el Islam. En segundo lugar, porque astures y cántabros —como sus vecinos más orientales los vascones— lo que llevan a cabo en su pugna con los musulmanes no es ni más ni menos que la prosecución del viejo proceso de insumisión que sus mayores mantuvieron contra romanos o visigodos. La monarquía toledana nunca llegó a controlar de forma efectiva el reborde septentrional de la Península. Las poblaciones cántabras y vasconas mantuvieron su independencia política, reflejo de unas peculiares estructuras sociales de gentes libres, totalmente distintas de las sustentadas por la monarquía hispanovisigoda, en la que la masa de población se había visto progresivamente degradada a un status de semiservidumbre (Barbero-Vigil).

A lo largo del siglo VIII, por tanto, el fenómeno «reconquistador» no responde en absoluto a unos ideales políticos o religiosos, y menos aún al principio de restauración de la vieja monarquía goda. En último término, para explicarnos el origen del minúsculo reino astur cabría hablar del encuadramiento de las insumisas poblaciones del Norte peninsular, por algunos nobles visigodos huídos allí ante la conquista islámica. En este contexto cabe enmarcar la figura del espatario Pelayo y la batalla de Covadonga. Y en este contexto también hay que explicar la adición al núcleo astur de otro de los focos de resistencia: Cantabria, que había mantenido su independencia frente al Islam bajo el duque Pedro. Su sucesor, Alfonso I, llevó ya a cabo algunos intentos frente al Islam que rebasaron la actividad meramente defensiva de sus antecesores.

Nos encontramos en este punto ante una aguda controversia historiográfica. El valle del Duero, sobre el que los primeros monarcas astures llevaron a cabo sus operaciones militares, ¿acabó constituyendo un auténtico desierto?

Claudio Sánchez Albornoz, con la vehemencia que le caracteriza en sus tomas de postura, ha sido el más ardiente defensor de la tesis «despoblacionista». El valle del Duero —viene a decir— constituyó a lo largo del siglo VIII un enorme yermo. Cuando en las centurias siguientes los cristianos procedan a su ocupación, lo harán partiendo prácticamente de cero. Las causas de la despoblación fueron diversas. El ilustre medievalista las hace remontar al siglo III: bandidaje, incursiones de los franco-alamanos... después de suevos, vándalos, alanos y visigodos. El asentamiento de éstos en una parte de la Meseta del Duero no pudo paliar la grave crisis demográfica que ésta ya padecía. Sequías, plagas de langosta y alguna epidemia de peste actuarían también como factores negativos bajo la monarquía hispano-goda. Al poco de la irrupción islámica, se cernió un hambre espantosa (748-53) que se sumó a las disputas entre árabes y bereberes por la mala distribución de tierras. El valle del Duero volvió a ser una de las zonas afectadas por tales catástrofes.

El monarca astur Alfonso I completaría el proceso despoblador cayendo sobre la Meseta Norte que, según la CRÓNICA ALBELDENSE, «quedó convertida en un yermo hasta el curso del Duero». En su retirada, el monarca procedería a arrastrar consigo (según nos cuenta la CRÓNICA DE ALFONSO III) a toda la población cristiana, a la que asentaría en su minúsculo reino.

Desde la zona galaico-portuguesa hasta las tierras que en un futuro constituirían la Castilla condal, el vacío de población —insiste Sánchez Albornoz— sería prácticamente total. La desertización sería algo menor en la zona entre el Duero y el Sistema Central.

Pese a la contundencia de sus argumentos, las tesis albornocianas han despertado multitud de críticas, basadas esencialmente en las posibilidades de interpretación que los textos cronísticos pueden brindar. En cualquier caso, sin embargo, bien a través de su total despoblación o bien a través del semivacío de población, la Meseta del

Duero actuó a lo largo del siglo VIII como un excelente glacis defensivo. Las operaciones de castigo de los musulmanes sobre la monarquía astur tropezaron, así, en todo momento, con la acuciante falta de vituallas y de puntos importantes de apoyo.

En cualquier caso, también —y abundando en los criterios antes expuestos— la Cristiandad del Norte no inicia en este siglo un proceso reconquistador propiamente dicho. Simplemente lucha por su supervivencia y por aglutinar los distintos focos de resistencia.

La ocupación del valle del Duero

A lo largo del siglo IX y buena parte del X, la Europa occidental se vio sacudida por una serie de convulsiones migratorias que afectaron seriamente su precaria estabilidad. Magiares, sarracenos del Norte de Africa y, sobre todo, normandos, causarán serios sobresaltos. Los ataques de estos últimos, sin embargo, afectaron de forma muy superficial a los Estados hispánicos. Entre el 843 y el 858, el litoral astur-galaico fue alcanzado por algunas razzias de los *piratas normandos* que, luego, siguieron su marcha hacia territorio islámico. En ningún caso, a diferencia de lo sucedido en Francia e Inglaterra, los incursores procedieron a la creación de establecimientos permanentes en la Península.

Más importantes para los cristianos astures fueron otros hechos: el nacimiento de una conciencia de restauración neogótica y la *lenta colo-*

nización del valle del Duero, en un proceso demográfico inverso al hasta entonces seguido.

Los sentimientos neogóticos, como ya resaltaremos más adelante, son patentes a lo largo del dilatado reinado de Alfonso II, contemporáneo de Carlomagno.

En los años siguientes, los sucesores de este monarca, en particular Ordoño I y Alfonso III, obtienen una serie de victorias frente al Islam. El clima de entusiasmo restaurador se plasmaría en un panfleto patriótico, la llamada CRÓNICA PROFÉTICA (883), en la que se decía que «se puede predecir que, en un plazo muy breve de tiempo, nuestro glorioso rey Alfonso reinara en toda España».

La realidad fue mucho más modesta, pero los logros de este monarca no fueron despreciables: asentar sólidamente sus avanzadas en el valle del Duero. La crisis por la que el emirato cordobés atravesaba en estos años facilitó considerablemente la labor.

* * *

Refiriéndose a la génesis de este proceso, la CRÓNICA DE ALFONSO III dice lo siguiente: «las ciudades desiertas por sus antepasados, es decir, León, Astorga, Tuy y Amaya Patricia (Ordoño I) las amuralló. Las pobló con gentes tanto de entre los suyos como procedentes de España»... Esto tenía lugar a mediados del siglo IX. La centuria fue, en efecto, pródiga en avances militares cristianos al calor de la crisis sufrida por el emirato cordobés.

Los «saltos» hasta el valle del Duero se produjeron en un amplio frente que los investigadores desglosan en cuatro sectores:

a) Galicia. Los jalones reconquistadores están marcados por la ocupación de Lugo, vieja ciudad amurallada romana (hacia el 750), la ocupación de Tuy (855) y la toma de Oporto en 868 por el conde Vimarano Peres. Este último acontecimiento pasaría a ser tomado por la historiografía lusa como uno de los hitos decisivos en la constitución de la nacionalidad portuguesa.

b) León. El pasaje arriba recogido es suficientemente elocuente de un proceso de repoblación en las viejas Asturica y Legio romanas. Proceso que en los años finales del siglo IX se completaría por Alfonso III en los legendarios «Campi gotorum». La línea del Duero será incluso rebasada por Ramiro II en la primera mitad de la centuria siguiente con la ocupación de algunos puntos clave en el valle del Tormes tras la resonante victoria de Simancas. La monarquía astur en estos años ha trasladado su centro político hacia León.

c) La génesis de la *Castilla condal,* en el flanco oriental del reino astur-leonés, ha sido producto de cuatro «saltos» hacia el recodo del Duero. Hasta mediados del siglo IX, las avanzadas cristianas apenas rebasan los cursos altos del Pisuerga y el Ebro: Valpuesta, Bricia, Sotoscueva y Brañosera. Desde el 860, un nuevo impulso lleva a la conquista de la peña de Amaya y a la fundación de Burgos (hacia el 880): el Arlanzón se constituye en nuevo foso defensivo y Castilla es el «pequeño rincón» del que más adelante hablará el POEMA DE FERNÁN GONZÁLEZ. A fines del IX el conde Gonzalo Fernández toma la Peña de Lara: el Arlanza es la nueva frontera. En los primeros años de la siguiente centuria se ocupan Uxama (Osma), Clunia, Gormaz y Sepúlveda. La línea del Duero es alcanzada y rebasada én este frente.

d) Más a oriente, la *Rioja* será campo en el que se conjuguen los esfuerzos reconquistadores de castellanos y pamploneses: Nájera, Viguera, Albelda, etc., serán durante largo tiempo escenario de encarnizados encuentros por la posesión de esta región.

La crisis del X

El siglo X constituye el momento de mayor apogeo de la España islámica. El proceso de reconquista y repoblación experimenta en estos momentos un brusco frenazo. El califato cordobés bajo Abd-al-Rahmán III y Al-hakam II mantiene una incuestionable superioridad sobre sus vecinos del Norte. Superioridad que en ocasiones no se manifiesta por la vía estrictamente militar, sino lisa y llanamente por su actuación como árbitros en las disputas internas que sacuden a los Estados hispano-cristianos.

El momento más dramático para éstos llegará en los últimos lustros del siglo, cuando el hachib cordobés Ibn Abu Amir, el Almanzor de las crónicas cristianas, retome de forma demoledora el hilo de una vieja tradición: las periódicas azeifas sobre los reinos cristianos. Botones de muestra de esta política serán, en el reino leonés, las ruinas de Coimbra (**987**), los monasterios de Sahagún y San Pedro de Eslonza (**988**), Osma (**990**), San Esteban de Gormaz y Astorga (**995**), Compostela (997) y el monasterio de San Millán de la Cogolla (1002).

La muerte del dictador cordobés en este mismo año puso en evidencia las contradicciones internas de un califato pronto sumido en el más espantoso caos. Para los cristianos del Norte, los reveses militares habían sido de una gran rudeza, pero los daños no eran irreparables. Por fortuna, las azeifas de Almanzor no habían tenido más objetivo que el saqueo y la destrucción. En absoluto habían perseguido la recuperación de un territorio tan costosamente ganado por los cristianos en los años anteriores. Para éstos, el nuevo siglo —abierto con la desintegración del Estado cordobés— se presentaba bajo unas perspectivas relativamente halagüeñas.

Los sistemas de colonización

Una visión excesivamente tradicional del proceso reconquistador ha pretendido resaltar, de una forma casi exclusiva, los hechos de armas. Encuentros que, llevados a cabo con muy escasos medios bélicos, fueron magnificados por una historiografía parcial en exceso.

Hablar de Reconquista, sin embargo, es hablar de unas realidades más sordas y menos brillantes. Es referirse a un proceso de repoblación y colonización. Sus avances (las observaciones antes recogidas son lo bastante elocuentes) sólo son posibles cuando los factores demográficos lo van permitiendo. La ocupación de la Meseta del Duero sería así, en buena parte, el resultado de la instalación de unos excedentes de población a los que las fragosidades de las montañas astur-cántabras ya no podían mantener. Los choques armados con los islamitas facilitaron, en efecto, la necesaria cobertura militar para el proceso repoblador, pero en el conjunto general de los hechos supusieron un factor casi de segundo orden. De ahí que, conscientemente, prefiramos evitar la farragosa relación de batallas para centrarnos en las líneas generales del proceso de reajustes demográficos que se producen en los tres primeros siglos de la Reconquista.

Sobre los territorios recuperados a los musulmanes, los monarcas astur-leoneses aplicaron los criterios romanos y visigodos de considerar que los bienes sin dueño (bona vacantia) pertenecían al fisco. El poder real, por tanto, disponía de ellos para llevar a cabo, bien una ocupación de tipo oficial, bien otra de signo privado mediante el estímulo de la iniciativa particular.

En el primero de los casos puede ser un conde quien, como agente de la autoridad real, proceda a dirigir el esfuerzo repoblador mediante la concesión de una carta de población en la que se regula la forma en la que la ocupación se ha de llevar a cabo. A este modelo oficial, indica Valdeavellano, debió corresponder la repoblación de Astorga, Burgos, Toro, Oporto o Coimbra.

El otro modelo —la repoblación privada— respondió al impulso particular de algunos magnates, como el conde Munio Núñez, que en el 824 concedió carta de población a Brañosera, en el límite entre las actuales provincias de Santander y Palencia. De idéntica forma una serie de fundaciones monásticas se harán las protagonistas de una parte importantísima del proceso colonizador.

En cualquier caso, los colonos proceden por medio de la *pressura* a la ocupación de las tierras sin dueño. Se trata, por lo general, de gentes de muy limitados recursos que constituirán en estos primeros tiempos de la Reconquista la punta de lanza de un movimiento expansivo repleto de peligros e incógnitas.

Sobre la Meseta del Duero convergen dos corrientes de población: los excedentes demográficos de la cordillera astur-cántabra y los inmigrantes venidos de Al-Andalus.

En este sentido —la toponimia parece lo bastante elocuente— las diferencias de origen de los repobladores del área leonesa y de la Castilla condal son significativas.

a) En *León*, el elemento mozárabe ocupa un lugar destacado en el proceso repoblador. Cuando la CRÓNICA DE ALFONSO III dice que buena parte de las familias asentadas procedían de «España», está haciendo una clarísima referencia a Al-Andalus. Efectivamente, el siglo IX coincide con las graves tensiones religiosas en la España islámica, que fuerzan al elemento mozárabe a elegir, entre otras soluciones, la huída hacia el Norte de la Península. Fuerte será la mozarabización de algunas comunidades monásticas agentes del proceso repoblador: Sahagún, Escalada o Mazote... Zamora, León, y la Tierra de Campos se verán también sensiblemente influenciadas por estas corrientes. Sin embargo, se dejarán sentir menos en otras dos áreas. En Astorga, gallegos y castellanos tendrán la preeminencia. En el valle del Tormes, castellanos, portugueses y toreses compiten con los mozárabes en unos años —principios del siglo X— en que la paz religiosa ha vuelto a Al-Andalus y la emigración no parece ya una necesidad.

b) La *Castilla condal* —aun a riesgo de caer en el tópico— surge en una encrucijada de razas y de caminos. Cántabros, vascones, várdulos, autrigones —viejas razas del solar hispánico— y visigodos van a ser los protagonistas del antes analizado proceso de avance hacia el recodo del Duero. En las zonas más orientales de la Castilla condal la presencia vascona se deja sentir en topónimos tan significativos como Ezquerra, Zalduendo, Zorraquin, Villaváscones... Hacia el Occidente, la vasconización decrece y se deja sentir la influencia de gentes de Cantabria, Asturias y Galicia. Desde fines del ochocientos, otro elemento se suma a los anteriores: el mozárabe. Su influencia se dejará sentir en topónimos como Azora, Villamezquita o Tordomar, aunque en todo momento —principal diferencia con la repoblación del área estrictamente leonesa— su participación en el proceso repoblador no sea demasiado notoria.

La brillante realidad que acabará siendo Castilla no debe ocultarnos los modestos orígenes de lo que a fines del siglo IX era todavía una especie de marca fronteriza del reino astur-leonés. Marca golpeada con harta frecuencia por los ejércitos musulmanes que, remontando el curso del Ebro, atacaban las tierras de la monarquía leonesa. Aún en los primeros años del siglo X, Castilla no constituye un distrito administrativo único, sino un conjunto de condados o mandaciones, cada uno de ellos con un titular al frente: Castilla propiamente dicha («los castillos») —que ya hacia el 800 correspondía a los territorios occidentales del valle del Mena— Burgos, Lantarón y Cerezo.

La crisis de autoridad que la monarquía leonesa atravesó a mediados del siglo x favoreció la actuación política de Fernán González, que logrará la independencia de hecho del territorio. Cuando hacia el 940 las avanzadas castellanas alcanzan Sepúlveda, Fernán González ha conseguido colocar bajo su autoridad los condados de Castilla, Alava, Burgos, Lantarón y Lara. Un paso decisivo en la creación de lo que había de ser uno de los primeros Estados peninsulares.

6

LOS FOCOS DE RESISTENCIA EN LA LINEA DEL PIRINEO. LA «MARCA HISPANICA»

Roncesvalles al Oeste y Le Perthus a Oriente constituyeron los caminos de penetración de los islamitas en sus incursiones sobre territorio de la Galia. La victoria de Carlos Martel en el 732 sobre los musulmanes puso en marcha el rodillo franco hacia la línea del Pirineo.

Bajo Carlomagno se realizaron dos intentos de penetración en territorio peninsular. El primero tuvo como objetivo Zaragoza y se saldó con un doble fracaso: imposibilidad de ocupar la capital del Ebro y descalabro de la retaguardia franca en su retirada en Roncesvalles a manos de los montañeses vascones (778). El segundo intento, en la zona del Pirineo oriental, fue, tras diversas alternativas, acompañado del éxito. El heredero del Imperio, Luis, rey de Aquitania, hacía su entrada en Barcelona en el 802.

La influencia franca, por todo ello, se ha dejado sentir, con mayor o menor fortuna, en la iniciación de la «reconquista» pirenaica. La cobertura militar facilitada por los carolingios puede llegar a ser decisiva en algunos momentos. Sin embargo, las diferencias entre las distintas áreas del Pirineo a la hora de acometer la recuperación del territorio frente al Islam revisten peculiares matices.

El reino de Pamplona

Sobre el núcleo vascón que constituirá el *reino de Pamplona* convergen una serie de influencias. Las zonas más occidentales eran fronterizas del reino astur-leonés y —según ya hemos expuesto— colaboraron de forma activa en la génesis de la Castilla condal. La ancestral insumisión de los vascones frente a los visigodos prosiguió contra los sedicientes herederos de éstos, los monarcas astures. La CRÓNICA DE ALFONSO III —por citar uno de los testimonios más conocidos del momento— nos presenta a este rey y a sus predecesores luchando tanto contra los musulmanes como contra los vascones, de las actuales Guipúzcoa y Vizcaya, en estos años poco o nada cristianizados.

Hacia el Este, surgieron desde fecha temprana dos núcleos de resistencia: en torno a Pamplona (la única localidad que podía ser considerada como urbana en la región) y a Sangüesa. Las GE-NEALOGÍAS DE RODA O MEYÁ, redactadas hacia fines del siglo X, constituyen la fuente más importante para rastrear los orígenes de la primitiva Navarra. A través de ellas sabemos que un caudillo pamplonés, Iñigo «apellidado Arista» (810-850), gobernaba en parte del territorio, procurando mantener una política de entendimiento con los muladíes del valle del Ebro a fin de contrapesar la influencia franca. Durante un siglo, aproximadamente, la dinastía íñiga logró algunos avances que le colocaron en una línea que Lacarra sitúa en Sierra de Codes-Berrueza-Montejurra-Leire.

A través de un proceso cuyos detalles nos son

poco conocidos, «en la era 943 surgió en Pamplona un rey de nombre Sancho Garcés. Muy unido a la fe de Cristo fue hombre devoto, piadoso entre todos los hombres y misericordioso entre todos los católicos». De esta forma nos narran las GENEALOGÍAS DE RODA el ascenso en el núcleo vascón de una nueva dinastía: la Jimena.

Buen amigo de la casa real leonesa, Sancho Garcés emprenderá una ofensiva que llevó a las avanzadas navarras hasta Deyo, Nájera, Calahorra, Arnedo y Valtierra. Conquistas demasiado precarias y que quedarán en los años sucesivos a merced de los demoledores golpes de las fuerzas califales cordobesas: la terrible derrota de Valdejunquera el 920, en donde fue vencida una coalición de príncipes cristianos, o las razzias de Almanzor. El hundimiento del califato coincidiría con la elevación al trono pamplonés de un monarca de excepcional talla: Sancho III el Mayor.

Los núcleos del Pirineo central

En el *Pirineo central*, la frontera entre Islam y Cristiandad es aún más diluida. La ocupación efectiva por parte de los musulmanes fue, aparte de irregular, muy poco duradera. El estímulo carolingio en Aragón fue esencialmente militar y espiritual y también efímero. Las reacciones indigenistas frente a las intromisiones francas se vieron reflejadas en la expulsión del territorio del conde Aznar Galindo (hacia el 820), considerado como demasiado propicio a los carolingios. Desde estos momentos se inicia un proceso —rematado un siglo más tarde— de absorción del núcleo aragonés, con centro en Jaca, por la monarquía navarra.

Primeros intentos repobladores

El *elemento repoblador* en las áreas del Pirineo occidental y central lo constituirán esencialmente montañeses a los que se agregarán grupos de fugitivos de la zona islámica. La influencia espiritual de los francos fue importante en los primeros tiempos: caso del monasterio de San Pedro en Siresa (en el interior del valle de Hecho). Con el transcurso del tiempo, lo puramente indígena acaba imponiéndose en centros tales como el monasterio de San Juan de la Peña, fundado según la tradición por dos monjes huídos de la Zaragoza musulmana: los hermanos Voto y Félix. Influencia monástica en la repoblación que se hará más evidente aún en la Rioja. Debilitada la posición de los muladíes del valle del Ebro, castellanos y navarros presionarán en el curso alto-medio de este río. San Martín de Albelda y San Millán de la Cogolla constituirán elementos clave de la política repobladora de la dinastía jimena.

La falta de ciudades de cierta envergadura en la zona de influencia navarro-aragonesa obligó a crear un sistema defensivo que partió casi de cero. Cara a las formas de asentamiento, José María Lacarra reconoce dos tipos en el ámbito de influencia aragonesa: «El formado por viviendas aisladas y abiertas, centro de una pequeña explotación agraria (casa, monasterio) o ganadera (pardina) y el constituido por concentraciones algo más densas, pero no mucho, de villas o aldeas, que a veces se protegían con una fortaleza». A medida que los avances se vayan consolidando, una nueva mentalidad se va abriendo paso: la del hombre de frontera, cuyas funciones le convierten en un hombre con peculiaridades distintas a las del ganadero o pequeño agricultor que constituye, en último término, la médula de la sociedad pirenaica.

Los focos centro-orientales

A Oriente del condado de Aragón se extienden como núcleos de resistencia los de *Sobrarbe-Ribagorza-Pallars*.

Zonas las dos primeras de difícil acceso, la irrupción islámica en la Península les permitió quedar en una «dominación sin ocupación militar efectiva, sin aportaciones apreciables de población extranjera, sin gran remoción de la propiedad, sin sensibles cambios en las instituciones religiosas» (Lacarra). Sobre Ribagorza y Pallars (de Sobrarbe apenas si sabemos nada) los francos ejercerán una influencia política más duradera. Sólo desde el 872 tendrán unas dinastías condales propias. La falta de cohesión interna de estos condados les convertirá en fáciles presas del expansionismo vascón. Con Sancho III el Mayor, Sobrarbe y Ribagorza quedan incluidos dentro de la órbita política navarra.

La primitiva Cataluña

Los condados más orientales del Pirineo fueron el elemento constitutivo de un supuesto distrito administrativo franco: *la Marca Hispánica*.

La expresión «Marca Hispánica» adquirió carta de naturaleza historiográfica a través de una obra de este mismo título redactada en 1680 por un erudito francés, Pedro de la Marca. Consejero de Estado con el cardenal Richelieu, fue enviado a Cataluña a fin de proceder a organizar la administración francesa en los años de lucha con la casa de Austria. Producto de sus investigaciones fue la obra que acabamos de reseñar. Ella contribuiría a crear el clima de que con Carlomagno y sus sucesores la zona situada entre el Pirineo y el Ebro (y en particular el área catalana) había constituido, bajo el nombre de Marca Hispánica, una especie de distrito administrativo carolingio. La expresión hizo fortuna y hoy la encontramos incorporada en casi todos los libros de historia medieval peninsular.

Los hechos que hay que vincular a la reconquista resultan menos sencillos.

En principio hay que tener en cuenta que desde el 711 hasta el 719 la zona catalano-septimana se vio prácticamente libre del dominio musulmán. Y muy probablemente tampoco había obedecido en los años anteriores los mandatos de Don Rodrigo. Desaparecido éste tras la jornada del Guadalete, los hispano-godos del área N-E elevarían a otro monarca, de nombre Ardon, que lograría mantenerse de forma precaria durante unos pocos años. En el 719, en efecto, los musulmanes invadían Septimania y alcanzarían en el 732 el corazón de Francia. La derrota de Poitiers fue el punto de arranque de la contraofensiva franca que, descendiendo por el valle del Ródano, recuperó Narbona (vieja ciudad visigoda) en el 759, con la ayuda del elemento godo de la ciudad. En los años siguientes, y tras de una serie de alternativas políticas, los francos fueron dominando un área sobre la que el Islam nunca había llegado a ejercer un control sólido. La influencia de los carolingios en esta zona del Pirineo había de ser más decisiva que en los otros núcleos de resistencia. El fracaso de Carlomagno en Roncesvalles se vio compensado en el área catalana en el tránsito al siglo IX. Entre el 798 y el 801, se toman a los musulmanes las zonas de Gerona, Ausona, Cardona y Barcelona.

La influencia franca sería el elemento diferenciador esencial de la primitiva Cataluña en relación con el área astur-leonesa. Ramón de Abadal, el primer especialista en el tema, ha podido escribir que «el hecho de estar sujeta durante un largo período de tiempo al influjo carolingio, supuso un cambio esencial en la personalidad de la región afectada». Sin embargo —insistimos en el hecho antes mencionado— nada permite hablar de la existencia de una «Marca Hispánica» en el sentido de distrito administrativo. El Acta Constitucional del Imperio del año 817 hablará de dos Marcas: la Tolosana y la Septimana o de Gocia, que corresponderían respectivamente a las vertientes Sur de los Pirineos central y oriental. Cuando comience a aparecer la expresión «Marca Hispánica» en el 821, no será con el sentido

117

de circunscripción administrativa, sino de simple frontera, y alternando con los términos Limes hispanicus o finis. La unidad administrativa típica del mundo carolingio era el condado. La zona pirenaica no fue una excepción a la regla. A los condados de Aragón, Sobrarbe, Ribagorza y Pallars se une otro conjunto vinculado al Mediterráneo: Ampurias, Gerona, Cerdaña, Ausona, Barcelona, Urgel... A la larga, el titular del de Barcelona ostentará un puesto preeminente en el conjunto.

El proceso de distanciamiento de los condes de la primitiva Cataluña en relación con los carolingios fue más lento que el de sus colegas del Pirineo central. Las dificultades por las que fueron atravesando los sucesores de Carlomagno favorecieron las posiciones de una serie de personajes. Wifredo «el velloso», hijo del conde Seniofredo, llegó a concentrar en sus manos los condados de Urgel, Cerdaña, Barcelona, Gerona y Besalú. Aunque a su muerte esta herencia fuera repartida entre sus sucesores (898), el eje Barcelona-Ausona-Gerona permanecería prácticamente inalterable y constituiría la plataforma básica de la Cataluña medieval.

Otros dos hechos contribuirían de forma decisiva a lograr la independencia de hecho de los condados catalanes. El primero, el Capitular de Kierzy (877), por el que el monarca franco Carlos el Calvo daba un paso decisivo para la transmisión hereditaria de los feudos. El segundo, las dificultades que para Barcelona, fronteriza del Islam, derivarán de la política agresiva de Almanzor. La ciudad fue saqueada en el 985. La incapacidad de los monarcas franceses para socorrer a sus vasallos en este trance obligó a éstos a pensar seriamente en una independencia, si no de derecho, al menos de hecho.

La Cataluña condal seguía, así, unos pasos semejantes a los de la primitiva Castilla.

La ocupación del suelo

A la hora de estudiar la *repoblación* de la Cataluña altomedieval, los trabajos de Ramón de Abadal son de una importancia similar a los referentes al área castellano-leonesa realizados por **Sánchez Albornoz. Los más recientes de P. Bon**nassie suponen un excelente complemento y una visión renovadora desde el punto de vista metodológico.

En líneas generales puede decirse que la montaña, saturada de población, fue «goteando» ésta hacia la vertiente sur del Pirineo. Así, la Cerdaña fue en el siglo x la base repobladora de Ripoll, Vich y Guillerías. De otra parte, las llanuras de Urgel y Lérida facilitarían el elemento repoblador del Bajo Bergadá y Plana de Bages. Los «hispani» de los que hablan algunos capitulares carolingios, huidos ante la presión islámica, procederían, en un movimiento inverso, a la ocupación de los antiguos terrazgos, en un intento de continuidad (resalta Bonnassie con el pasado visigodo. El procedimiento de instalación fue parecido al de la Meseta: las tierras consideradas yermas pertenecían al fisco real que autorizaba su toma, la *aprissio*, para su cultivo, libre de toda carga. Diversos capitulares (812, 815, 816) se dieron por los monarcas francos a fin de cortar una serie

119

de abusos de los agentes de la autoridad real. Las comunidades de hombres libres resultantes de este proceso de ocupación constituirían una de las bases principales sobre las que se sustentaría la autoridad condal. Sin embargo, esta clase de pioneros sólo podrían sostenerse e incrementarse en virtud de unos avances reconquistadores que quedaron frenados en los primeros años del siglo x. De ahí que, a su lado, cobre una gran importancia en la labor de colonización el elemento eclesiástico: monasterios de Cuixá, Ripoll y San Juan de las Abadesas y la restaurada diócesis de Vich-Ausona. Fundaciones y restauraciones impulsadas en buena medida por Wifredo y que, desde fecha muy temprana, serán beneficiarias de un proceso de acumulación de tierras, bien por sucesivas dotaciones de los condes, bien por la simple y llana absorción de alodios de campesinos menos afortunados.

Al igual que en los núcleos de resistencia del Occidente peninsular, la Cataluña condal entra en el siglo xi restañando las heridas que le infirió el califato bajo la dictadura amirí. La nueva centuria, también para Cataluña, iba a suponer una etapa de transformaciones aceleradas, con marcados síntomas de progreso.

7

ESTRUCTURAS SOCIOECONOMICAS DE LA ESPAÑA CRISTIANA EN LA ALTA EDAD MEDIA

La disputa del suelo por parte de los cristianos, y el consiguiente proceso de colonización hasta las desembocaduras del Llobregat, la vertiente Sur del Pirineeo y el valle del Duero, dan pie para la aparición y desarrollo de unas peculiares formas de vida.

La España musulmana a lo largo del Alto Medievo vivió —como todo el mundo islámico en general— bajo el signo de la prosperidad. Por el contrario, la Europa cristiana hasta muy entrado el siglo X se encontró sometida a unas formas de vida que respondían al marco prácticamente exclusivo de la ruralización. En su día, Henri Pirenne sostuvo (en su conocido estudio MAHOMA Y CARLOMAGNO) que la ruptura entre el mundo antiguo y el medieval se había producido no con la irrupción de los germanos, sino con la de los musulmanes. Ellos —venía a decir— fueron los que convirtieron el Mediterráneo en un foso cultural y económico entre las distintas civilizaciones ribereñas: Bizancio, el Islam, el Occidente romano-germánico.

La tesis —brillante en grado sumo— pecó de excesivamente rígida. El Mediterráneo, antes ya de la entrada del Islam en la Historia, era un mar en progresivo declive económico. La irrupción de los musulmanes no hizo más que acentuar este proceso. La ruralización en el Occidente mediterráneo era un signo bajo el que los primitivos Estados germánicos ya habían vivido. Entre los merovingios y los carolingios no hubo, así, una violenta solución de continuidad. Sólo, la degradación de un proceso gestado desde los tiempos del Bajo Imperio.

Una economía de subsistencia

Una visión clásica (la de Bruno Hildebrand) consideró la existencia de tres etapas en la evolución de la economía: economía natural-economía monetaria-economía crediticia. Siguiendo al pie de la letra estos presupuestos, la Europa de la Alta Edad Media habría ido cayendo irremisiblemente en el más negro pozo de la economía natural, paralelamente a su repliegue a una vida casi exclusivamente campesina.

Todo es relativo. No conviene, como dijo Marc Bloch, dejarse arrastrar por la «esclerosis de nomenclaturas».

¿Vivió la Europa cristiana y, consiguientemente, los núcleos de resistencia del Norte de la Península bajo el signo de una autarquía económica total? ¿Llegó a desaparecer en ellos todo rasgo de tráfico monetario?

A pesar de la precariedad de las formas de vida, la respuesta no podría ser en ningún caso rotundamente afirmativa.

García de Valdeavellano ha sugerido que los marcos económicos de los primeros Estados hispano-cristianos se desenvolverían en tres círculos: la economía familiar, la economía vecinal y la economía vilicaria.

La primera responde a los presupuestos más autárquicos: comunidad de padres e hijos que, asociados, producen aquello que necesitan para consumir.

La segunda responde a la comunidad de vecinos o «vico»: grupo de pequeños propietarios libres cuyos lazos de unión vienen dados por el aprovechamiento común de prados y bosques.

El tercer tipo, la economía vilicaria, responde a la gran propiedad dominical. Ella será la que marque la pauta en la Europa carolingia. Se basa en la explotación de una gran unidad agrícola por parte del señor y de los colonos o arrendatarios instalados en ella. En líneas generales, hasta después del año 100 (Bonnassie lo ha ratificado últimamente para Cataluña), la economía vilicaria no sería dominante en la Península. Los primeros pasos en este sentido los darán los grandes dignatarios astur-leoneses, o los grandes monasterios. En el caso catalán, la progresiva influencia de los mecanismos feudales obrará de forma decisiva en este sentido.

Agricultura y ganadería constituyeron las bases de una economía hispano-cristiana que se mueve dentro de los márgenes de la pura subsistencia. El elevado nivel técnico logrado en Al-Andalus nunca pudo ser alcanzado por los focos de resistencia del Norte. Los *cereales* constituirán la base de una precaria alimentación. Y lo seguirán siendo durante muchos años, hasta el punto que los restantes productos alimenticios no pasen de la categoría de «companaticum» (acompaña-

miento del pan). Si las zonas más soleadas podían dar una producción vinícola suficiente, la
zona olivarera quedó, durante mucho tiempo aún,
en manos del Islam.

La *ganadería* ocupa en estos tiempos un importante lugar en el contexto de la economía hispano-
cristiana. En el área astur, la importancia de las
especies va (García Larragueta) por este orden:
bóbidos, equinos, mulas y asnos. En un segundo
plano quedan la ganadería de cerda y ovina. El
ganado aparece con frecuencia considerado como
valor de moneda en Piasca. En este mismo lugar,
las yeguadas aparecen bien como negocio o bien
como una necesidad de los grandes señores para
el equipamiento de sus gentes.

Hacia el Este, en la Rioja, zona de contacto entre castellanos y navarros, «vacas, cabras, ovejas y puercos aparecieron como la solución económica más adecuada para aprovechar aquellos
espacios vacíos de población» (García de Cortázar). En este área, sin embargo —y el ejemplo
podría ser extendido sin duda a otras— las necesidades de la colonización a partir del 900 hacen
aparecer muy tempranamente la pugna entre agricultores y ganaderos.

Actividades mercantiles: un sector estancado

En contraste con la floreciente vida urbana de
Al-Andalus, los núcleos hispano-cristianos presentan un pobrísimo panorama en este campo a lo
largo de los siglos alto-medievales. García de Valdeavellano sugiere que las «ciudades» de la España cristiana debieron diferir muy poco en estos

124

años de las «civitates» episcopales y de los burgos militares de la Europa transpirenaica.

La Reconquista española —concepto extensible a todos los núcleos de resistencia— surgió en zonas escasa o nulamente romanizadas y, por consiguiente, con *muy pobre tradición urbana*. Esta se empezó a reconstruir tímidamente cuando a mediados del siglo VIII los monarcas astures repoblaron Lugo. Cincuenta años más tarde, los francos recuperaban Barcelona y Alfonso II de Asturias erigió en Oviedo la capitalidad de su pequeño Estado, dotándola de sede episcopal y de murallas. En el núcleo vascón, sólo Pamplona tenía una cierta tradición urbana.

La ocupación del valle del Duero permitió la reactivación de algunos núcleos de población de relativa importancia: León, Tuy, Astorga, Zamora... Su población, sin embargo, se encontraría vinculada primordialmente a actividades militares y agrícolas. Lo típico de estos centros es el recinto fortificado en el que se incluyen algunas iglesias y otras edificaciones, quedando, sin embargo, la mayor parte de ellas fuera del perímetro fortificado, lugar natural de refugio en caso de peligro. La escasa población de estos núcleos vería sus necesidades satisfechas con el producto de los campos cercanos y con una muy rudimentaria artesanía local que incluiría las armas, tejidos y, excepcionalmente, algún objeto de lujo.

Las *actividades mercantiles* quedarían sumamente restringidas, aunque ya en el siglo IX —advierte Valdeavellano— tenemos alguna referencia a pequeños mercados para el abastecimiento puramente comarcal de aquellos productos de más perentoria necesidad: Ampurias y Perelada en Cataluña ya desde el 842, y quizá también Oviedo desde esta misma fecha.

A pesar de las escasas referencias al tráfico mercantil, las viejas calzadas romanas («vías de mercado», «vías mercaderas» llamadas en los documentos) pudieron ser caminos de penetración de este modesto comercio ambulante hacia la España cristiana.

Para el siglo X disponemos de algunos datos elocuentes referidos a los dos principales centros políticos de la España cristiana: León y Barcelona.

Para el primero, Claudio Sánchez Albornoz nos pintó hace ya muchos años un precioso cuadro, cuyas líneas generales siguen teniendo perfecta validez. Pese a su carácter eminentemente rural, la urbe regia tenía ya en este siglo, amén de su mercado semanal, ciertos establecimientos comerciales y artesanales permanentes. Musulmanes y judíos dejaron sentir su presencia. Armas francesas, tejidos de Al-Andalus (mauriscos) y bizantinos (pannos greciscos) constituyeron la base de un comercio a pequeña escala pero no despreciable.

Durante estos mismos años, otras localidades leonesas, como Cea, cercana a Sahagún, dispusieron también de una cierta actividad mercantil.

En los condados catalanes —Barcelona a la cabeza— las referencias a «telonea» (impuestos por tráfico de mercancías) y a los «mercaderes de la tierra y del mar y de todos los demás mercados» desde fines del IX hacen pensar —sugiere Valdeavellano— en el mantenimiento de un cierto tráfico de mercancías.

De hecho, la España cristiana y toda la Europa occidental en general actuaban como países «coloniales» en relación con un Bizancio o un Islam cuyas estructuras económicas estaban mucho más desarrolladas.

La circulación monetaria

Las transformaciones monetarias en el Occidente europeo en la Alta Edad Media han sido desde hace muchos años motivo de amplio debate. La reforma impulsada por Carlomagno —uniformidad bajo el patrón plata— ha sido considerada como pieza fundamental. Henri Pirenne, Marc Bloch, Maurice Lombard y Pierre Vilar han ido contribuyendo a esclarecer el problema del destino del oro en estos años. Más que desaparecer radicalmente del Occidente, se atesoró o «giró», en un circuito Islam (vía Al-Andalus)-Francia carolingia-Oriente (por la vía de la Europa nórdica o Italia), drenado en la compra de productos de lujo al Imperio bizantino.

Los núcleos hispánicos del Pirineo se vieron forzosamente influidos por la reforma monetaria carolingia, que hizo del denario de plata (en torno a los dos gramos) la moneda efectiva, frente al sueldo y la libra, monedas de cuenta.

El reino astur-leonés —sobre todo con Alfonso II— pudo verse también influido por este modelo. El nombre de «sólidus» pasaría a designar, de forma generalizada, la moneda de plata, bien fuera el denario franco o el dirhem hispano-árabe.

A pesar de su fuga generalizada del Occidente, el oro no desapareció totalmente de la España cristiana aunque su circulación fuera escasa: antiguos tremises visigodos, dinares andalusíes y sueldos de oro suevos (llamados «gallicanos»). Los contactos estrechos que Cataluña mantuvo con el califato cordobés permitieron una corriente de numerario áureo relativamente notoria en esta zona. A su cuenta hay que poner el que este área sea la adelantada de la reactivación económica que se experimente desde el siglo XI.

El valor de los productos, sin embargo, tiene en este período otra evaluación general distinta a la estrictamente monetaria: el modio (medida para áridos equivalente a unos ocho kilos) y la oveja se utilizan generosamente en todo tipo de transacciones.

Estructura social

Hacia el año 1000, la sociedad en los Estados hispano-cristianos ha adquirido ya unos caracteres que, si no definitivos, van a marcar poderosamente su evolución ulterior.

El fenómeno de la Reconquista y la muy pobre penetración de los mecanismos feudales europeos hacen que la estructura social de los núcleos de resistencia difiera sensiblemente de la del mundo transpirenaico. En éste, desde mediados del siglo IX, tal y como brutalmente se dice en un capitular de Carlos el Calvo, sólo se reconocen dos categorías: los libres y los que no lo son. Es tanto como decir la aristocracia terrateniente y los campesinos sujetos a la tierra. En la España cristiana, la ocupación de nuevas tierras actuó como poderoso resorte de promoción social y elemento de salvaguarda de la libertad jurídica de nutridos grupos de población. La riqueza de matices en lo referente al estatuto de las distintas categorías sociales es bastante elocuente. Entre el magnate y el siervo existe una amplísima gama de situaciones que da a la sociedad hispano-cristiana en estos años las características de una gran permeabilidad entre sus diversos estratos.

En líneas generales podríamos fijar la siguiente escala social:

a) Una *nobleza primitiva*, integrada por los magnates laicos y eclesiásticos que han sido los principales beneficiarios de la concesión de grandes donaciones fundiarias. Nobleza «palatina» y «burocrática», que gobierna los distritos administrativos en nombre del monarca, ocupan una primera línea. La progresiva formación de linajes es lo que va a ir definiendo a esta clase como tal. Magnates, próceres y cómites leoneses, condes y vizcondes catalanes son sus mejores expresiones a nivel laico. Los abades de los grandes monasterios lo serán a nivel eclesiástico: Sahagún, Moreruela, Samos o Escalada en el reino astur-leonés; Leire y San Millán en el área navarro-riojana; Ripoll o San Juan de las Abadesas en la primitiva Cataluña...

La profesión de las armas constituirá en estos momentos una excelente palanca de promoción social que hará que el estamento nobiliario no constituya una categoría social totalmente cerrada. «Milites» y «caballarii», a veces directamente vinculados al príncipe, constituyen las capas más bajas de la nobleza. Será, por ejemplo, el caso de los «hombres libres» de Castrojeriz a los que, por la posesión de un caballo como arma de guerra, el conde Garcí Fernández les concedió un estatuto privilegiado. En estos niveles, sumamente permeables, entra en contacto el estamento nobiliario con el escalón inmediatamente inferior.

b) Las clases populares constituyen la masa de la población de la Europa cristiana del momento. Los reinos hispano-cristianos no constituyeron una excepción. Desgraciadamente, su importancia numérica no corre pareja con la importancia cuantitativa de la documentación que sobre ellos se ha conservado.

En principio —y abundamos en lo que antes hemos adelantado— los libres no privilegiados formarían el contingente humano más numeroso. La Plana de Vich o el desierto del valle del Duero constituyeron el campo idóneo para la constitución de una clase de *campesinos libres*, pequeños o medianos propietarios. Estos auténticos pioneros marcarían un profundo contraste con una Europa en la que la masa de población se había visto degradada a la condición de servidumbre o semiservidumbre. El alodio (propiedad inmueble libre de cualquier carga de tipo señorial) sería característico durante muchos años de amplias zonas de colonización. El gran maestro Sánchez Albornoz ha insistido reiteradamente en este extremo: «Hace mil años Castilla era un islote de hombres libres y de pequeños propietarios alodiales en el Océano feudal de la Europa de Occidente. Entre sus roquedades cárdenas y sus grises serrijones y entre el mar de blancos alcores y de rojas colinas que se disuelven en el páramo, vivía una extraña sociedad de labradores y guerreros, única en su tiempo».

Ingenui, excussi, villani, pageses, hereditarii... se encuentran entre otras tantas denominaciones genéricas utilizadas para designar su condición.

Pero esta condición también llega en ciertos momentos a confundirse con la inmediata inferior.

c) El estatuto de *semilibertad* tiende con el tiempo a ensanchar sus fronteras. El pequeño propietario libre, aunque conservando su estatuto jurídico original de libertad, ve muchas veces limitada su capacidad de movimientos. La vieja figura de la encomendación, tan familiar desde el Bajo Imperio cobra nueva fuerza a lo largo del siglo IX.

Esta puede ser la condición a la que accedan libertos y siervos manumitidos, pero puede, también, ser el status al que se vean rebajados numerosos ingenui. Las graves dificultades políticas del momento (ataques de musulmanes o normandos, disputas internas de los Estados cristianos) y las lógicas dificultades económicas que muchos de estos pequeños propietarios llegarán a atravesar, les forzarán a buscar la protección de los más poderosos. Protección que se busca entregando a éstos la totalidad o parte de la tierra poseída a cambio de su usufructo. Serán los hombres de benefactoria del reino leonés, que se encomiendan en muchas ocasiones no individual sino colectivamente a un señor, o los homines proprii et solidi de la primitiva Cataluña. Aunque, en principio, el vínculo contraído lo era voluntariamente y voluntariamente también podía ser roto, se trataba de un importante precedente en la degradación de la primitiva condición jurídica de amplios sectores del campesinado.

Las figuras de cesión de tierra y contrato agrario actuarán también en este mismo sentido sobre una amplia capa de la sociedad rural. Bajo el nombre genérico de colonos cabe situar distintas denominaciones, desde Galicia hasta la Cataluña condal: foreros, villanos de parata, juniores, mezquinos, homines proprii et solidi et affocati... La semilibertad podemos decir que constituye su característica común, ya que su adscripción a la tierra no siempre adquiere formas radicales. Puede decirse esto, ya que la degradación de su condición jurídica no viene dada tanto por su forzosa sujeción personal al campo que cultivan como por la obligación de satisfacer al señor de la tierra una serie de prestaciones en contrapartida del disfrute del terrazgo que éste les ha concedido.

Nos encontramos en este caso con la más acabada expresión del régimen de producción dominical o villicario: la relación orgánica entre la reserva explotada para provecho único del señor, y los mansos, unidades de explotación teóricamente familiares. El cultivo de la primera corre a cargo de siervos o jornaleros domésticos y del «excedente de las fuerzas productivas de los campesinos asentados en los mansos» (Duby). El colono, así, debe al señor por la ocupación de su manso una serie de servicios anuales amén de los censos, generalmente en especie: labores, sernas, etc.

El gran dominio se va, así, constituyendo en un fuerte elemento de presión sobre el campesino. En los núcleos occidentales de Reconquista, Galicia y León serán los adelantados de este proceso. En la Cataluña condal, aunque en torno al año 1000 el número de propietarios pequeños y medianos sea aún crecido, la gran propiedad se va también desarrollando por las donaciones reales o condales o por la absorción de los alodios campesinos.

Aparte de los grandes magnates laicos, las instituciones monásticas serán las grandes beneficiarias del proceso. Las donaciones reales, las compras, las frecuentes limosnas, las donaciones post mortem de todo tipo de personas, hacen de la célula monástica no sólo un foco de espiritualidad, sino también el centro de una explotación agraria. Su radio de acción rebasa en múltiples ocasiones el ámbito natural del área en que fue fundada. El dominio monástico de San Millán de la Cogolla, estudiado por García de Cortázar, nos muestra en torno al año 1000 una extensa explotación con muy ramificados intereses en las comarcas cercanas, que permiten una diversificada producción: cereal, viñedo, bosque, ganadería, salinas y quizá hierro. De forma semejante y por estos mismos años, el monasterio de San Pedro de Cardeña —estudiado por S. Moreta— controla un amplio dominio disperso entre el curso del Ebro, el valle del Pisuerga, la orilla Sur del Duero y las estribaciones occidentales de la Sierra de la Demanda.

d) La presión del señorío se deja sentir más aún sobre los grupos más desheredados: los *siervos*, cercanos en algunas de sus categorías a los colonos. Nacimiento de padres siervos, cautiverio por guerra, deudas, o entrada voluntaria eran los canales a través de los que las clases serviles se nutrían. La dependencia de la tierra es en ellos ya forzosa. Si el siervo no es jurídicamente persona, en algún sentido su condición ha mejorado en relación con la de su predecesor el esclavo romano. Los siervos, así, pueden contraer matrimonio legítimo y poseer peculio propio. Incluso, al lado del siervo personal, ocupado en faenas domésticas y cuya sujeción supone una verdadera esclavitud, aparecen los siervos rurales adscritos a la tierra para prestar servicios agrícolas o artesanales: casati del área de influencia leonesa, manentes catalanes, mezquinos de Aragón y Navarra...

La densidad de la población servil va en relación directa con la extensión de los grandes señoríos: vg. mayor en Galicia que en Castilla. La influencia de la Iglesia fue grande en la práctica de la manumisión, aunque en estos casos siempre se mantenía un cierto lazo de encomendación entre el amo y el antiguo siervo. De hecho, el sistema de «Pressura» actuó también en estos grupos como un potente imán para su promoción social.

e) La inexistencia práctica de núcleos urbanos y la consiguiente debilidad de una población artesanal y comercial, hace muy problemático el que podamos hablar en estos momentos para la España cristiana —y para toda la Europa occidental en general— de grupos de *población urbana.* El contraste Cristiandad-Islam se hace así más agudo aún. Los mercados altomedievales no pasan de ser algo puramente anecdótico cuya actividad distrae a un muy limitado número de personas. El primer estatuto importante concedido para un grupo de población en la que se incluyan referencias a personas no encuadradas forzosamente en la tríada guerreros-eclesiásticos-campesinos, es el llamado por Sánchez Albornoz «Fuero de León», otorgado en la Curia Regia de 1017. Aunque en casi todos sus apartados se recojan referencias a las instituciones eclesiásticas, a la tierra y a los señores, se incluyen ya preceptos para la regulación de la vida económica de la urbe leonesa y su mercado. Se da además a la asamblea de vecinos o Concilium personalidad jurídica para velar por el recto gobierno de la urbe leonesa. Los muros de la ciudad otorgan un estatuto particular a sus moradores. Se trata de una ya clara aceptación de la libertad civil de un grupo de vecinos que van logrando una personalidad colectiva privilegiada.

8

LA CUPULA CULTURAL Y ESPIRITUAL
DE LA ESPAÑA CRISTIANA

La irrupción musulmana contribuyó a colapsar el aparato de la administración eclesiástica en la Península.

La actitud de restauración impulsada en el reino astur a partir de Alfonso II pretendió ver en la ocupación islámica un fenómeno pasajero y en la Reconquista una vuelta a las viejas estructuras de la época visigoda. Ello no fue posible. La evolución espiritual, por el contrario, provocó profundas transformaciones.

La nueva estructura episcopal

Los organismos de encuadramiento religioso —las *diócesis*— impulsados por los monarcas hispano-cristianos no podían ser una mera repetición de los de antes del 711. Razones de orden político y —sobre todo— demográfico forzaron a una serie de importantes cambios. Alfonso II fundó la sede de Oviedo. Paralelamente se fueron restaurando otras como Lugo e Iria Flavia.

El empuje que llevó a los astur-leoneses hasta el valle del Duero con Alfonso III fue permitiendo la erección de otras nuevas como Orense, Zamora o Tuy.

Hacia los núcleos orientales, Pamplona tuvo tiulares de su sede episcopal al menos desde comienzos del siglo IX. Jaca, desde el 880. Roda desde el 957. Urgel parece que se mantuvo sin solución de continuidad pese a la irrupción islámica.

A medida que el proceso reconquistador se dejó sentir en la Marca Hispánica, se procedió a la restauración de algunas sedes como Elna, Gerona, Barcelona y Vich. El metropolitano de Narbona se mantuvo durante algún tiempo como cabeza de los obispados catalanes.

La diócesis era la célula fundamental del encuadramiento religioso. Pero el carácter profundamente rural de la sociedad hispano-cristiana hizo que *parroquias* e *iglesias propias* desempeñasen un importantísimo papel aglutinante a nivel de vico, castro o villa. La misión general del sacerdote es la cura de almas, que ejerce en una serie de funciones desgajadas de la sede episcopal: misa dominical, bautismo, bendición nupcial, etc.

La fundación de algunas de estas células por particulares y su consiguiente patrocinio constituyeron motivo de abundantes abusos. Diezmos, oblaciones, primicias y otros tipos de ingresos a percibir por la parroquia o iglesia propia, lo fueron muchas veces por el fundador laico y sus sucesores. Los vicios de la feudalidad se dejaron sentir con distintos niveles de crudeza según las regiones en las instituciones parroquiales. La jerarquía eclesiástica tratará por distintos medios de colocar bajo su control, cuando menos, el nombramiento de los titulares de las parroquias.

El monacato y sus aportes culturales

El papel del *monacato* en la Europa altomedieval fue supervalorado a nivel de la teoría sociológica por los intelectuales carolingios. Teodulfo de Orleáns, en los primeros años del siglo IX, consideró a los monjes como componentes de un «grupo social» especial: el ordo monachorum.

A nivel estrictamente peninsular, la vida monástica no presenta un saldo que pueda considerarse como negativo en los primeros tiempos de la Reconquista. El relativo aislamiento con el resto de la Europa cristiana hará que su evolución presente una serie de peculiaridades, muchas de ellas resabios del pasado visigodo.

La segunda mitad del siglo VIII se ha considerado como la etapa de impulso para el renacimiento monacal en los núcleos de resistencia hispano-cristianos. La vida eremítica y el cenobismo —bajo el sistema isidoriano de pactum o bajo la regla benedictina en el N-E— se reparten el mérito en este campo.

Al iniciarse el siglo X, la España cristiana cuenta ya con gran número de *fundaciones:* en el reino astur-leonés las de San Froilán y San Genadio, San Vicente en Oviedo, Samos y Sobrado en Galicia, San Martín (luego Santo Toribio) en la Liébana, San Miguel de Escalada junto al Esla, San Facundo y San Primitivo (posteriormente Sahagún), San Pedro de Cardeña en Castilla. En los núcleos de resistencia pirenaicos, el monacato va a tener también una influencia no desdeñable: San Salvador de Leire en Navarra; San Martín de Cillas, San Pedro en Siresa y San Juan de la Peña en Aragón; San Pedro de Roda, San Juan de Ripoll (luego San Juan de las Abadesas), Santa María de Ripoll, San Miguel de Cuixá, San Pablo del Campo y San Cugat del Vallés en la zona catalana.

A lo largo del siglo X, la *red de monasterios* ganará en densidad. A los antes citados se irán sumando otras fundaciones: San Miguel de Celanova en Galicia, San Pedro de Arlanza, San Sebastián en Silos (luego colocado bajo la advocación de Santo Domingo), San Martín de Albelda, San Millán de la Cogolla, etc., son otras tantas muestras sumamente elocuentes.

El monasterio altomedieval en la Península desempeña una doble función. Por un lado es importante centro cultural, y por otro, foco de colonización.

En lo que se refiere al primer extremo, el trabajo corporal y espiritual coexisten con el rezo del oficio divino. La biblioteca y el scriptorium monásticos constituyen piezas importantes de la vida cenobítica.

Sin embargo, las *manifestaciones culturales* de la Alta Edad Media hispano-cristiana se limitan, en buena medida, a intentos de mantener la tradición cultural visigoda, más receptiva que creadora: estudio de los textos bíblicos, análisis de las obras de San Isidoro o el LIBER JUDICIORUM, constituyen su principal objetivo. Los nuevos aportes son realmente escasos. En su saldo cabría colocar las primeras crónicas de la Reconquista: CRÓNICA DE ALBELDA, CRÓNICA PROFÉTICA, CRÓNICA DE ALFONSO III, por otro lado muy influidas por las corrientes culturales de la cristiandad mozárabe.

El aporte más novedoso es sin duda el que se produce con motivo de la *querella adopcionista*. La postura heterodoxa en este campo fue sostenida por el metropolitano de Toledo, el mozárabe Elipando y el obispo de Urgel, Félix, quizá antiguo monje del monasterio de San Sadurní de Tabernoles. Para ambos, Cristo no pasaba de ser hijo adoptivo del Padre. ¿Intento de hacer comprensible el dogma trinitario a poblaciones superficialmente cristianizadas y a los islamitas? Es una hipótesis a tener en consideración.

En cualquier caso, la postura antiadopcionista surgió en dos frentes. El más importante, por razones de índole política, fue la Europa carolingia, en donde fue combatido por Alcuino de York, Benito de Aniano y el propio Carlomagno a través de varias reuniones sinodales. El segundo frente fue el pequeño reino de Asturias con la intervención de Eterio de Osma y Beato de Liébana. Producto de ello fue la redacción por este último de una APOLOGÍA, violenta diatriba contra la herejía. Los COMENTARIOS SOBRE EL APOCALIPSIS, otra de las obras de Beato, habrá de constituir uno de los tratados de más éxito en el Medievo.

A lo largo del siglo X, los condados de la Marca Hispánica arrebatan a sus vecinos del reino astur-leonés la primacía cultural en la Península. El monasterio de Santa María de Ripoll contó a lo largo de la centuria con una riquísima biblioteca. El cenobio será el puente tendido entre el califato cordobés y la Europa transpirenaica. En Ripoll y en Vich, junto al obispo Atton, se formó Gerberto de Aurillac, que habría de ocupar el solio pontificio con el nombre de Silvestre II. Sus conocimientos de matemáticas, astronomía o música fueron producto de sus estudios en la Cataluña condal, más que de unos hipotéticos viajes a la Córdoba califal. En el primer tercio del siglo XI, Ripoll llegará a su apogeo cultural bajo la rectoría del abad Oliba.

El monasterio, célula cultural, es también —tal y como ya hemos expuesto anteriormente— importante foco de colonización en la España cristiana de la Alta Edad Media. Junto a la «corte» monástica, centro de la explotación, y las «cellas» de los monjes, nos encontramos con granjas monacales (decanías), villas y vicos, a veces muy alejadas de la casa madre. Mozárabes, como los que organizaron los cenobios de Sahagún y Escalada, o procedentes de los núcleos de resistencia del Norte (caso de Tavara o Moreruela), los monjes han de desempeñar un importantísimo papel en la articulación de la vida cultural y económica de estos siglos difíciles.

Formación del mito jacobeo

El sentido religioso que impregna el proceso reconquistador no fue tan temprano como tradicionalmente se ha sostenido. Pero, desde el 800, el sentimiento de restauración cristiana, aunque sólo sea a nivel áulico, resulta ya patente.

En este contexto, tiene un gran valor la formación del *mito jacobeo* como elemento dinamizador de la vida hispánica a lo largo del Medievo.

Parece incuestionable que el «descubrimiento» del sepulcro del apóstol en torno al 800 es el punto de arranque de un movimiento que va a dar un amplio juego en la vida espiritual, política y social de la España del Medievo. La restauración neogótica, impulsada desde Alfonso II precisamente, contará con un factor de primer orden a la hora de explicar la supremacía que la monarquía astur-leonesa tratará de mantener sobre el resto de los Estados hispano-cristianos. Desde el 974, San Rosendo, titular de la sede compostelana, se autodenominará «Obispo de la sede Apostólica». Un paso decisivo para el acrecentamiento del prestigio del episcopado jacobeo.

Santiago —dice Américo Castro— ocuparía en la vida peninsular un papel semejante al de Mahoma en el mundo islámico. Será un auténtico anti-Mahoma que contribuirá a caldear en los Estados hispano-cristianos el clima de una especie de guerra santa.

¿Cómo se ha llegado a la constitución del mito jacobeo?

Para Américo Castro, hay que tomar el hilo de lejos. El culto a Santiago habría que enlazarlo con el mito de dos divinidades bélicas del mundo pagano clásico: los Dioscuros, auxiliares —como lo fue el hijo de Zebedeo— en momentos críticos de las batallas.

Para otros autores, el culto jacobeo sería una réplica de signo protonacionalista hispánico, frente a la creencia difundida en la Europa del momento, de que los francos eran el principal baluarte frente al Islam.

Para Sánchez Albornoz, ambas teorías carecen de fundamento. El culto al santo fue, en su origen, responsabilidad de Beato de Liébana o de alguno de sus colaboradores, lo bastante audaces para

iniciar a la cristiandad española en unas creencias (evangelización jacobea en España) y en unos
sentimientos de protección divina que un San Isidoro no había tenido en cuenta.

En cualquier caso, Santiago, y en buena medida también otros santos (San Millán, San Isidoro), colaborarán con su culto a dar a la Reconquista un tinte que se podría calificar de divinal.
Con el tiempo, las peregrinaciones a Compostela
se convertirán en primordial factor de penetración de las corrientes culturales y económicas
transpirenaicas en el territorio peninsular.

Unas incipientes manifestaciones artísticas

El sentido de restauración política del goticis-
mo que el reino de Asturias impulsó, se reflejó
también en las manifestaciones artísticas. La arquitectura será el género más representativo. Las
influencias de sus distintos elementos (arco pe-
raltado, bóveda de cañón, decoración de clípeos
y sogueado...) siguen planteando algunos enig-
mas. El siglo IX (se ha hablado de *estilo rami-
rense* del nombre del monarca Ramiro I) marca
el momento de mayor apogeo del arte asturiano.
A la iglesia de San Julián de los Prados o la primitiva Cámara Santa de la capital ovetense, eri-
gidas bajo Alfonso II, se sumarán las iglesias de
San Miguel de Liño, Santa Cristian de Lena y
Santa María del Naranco, esa última quizá con
funciones de palacio originalmente.

Desde fines del siglo IX y como resultado, fundamentalmente, de la corriente migratoria de cristianos del Sur, las viejas manifestaciones arquitectónicas asturianas se ven desplazadas por otras

nuevas, genéricamente colocadas bajo el denominador de *arte mozárabe*. El arco de herradura, los capiteles estilizados al modo árabe, la utilización del ladrillo y la mampostería de forma sistemática, etc., dan la pauta a un estilo cuyo principal campo de expansión fue el reino asturleonés. Las pequeñas iglesias serán las piezas más representativas: San Miguel de Celanova, San Cebrián de Mazote, Santa María de Lebeña o San Baudilio de Berlanga.

Junto a las manifestaciones arquitectónicas, la miniatura desempeñó un importante papel en la España cristiana. Los comentarios al Apocalipsis hechos por Beato de Liébana dieron pie a todo un género pictórico (Beatos de Gerona, Valladolid y otros de fecha posterior como el de Osma) cuya ingenuidad de composición corre pareja con una particular forma expresiva.

La preeminencia que en la cultura escrita toman los condados pirenaicos sobre los núcleos de resistencia occidentales, se refleja también en las manifestaciones artísticas a lo largo del siglo x. La Cataluña carolingia —Santa Cecilia de Montserrat, San Martín de Canigó, y en fecha algo posterior, Santa María de Ripoll— ocupará un lugar prominente. En efecto, en el rincón nororiental de la Península se desarrollará, al igual que en otras zonas de la Europa del momento, lo que los especialistas han llamado *primer arte románico:* aparejo rústico, bandas verticales, arcos ciegos bajo la cornisa... constituyen los elementos más representativos. La Península Ibérica empezaba, así, a integrarse en la primera manifestación artística de carácter internacional de la Europa cristiana.

9

IDEALES Y ESTRUCTURAS POLITICAS

El Imperio carolingio fue la primera réplica coherente de la Europa cristiana frente al Imperio bizantino y al Islam. Sin embargo, ni la Inglaterra anglosajona ni buena parte de los núcleos españoles de resistencia fueron englobados en esta construcción política.

El «Imperio leonés» y su contestación

A pesar del cantonalismo en el que se debatieron los Estados hispano-cristianos en los primeros tiempos de la Reconquista, algunos *intentos aglutinadores* se produjeron desde fecha muy temprana.

El reino de Asturias fue el más madrugador. Fueron significativas las acciones de Alfonso II en pro de la restauración de las instituciones visigodas: unción real, ceremonial palatino, LIBER JUDICIORUM como base del aparato legislativo, nueva capitalidad del reino —Oviedo— convertida en sede de las primeras manifestaciones arquitectónicas importantes de la España cristiana como San Julián de los Prados... En último término, la conservación del sepulcro del Apóstol Santiago dará a la monarquía astur y a sus sucesoras de León y Castilla una preeminencia espiritual sobre los Estados vecinos. El neogoticismo se presentaba así «como un programa o anuncio de restauración total de la Península».

Tal ideal se continuará con la traslación de la capitalidad a la urbe leonesa. Menéndez Pidal ha hablado con insistencia del «Imperio hispánico» del que se hicieron protagonistas los monarcas astur-leoneses desde principios del siglo x. A Ordoño II se le llamará en la CRÓNICA NAJERENSE «imperator legionensis». Ramiro II fue llamado imperator y basileus. Expresiones a través de las cuales la monarquía leonesa trata de ratificar su supremacía política sobre los núcleos de resistencia pirenaicos.

Tras la grave crisis por la que pasen los Estados cristianos en la segunda mitad del siglo x, Alfonso V de León volverá a titularse Emperador. A su muerte (1028), el reino de Navarra, regido por Sancho III el Mayor, se hace protagonista de otro serio intento de aglutinación territorial desde el condado de Pallars hasta la propia capital leonesa. Será el «antiemperador», pero también el «Rex ibéricus», como le designará el abad Oliba. Su muerte en 1035, con el reparto de sus Estados entre sus hijos, echará por tierra este magno proyecto.

Mucho antes, sin embargo, el imperialismo leonés chocó con un serio obstáculo en su flanco oriental: el condado de Castilla.

Se ha tendido, aun a riesgo de caer en observaciones hiperbólicas, a acentuar las profundas diferencias existentes entre el reino astur-leonés y la Castilla condal. León se presentaría, así, como un Estado excesivamente ligado al pasado visigodo, mientras que Castilla representaría lo nuevo y dinámico. León sería un territorio dominado por una aristocracia laica y eclesiástica, mientras que Castilla presentaría unos rasgos en su estructura social mucho más democráticos. León vivió bajo fórmulas jurídicas tradicionales del LIBER JUDICIORUM, mientras Castilla fue la tierra del derecho libre, de la norma consuetudinaria, del fallo judicial a través de sentencias o «fazañas» que darán lugar a la leyenda de los primitivos Jueces de Castilla. León se vinculará desde muy pronto a la tradición cultural isidoriana, mientras que Castilla creará sus propias formas, con sus manifestaciones clave en una singular literatura épica y en una particular lengua romance.

Leyenda y realidad se han mezclado con demasiada frecuencia, haciendo que la pasión fuera mala compañera de la Historia.

CASTILLA ¿PRINCIPADO FEUDAL?, era el título de un sugestivo artículo publicado hace algunos años por Salvador de Moxó. En efecto, no resulta aventurado pensar que la actitud de la Castilla condal frente a León pudo responder a dos órdenes de factores. Uno, las diferencias apuntadas de tipo personal y espiritual. Pero, también, la proyección hacia la Península de unas tendencias generalizadas en Europa a lo largo del siglo X: la superioridad de las fuerzas centrífugas sobre las centralizadoras, que conducirían a una comarcalización del poder y de la defensa. A fin de cuentas, los condes de Castilla parecen tomar una postura semejante a la que sus colegas del Pirineo —observemos el caso de los condes catalanes— adoptan frente a los monarcas francos. Si Castilla aprovecha las guerras intestinas leonesas, los condes de Barcelona sacan también provecho de la pugna en Francia entre carolingios y capetos.

Fundamentos jurídicos

El mismo *ordenamiento jurídico* de los distintos Estados puede constituir un buen instrumento de la defensa de su personalidad. El grado de utilización del LIBER JUDICIORUM es un buen elemento de referencia: muy fuerte en Cataluña, más sujeto a matizaciones en el reino astur-leonés y Galicia y muy discutible su vigencia en los restantes territorios.

El caso de la Cataluña condal es revelador en este sentido. Los carolingios mantuvieron en los territorios incorporados a su Imperio el ordenamiento jurídico de las distintas poblaciones. Los hispani de la Septimania y la Cataluña Vieja no fueron exceptuados de tal principio. El LIBER JUDICIORUM constituyó la base del ordenamiento de las relaciones privadas entre la población de ascendencia gótica. Por encima de él, los Capitulares promulgados por los monarcas carolingios sirvieron en un primer momento para articular la dependencia política de los condados de la Marca Hispánica con el poder central franco.

La progresiva desintegración del Estado carolingio propició a su vez una independencia en el ordenamiento jurídico de una Cataluña en la que el condado de Barcelona había adquirido la rectoría indiscutible. Producto de ella fueron las disposiciones dadas en las Asambleas de Paz y Tregua de Dios, desde fines del siglo x y, en definitiva, cincuenta años más tarde, la promulgación de

los USATGES por Ramón Berenguer «el Viejo».
Como conjunto de normas, dicho texto suponía
la adecuación del Derecho a unas situaciones para
las que el LIBER JUDICIORUM empezaba a quedar-
se anticuado. Utilizados al principio sólo para el
condado de Barcelona, los USATGES acabaron convirtiéndose en la base de un derecho genéricamente catalán.

Frente a la eficacia del derecho visigodo en el
rincón nororiental de la Península, los restantes
Estados peninsulares presentan un panorama jurídico sensiblemente alterado. El LIBER JUDICIO-
RUM contó con un escaso apoyo dada la competencia que sufrió por parte de otro tipo de normas jurídicas producto de la influencia de prácticas consuetudinarias germánicas y prerroma-
nas. En el propio reino astur-leonés, y a pesar de
la conciencia restauracionista, se ha dudado ampliamente de la eficacia de la reimplantación por
Alfonso II del ordenamiento jurídico visigodo.
Este no fue el único que tuvo vigencia, particularmente en aquellas zonas que se iban ocupando
a través de la Reconquista y donde el derecho
consuetudinario fue tomando cuerpo como algo
más que un simple complemento del LIBER JUDI-
CIORUM.

El caso castellano será, en este sentido, sumamente ilustrativo. Sánchez Albornoz lo resume
muy bien en un pasaje de su obra: «cuando se
acuñó la personalidad histórica de Castilla y los
jueces castellanos fueron creando con sus sentencias el derecho consuetudinario comunal, con
facilidad darían paso en ellas a las tradiciones jurídicas godas, ingenuas, plásticas, simplistas».

Las bases de la realeza

En la Europa carolingia —las comparaciones con el mundo transpirenaico son sumamente útiles— se abrió paso desde fecha muy temprana la idea del monarca como mandatario de Dios, rey por derecho divino. Ello se entiende en virtud de que todo poder procede de Dios. En función de ello, también, el Imperio carolingio se justificó, como rezan los ANALES DE LORSCH, por ser la respuesta a las solicitudes del Papa, la jerarquía eclesiástica y el pueblo cristiano en general. Su razón de ser se encontraría en su vocación de «dilatatio Christianitatis».

Los monarcas hispano-cristianos —los reyes astur-leoneses en cabeza— manifestarán también esta condición de su origen divino a través de fórmulas como «Rey por la gracia de Dios» o «Rey por la voluntad de Dios».

La *dignidad del monarca* se considera como un oficio o un ministerio: no es el puro poder, sino un servicio que no sólo confiere derechos, sino también deberes. De ahí que la monarquía en la Alta Edad Media tuviera una serie de frenos —al menos ideológicos y morales— para imponerse como poder absoluto. Jonás de Orleáns, en la Francia carolingia (hacia el 830), justificaba el poder del monarca en función del correcto desempeño de sus funciones. En la España cristiana había también una tradición en este sentido. La monarquía astur-leonesa no pudo ser patrimonial como tampoco lo había sido la visigoda. Sólo con la progresiva penetración de las instituciones de signo feudalizante se fue cayendo en este vicio. Tampoco se llegó a una concepción de signo absoluto, por cuanto en el reino astur-leonés, al igual que en Aragón o Navarra, seguía la vigencia del viejo principio isidoriano «rex eris si recte facies, si non facies non eris».

El sentido semisacerdotal de la realeza queda bien plasmado en el ritual de ordenación seguido por los monarcas astures desde Alfonso II: la unción real en una ceremonia religiosa que confiere al monarca la «Ordinatio regis». En el caso de Navarra, la ceremonia era más simple: no hay ni unción ni coronación, sino simplemente el «alzamiento» sobre el escudo por los magnates del reino.

El sistema de *sucesión,* de acuerdo con la vieja norma visigoda, siguió siendo, en los primeros tiempos de la Reconquista, el electivo. De hecho, sin embargo, el principio hereditario se abre paso desde fecha muy temprana. En el siglo X se puede decir ya que los monarcas consideran completamente natural la vinculación de la función real a su linaje. A principios de la centuria siguiente la práctica consuetudinaria de la sucesión en el primogénito puede darse como definitivamente admitida. En Navarra —el testamento de Sancho III el Mayor es revelador— se admite que si bien el primogénito hereda el reino, los otros vástagos tienen derecho a recibir una compensación en la figura de aquellas tierras que el comarca difunto hubiera conquistado durante su gobierno. Los condados (reinos desde el segundo tercio del siglo XI) de Castilla y Aragón se encontraron inmersos en esta figura jurídica en la herencia del monarca navarro.

Los rudimentos administrativos

Pese a las mencionadas limitaciones morales, el *poder real y su ejercicio* son sumamente amplios. Lo exiguo del territorio sobre el que el soberano ejerce su autoridad facilitó sin duda la tarea. Entre las atribuciones esenciales estaban los poderes militar, legislativo y judicial que permiten al monarca llevar a la práctica la paz, el orden público, la protección a la fe cristiana y el cumplimiento del Derecho. Más aún, en el Estado astur-leonés, los monarcas tienen unas atribuciones en materia eclesiástica (elección de obispos principalmente) más acentuadas que en el resto de los Estados hispano-cristianos.

La administración central se polariza en torno a un organismo genéricamente designado como *Palatium,* heredado en buena medida del modelo godo y de muy semejante composición en todos los Estados hispano-cristianos. Los oficios pueden revestir un carácter público o meramente doméstico. En este sentido, los cómites palatii serían, en opinión de Sánchez Albornoz, herederos de los del mismo nombre que en época visigoda habían desempeñado funciones administrativas en palacio. Magnates laicos y eclesiásticos, bien consejeros del monarca o bien miembros de su séquito armado, completarían el cuadro de una rudimentaria administración central que, desde fines del x —momento en que el término Curia va en Navarra sustituyendo al de Palatium— adquiere mayor complejidad.

La irrupción musulmana en la Península barrió

el viejo sistema de división administrativa en provincias heredado de Roma. Del viejo municipio no quedaban tampoco vestigios en los comienzos de la Reconquista.

Por ello, los Estados hispano-cristianos hubieron de partir casi de cero.

Las circunscripciones administrativas que fueron surgiendo tenían una extensión muy reducida.

En el reino astur-leonés, fueron los condados, territorios o mandaciones, a cuyo frente fueron colocados *jueces, potestades o condes,* dotados de amplias atribuciones en materia de administración, justicia, milicia y fisco. El cargo, de nombramiento real, nunca se hizo hereditario en León, a diferencia de Francia y de los condados catalanes, en donde la feudalización de las funciones públicas produjo estos efectos desde fecha muy temprana.

En efecto, el hecho de depender de la monarquía franca en los primeros momentos de la Reconquista hizo que los condes de la «Marca Hispánica» fueran en principio funcionarios de la administración carolingia. Con el transcurso del tiempo, y al irse emancipando, harán de sus circunscripciones pequeños Estados de hecho soberanos.

El magnate que figura al frente de un distrito administrativo tendrá oficiales en los que a menudo delega su autoridad. En el área castellanoleonesa, Navarra y Aragón, aparecerán los merinos, administradores y recaudadores de tributos y —también— encargados de solventar causas menores. Con el transcurso del tiempo su figura habrá de cobrar un gran realce. En Cataluña, junto a los condes aparecerán como auxiliares los vizcondes y —aunque de forma aún esporádica— desde el siglo x los veguers (vicarios). Como las del merino, sus funciones acabarán teniendo una gran importancia en la ulterior conformación de un más complejo aparato administrativo.

LA PLENITUD DEL MEDIEVO (1031-1348)
(EL DECLIVE DEL ISLAM HISPANICO Y LA EXPANSION DE LOS ESTADOS CRISTIANOS)

LA PLENITUD DEL MEDIEVO (1031-1348) (EL DECLIVE DEL ISLAM HISPANICO Y LA EXPANSION DE LOS ESTADOS CRISTIANOS)

1

LOS REINOS OCCIDENTALES: SU PROYECCION DEL SISTEMA CENTRAL A LAS CADENAS BETICAS

El testamento de Sancho III el Mayor consagraba la división de los Estados de este monarca, aunque tratando de mantener la preeminencia del reino de Navarra. Tal proyecto se frustró en los años siguientes, en que dos de los Estados que flanqueaban este núcleo (los antiguos condados de Aragón y Castilla) se erigieron en reinos. A Castilla —bien unida, bien separada de León— le estaría encomendado un papel hegemónico en la Meseta. A Aragón —basculando entre la unión con Navarra o el acercamiento a los condados catalanes— le estaría reservado un protagonismo decisivo en el espacio entre el Pirineo y el valle del Ebro. En cualquiera de los dos casos, el empuje principal de los dos noveles reinos sería a costa de sus vecinos musulmanes.

Desde la disolución del califato, en efecto, la relación de fuerzas se inclina decisivamente del lado cristiano. En el caso castellano-leonés, la figura del hijo de Sancho el Mayor, Fernando I (1037-1065), fue clave en la recuperación política. Su superioridad militar sobre el Islam se dejará sentir en la ocupación del valle del Mondego y, sobre todo, en el sometimiento económico del que hará víctimas a los reinos de taifas que compran su seguridad a un alto precio. Es el sistema de *parias*, tributos percibidos por los monarcas hispano-cristianos con una regularidad tal que acaban por constituir un importante soporte económico.

Por otro lado, la Reconquista toma en estos momentos el aire de una empresa no sólo nacional, sino internacional, participando de los sentimientos de signo cruzadista de los que va a vivir la cristiandad europea. La colaboración de guerreros ultrapirenaicos en las operaciones, e incluso el interés de los pontífices, dan a la Reconquista un sentido ampliamente renovador.

La reconquista castellano-leonesa hasta mediados del XII

La muerte de Fernando I abrió en la Corona castellano-leonesa una crisis que será resuelta después de seis años en beneficio de su hijo Alfonso VI, quien logrará el control total de unos Estados disgregados (nueva muestra del sentido patrimonialista de la realeza) por el testamento paterno.

Los años comprendidos entre 1072-86 se han considerado por Menéndez Pidal como los de «gloria imperial» de este monarca. El sistema de presión tributaria de las parias alternó victoriosamente con un fuerte empuje militar que llevó a los guerreros castellano-leoneses a razziar el territorio de Al-Andalus en distintas direcciones, llegando en una incursión hasta la propia Tarifa.

El resultado efectivo de estas operaciones militares, sin embargo, se limitó —algo por lo demás importantísimo— a un asentamiento sólido en el *valle del Tajo.* El 25 de mayo de 1085, Alfonso VI hacía su entrada triunfal en Toledo, la vieja capital del Estado visigodo. El hecho revestía una importancia no sólo militar sino también psicológica y política. Alfonso será (siguiendo la vieja tradición leonesa) el «Imperator totius Hispaniae» y el «Emperador de las dos religiones».

El desplome militar de las taifas de Al-Andalus sólo fue evitado por la intervención de los fanáticos almorávides, venidos del Norte de Africa. Alfonso VI vio ensombrecida la última etapa de su reinado por una serie de descalabros militares a manos de estos guerreros: Zalaca (1086), Consuegra, Uclés... Descalabros agravados en los años siguientes por las diferencias entre su heredera Urraca y su segundo esposo Alfonso I de Aragón. Sin embargo, el retroceso de posiciones no se produjo: la recién conquistada Toledo se mantuvo firme frente a la contraofensiva islámica. En puntos más excéntricos, otros guerreros castellanos mantenían una lucha frente a los musulmanes a base de escaramuzas en las que se conseguían ventajas no despreciables. En este contexto cabe explicar las operaciones llevadas en el Levante por un personaje caído en la «ira regis» de su monarca: *Rodrigo Díaz de Vivar*. El sentido de la guerra para estos caballeros de fortuna quedó bien reflejado unos años más tarde por el anónimo juglar de Medinaceli: «Grandes son los gozos que van por es logar / quando mío Cid gañó Valençia e entro en la cibdad / Los que foron de pie cavalleros sé fazen; / el oro e la plata ¿quien vos lo podia contar?...»

Valencia sólo sobrevivió dos años en manos cristianas después de la muerte del héroe castellano. El peligro almorávide sin embargo declinó por la propia descomposición interna de su Imperio norteafricano. Ello fue lo que permitió al nieto del conquistador de Toledo, Alfonso VII, a mediados del siglo XII, retomar la iniciativa militar y llevar sus avanzadas hasta el valle del Jabalón. Almería, incluso, fue ocupada durante algunos años por una fuerza conjunta de príncipes hispano-cristianos, hazaña que quedó recogida en un poema redactado por estos mismos momentos. Alfonso VII sería, desde su coronación solemne en León en 1135, el «Emperador de España» por antonomasia.

Al igual que un tiempo atrás, tan excelentes perspectivas se malograron al formarse en el Mogreb un nuevo Imperio que sustituyó al de los almorávides: el de los *almohades*. Su irrupción en la Península, en ayuda de las quebrantadas taifas, repercutiría ásperamente en la obra de Reconquista. Muchas de las posiciones se perdieron y la línea principal de defensa retornó al Tajo.

La repoblación al sur del Duero

Las peculiaridades militares del avance reconquistador castellano-leonés desde mediados del XI a mediados del XII tienen su paralelo en unas nuevas características del proceso repoblador. Ya no nos encontramos con el vacío del valle del Duero sino con un área con cierta densidad de población. Ya no van a ser sólo los cristianos del Norte y algún grupo de exiliados del Sur el único elemento repoblador, sino que los monarcas hispano-cristianos echarán también mano ampliamente del elemento humano que encuentran «in situ» (musulmanes y mozárabes) y de gentes provenientes del otro lado del Pirineo. Podríamos distinguir dos áreas sobre las que la repoblación se ejerce en estos años:

a) El antiguo *reino de Toledo:*

Los mozárabes ocuparán un lugar destacado, con su propio fuero reconocido en el 1101. González Palencia ha localizado hasta 249 lugares en donde este elemento humano aparece. Las persecuciones en Al-Andalus desatadas por los almorávides contribuirían a canalizar hacia el valle del Tajo una corriente migratoria no despreciable.

El elemento musulmán se mantendría también sobre todo en sus estratos socialmente más modestos. La aristocracia optaría por el exilio generalmente. A su lado, los judíos mantendrían (en Toledo y otros lugares como Calatrava) un contingente de población no despreciable.

Estos tres grupos humanos acabarían sufriendo en mayor o menor grado la superioridad de los conquistadores. En primer lugar, los que genéricamente podríamos llamar castellanos, provenientes de la línea superior del Guadarrama, que integrarían buena parte del aparato administrativo y militar y que dispondrían de fuero quizás desde 1101. A su lado, los genéricamente también considerados como francos, procedentes del Midi francés y de Borgoña, cuyo fuero aparece confirmado en 1136. Ellos serían sin duda los principales responsables de que la convivencia con los vencidos se hiciera prácticamente imposible. La violenta ocupación de la mezquita mayor de Toledo por un prelado de procedencia francesa —Bernardo— se ha considerado como todo un símbolo.

Las zonas más periféricas de la antigua taifa toledana fueron repobladas más tardíamente: la Alcarria, depredada por los almorávides, sólo fue colonizada en firme desde Alfonso VII, que concedió fuero a Atienza y Guadalajara. En cuanto a La Mancha, ocupada parcialmente bajo este monarca, sufrió crudamente el empuje almohade. Los asentamientos cristianos se moverán en estos años dentro de una enorme precariedad. Calatrava se convertirá en la principal base avanzada frente a las musulmanas de Baeza o Ubeda.

b) La *Extremadura entre el Duero y el Sistema Central*:

La ocupación —aunque en algunas zonas precaria— de la antigua taifa toledana, permitió a los monarcas castellano-leoneses repoblar una franja de tierra que quedaba algo más a retaguardia: la situada al Sur del Duero, sobre la que en el siglo x se habían hecho algunos intentos.

La ocupación del suelo se hará en base a la formación de concejos con términos (alfoces) muy dilatados: Soria, Berlanga, Almazán, Sepúlveda, Medina, Segovia, Salamanca, Avila, etc.... Núcleos de población que, a su vez, serán base para una ulterior expansión dada la fundación de aldeas de ellos dependientes. Repoblación abierta a los elementos de más variada procedencia: burgaleses, vascos, franceses, mozárabes, riojanos, etc.... Gentes dedicadas más a la Iglesia, la ganadería o la guerra que a actividades de tipo mercantil. Las milicias de estos lugares —la CRÓNICA DE LA PO-

BLACIÓN DE AVILA es elocuente al respecto— serán las que salven al Estado castellano-leonés de la crisis que se produzca con la irrupción de los almorávides en la Península.

La reconquista hasta la segunda mitad del XIII

Entre el 1157 (muerte de Alfonso VII de Castilla-León) y el 1212 (victoria cristiana de las Navas de Tolosa frente a los almohades), el proceso reconquistador se ve sensiblemente ralentizado. A ello contribuyeron tanto la presión de los almohades como la separación de Castilla y León, que debilitó sensiblemente la potencia militar cristiana.

En el saldo positivo de estos años se encuentra, sin embargo, la ocupación de Cuenca por Alfonso VIII de Castilla (1177) o la repoblación de la Transierra occidental por sus colegas leoneses.

Las rivalidades entre los distintos monarcas hispano-cristianos favorecieron la *repoblación de algunas zonas en litigio:* así fue como Vitoria, Treviño, Fuenterrabía y San Sebastián recibieron sendos fueros. En la frontera castellano-leonesa se beneficiaron Ciudad Rodrigo, Ledesma y Villagarcía de Campos. En la zona de contacto entre portugueses y leoneses, Tuy o Vitigudino fueron favorecidas igualmente. Cara al Cantábrico, una cadena de núcleos de población experimentaron un fuerte impulso: Coruña, Betanzos, Ribadeo, favorecidas por los monarcas leoneses; y San Vicente de la Barquera, Castrourdiales, Santander, Motrico, Fuenterrabía y San Sebastián, que lo fueron por los castellanos.

El curso medio del Tajo fue, con todo, la zona

más vulnerable a los embates islámicos. Ello explica el nacimiento, como punta de lanza de la defensa cristiana, de las *Ordenes Militares* de cuño nacional que se suman a las internacionales, Temple y Hospital. La primera, cronológicamente, fue la de Calatrava (1164), fundada por Raimundo de Fitero. Unos años después (1177) el pontífice aprobó la creación de la milicia de San Julián de Pereiro que, algo más tarde, tomaría el nombre de Alcántara. La más famosa orden militar, sin embargo, se fundaría en 1170 y tendría su sede en Cáceres: fue la «Congregación de fratres de Cáceres». Unos años después, la milicia se colocaría bajo la advocación de Santiago, y recibiría de los monarcas castellanos la localidad de Uclés. Esta sería en el futuro una de las principales bases de los santiaguistas.

Santiago, Calatrava y Alcántara serán en el futuro no sólo excelentes fuerzas de choque en el proceso de confrontación contra el Islam, sino también importantes potencias económicas en el panorama histórico castellano-leonés.

* * *

El descalabro cristiano de Alarcos (1195) fue compensado con creces en 1212 en la batalla de las Navas de Tolosa, victoria conjunta de los príncipes hispano-cristianos capitaneados por Alfonso VIII de Castilla. El poderío almohade sufrió un golpe mortal. Las avanzadas castellanas, despejada La Mancha, tuvieron desde ese momento libre acceso al valle del Guadalquivir, en donde catorce años después se hicieron dueños de Andújar, Martos y Baeza. Los leoneses, por su parte, lograron, después de 1212, un control efectivo sobre las principales bases de su Extremadura: Cáceres, Alcántara, Mérida y Badajoz.

El avance militar cristiano se hizo más intenso desde 1230, favorecido por las luchas civiles en Al-Andalus y, sobre todo, por la *unión definitiva de Castilla y León* en la persona de Fernando III. Las principales ciudades al Sur de Sierra Morena fueron cayendo en los años siguientes.

Córdoba fue ocupada en 1236. En 1243 empezó la conquista del reino de Murcia. Tres años más tarde cayó Jaén, importante nudo de comunicaciones. La conquista de Sevilla exigió para las armas castellano-leonesas un enorme esfuerzo: la toma de una serie de localidades de los contornos (Carmona, Lora del Río, Coria del Río), las Ordenes Militares empleándose a fondo, el apoyo moral y económico de la Iglesia y —sumamente importante para el futuro— la utilización de una escuadra que taponase el curso del Guadalquivir.

La toma de Sevilla en 1248 por Fernando III provocó el desplome musulmán en la Baja Andalucía en los años siguientes. Entre esta fecha y el 1262, este monarca y su sucesor Alfonso X procedieron a la ocupación de Jerez, Medina Sidonia, Cádiz y Niebla. En estos momentos también, en el otro extremo, el reino de Murcia —en situación de vasallaje desde el 1243— pasaba al sometimiento efectivo castellano. Sólo el reino de Granada quedaba en manos islámicas sometido a tributo.

La repoblación al sur de Sierra Morena

La *ocupación* de las nuevas tierras atravesó una fase de provisionalidad en los primeros tiempos.

Se trató prácticamente de un control militar de los principales núcleos de población que habían sido desalojados por sus moradores musulmanes. En el caso de Sevilla, la PRIMERA CRÓNICA GENERAL nos dice que «los que yvan por mar et querian pasar a Cebta, eran çient vezes mill por cuenta; et los que por tierra, que yuan para Xerez, eran trezientas uezes mill». El campo siguió con una mayoría de población islámica que, sin embargo, fue expulsada tras una rebelión general acaecida en 1263 que puso en peligro las conquistas cristianas.

El proceso de repoblación responde al denominador común de *sistema de repartimiento*, definido por J. González como «el establecimiento de una vida nueva sobre campos viejos, con renovación de la propiedad, trabajadores, lengua, religión y hasta nombres». En definitiva, una colonición sistemática cuyos detalles vienen siendo en los últimos tiempos objeto de interesantes estudios.

a) Más que las de los reinos de Jaén o de Córdoba, es significativa la *repoblación de Sevilla* y su entorno. Nos explica perfectamente cuál fue el grado de colaboración y de beneficio de las distintas fuerzas político-sociales castellanas en la conquista del valle del Guadalquivir.

El mencionado Julio González ha reconocido, en el repartimiento de la ciudad, cinco secciones correspondientes a: donadios de Ordenes Militares y grandes señores; heredamientos para gentes de vecindad y simples caballeros; galeras del rey; almacén del rey y cillero real. La base de los bienes entregados era el lote de tierra constituido por la casa, olivar, heredad para pan... de extensión variable según la categoría social del beneficiario.

En la Baja Andalucía, se apreció ya el agotamiento del caudal humano repoblador en un proceso que culminó entre 1275-81 con la concesión de la carta puebla de Santa María del Puerto.

La procedencia del elemento humano fue muy variada: mozárabes de Toledo, judíos, cántabros, castellanos, algunos leoneses y portugueses y un nutrido grupo de extrapeninsulares: francos, genoveses y pisanos. En cualquier caso, el número de recién llegados fue más bien corto. A nivel rural se puede hablar, en opinión de Manuel González, de un auténtico fracaso dada la defección de numerosos pobladores de mediana condición. Las grandes beneficiarias de la conquista serían así otras fuerzas. Por un lado, la nobleza y las Ordenes Militares, que darán a la Bética un inequívoco signo latifundiario. Estas últimas, en concreto, se establecerán sólidamente en la Sierra de Segura, Morón, Medina Sidonia, Vejer o Alcalá de los Gazules. Por otro lado, se verán beneficiados los mercaderes genoveses asentados en Sevilla, que iniciarán en estos años una carrera que no se verá ya interrumpida.

b) Sobre la taifa de *Murcia* se proyectaron dos influencias repobladoras: la castellana y la catalano-aragonesa.

La colonización empezó en firme después de la revuelta de 1263, que reprimió Jaime I de Aragón en nombre de Alfonso X. Aunque recuperado por éste el reino murciano, hubo de transigir con el establecimiento de una nutrida colonia de súbditos de la Corona de Aragón. La población musulmana quedó relegada al campo en beneficio de un aporte cristiano que aprovechó la generosa política de privilegios concedidos a Lorca, Murcia, Cartagena, Orihuela, Elche y Alicante.

Aún habría un nuevo aporte catalán hacia 1300, momento en que el reino de Murcia fue ocupado temporalmente por Jaime II de Aragón, que acabó incorporando a sus Estados la actual provincia de Alicante. Con todo, la región recibió un escaso aporte demográfico. Si descontamos los núcleos antes indicados —grandes concejos a la postre— el territorio padeció un endémico déficit de población superior al de otras zonas incorporadas a la cristiandad hispánica.

Portugal, de condado a reino: la progresión hacia el Algarve

La zona comprendida entre el Limia y el Mondego constituyó el *Condado de Portugal* (de Portocale, su principal centro). Fue otorgado por Alfonso VI al marido de su hija natural Teresa, Enrique de Borgoña, uno de los caballeros que colaboraron en la conquista de Toledo. La progresión reconquistadora hacia la vieja Lisboa se vio obstaculizada en torno al 1100 por la presencia de los almorávides, lo que obligó a un repliegue cristiano hacia la línea del Mondego.

La inestable situación en que quedó la Corona castellano-leonesa a la muerte de Alfonso VI favoreció una tendencia políticamente centrífuga en el condado portugués. El principal protagonista sería un hijo de Enrique de Borgoña, Alfonso Enríquez, que logró de su primo Alfonso VII en 1137 (acuerdos de Tuy) un amplio grado de autonomía en su territorio. Dos años más tarde, el conde portugués lograba una espectacular victoria en Ourique frente a los musulmanes. La tradición habla de que en el mismo campo de batalla Alfonso Enríquez fue aclamado por sus soldados como «Rex portugalensium». El reconocimiento pontificio (Portugal colocado bajo la tutela de Alejandro III) y un nuevo acuerdo con Alfonso VII —pacto de Valdévez— supusieron para el nuevo reino la independencia de hecho.

En los años siguientes, Alfonso Enríquez dio un gran impulso a la reconquista en el área portuguesa: Lisboa caía definitivamente en manos cristianas en 1148. En 1165, Geraldo Sempavor (el «Cid Portugués») conquistaba Evora. Incluso hubo firmes intentos lusitanos de apoderarse de las principales plazas de la Extremadura leonesa, aunque sin resultado positivo. La irrupción de los almohades en el panorama político-militar peninsular forzó también en el ámbito portugués a un retraso en el avance hacia el Algarve. Serán los sucesores de Alfonso Enríquez (muerto en 1185) quienes logren la culminación de la reconquista portuguesa, acelerada después de la derrota almohade de las Navas de Tolosa. Alfonso II y Sancho II desalojaron a los islamitas del Alentejo. Bajo Alfonso III, Portugal remataba su reconquista con la ocupación de las últimas plazas de el Algarve.

* * *

El proceso de *repoblación* portugués es paralelo al de sus vecinos castellano-leoneses. En efecto, los primeros soberanos de la casa de Borgoña hubieron de echar mano para la labor colonizadora no sólo del elemento cristiano autóctono sino también de gentes extrapeninsulares (frisones, francos, alemanes...) y judíos y moros vencidos a los que se permitió permanecer en sus zonas de origen (mouros forros). Junto a los grandes señores laicos, las órdenes religiosas habrán de ser ampliamente beneficiarias de este proceso. Será, vg., el caso de los cistercienses de Alcobaça, importantes agentes de la reconstrucción económica de un país razziado por las incursiones y contraincursiones de musulmanes y cristianos. Algo parecido cabe decir del papel que en territorio lusitano tendrán las Ordenes Militares: la de Calatrava, que luego se denominará de Avis, del nombre de su principal fortaleza, o la de Santiago, que fijó su principal sede en 1170 en el castillo de Palmela.

Tanto los monarcas como los miembros de la aristocracia laica y eclesiástica desarrollaron una política de atracción de pobladores que se plasmó, desde fecha temprana, en la aparición de núcleos de población semirrurales-semiurbanos, a los que se concedía una carta de privilegio (foral). Son los concelhos, que tienen su equivalente en el concejo castellano-leonés y que van a jugar en el futuro un importante papel en el panorama político-social lusitano.

2

LOS ESTADOS ORIENTALES HISPANO-CRISTIANOS: DE LOS REDUCTOS DEL PIRINEO A LA CONCIENCIA MEDITERRANEA

Al igual que sus colegas occidentales, los monarcas de los Estados pirenaicos tomarán la iniciativa político-militar frente al Islam tras la desintegración del califato. Incluso llegarán a presionar más tempranamente sobre los reinos de taifas a través de la imposición de *parias*. Así, Ramón Berenguer I de Barcelona ejercerá su «protectorado» sobre los reyezuelos moros del bajo valle del Ebro. Su contemporáneo Sancho Ramírez de Aragón logrará otro tanto sobre las taifas de Huesca, Zaragoza y Tudela.

Los grandes avances territoriales de los monarcas hispano-cristianos del Pirineo son más tardíos que los de los reyes castellano-leoneses. Se prefirió en un principio el expediente de la sumisión económica de sus vecinos musulmanes. Sin embargo, ello no fue obstáculo para que —como en Castilla-León— la colaboración de guerreros transpirenaicos fuese muy temprana. Así, en 1065, un ejército internacional al servicio del rey de Aragón ocupó durante algún tiempo la plaza de Barbastro. Fue un auténtico precedente de las Cruzadas.

La gran preocupación de los soberanos pirenaicos hasta muy entrado el siglo XI es, sin embargo, otra: la *aglutinación* de toda la serie de núcleos de resistencia que permite una mayor potencia militar. Así, Aragón absorberá los condados de Sobrarbe-Ribagorza y el capitidisminuido reino de Navarra. Por su lado, los condes de Barcelona acentuarán su preeminencia política en el rincón N-E de la Península.

La progresión hacia el valle del Ebro

Cuando el monarca navarro-aragonés Pedro I muere (1104), los cristianos del Pirineo occidental y central apenas han conseguido rebasar la plaza de Huesca. El gran *avance sobre la línea del Ebro* será obra de su sucesor Alfonso I. Más afortunado frente a los almorávides que sus vecinos castellanos, llegará a ocupar tierras con una extensión de unos treinta mil Kms². Entre las plazas conquistadas se encontrarán algunas de las principales ciudades musulmanas de la región: Tudela, Tarazona, Borja, Epila y, sobre todo, Zaragoza, tomada el 18 de diciembre de 1118. El descenso por los valles del Jalón y Jiloca permitió a los aragoneses la ocupación de Calatayud y Daroca. Incluso, en los años siguientes (1125) y al calor del debilitamiento almorávide, Alfonso «el batallador» llevó a cabo una razzia por todo el territorio andalusí. Su muerte en un combate delante de Fraga en 1134 planteó para sus Estados dos graves problemas. Uno militar, subsanado por el apoyo que los aragoneses recibieron de Alfonso VII de Castilla. Otro sucesorio, ya que, al morir sin descendencia, resultó inaceptable para los barones la aplicación de su testamento que dejaba el reino a las Ordenes Militares... Un hermano de «el Batallador» —Ramiro— aceptó el salir del monasterio al que pertenecía con el fin de evitar la posible disgregación del reino y facilitar un heredero.

Estas circunstancias condujeron a un acercamiento del reino de Aragón hacia el condado de Barcelona: compromiso matrimonial de Ramón Berenguer IV con Petronila de Aragón, hija de Ramiro. Las bases de la unión catalano-aragonesa quedaban así echadas.

*   *   *

Los *avances de los condes catalanes* en la segunda mitad del XI fueron muy limitados. La frontera del Llobregat, además, fue bastante vulnerable a los contragolpes almorávides. Con Ramón Berenguer III (1097-1131) los logros fueron mayores: las Baleares fueron temporalmente reconquistadas por un contingente pisano-catalán pero, sobre todo, se echaron las bases para la conquista del Campo de Tarragona, lo que se denominará en el futuro la Cataluña Nueva.

Bajo su sucesor Ramón Berenguer IV —conde de Barcelona y príncipe de Aragón por su matrimonio con Petronila— los éxitos fueron aún más resonantes. Entre 1148 y 1150, los catalanes tomaron al Islam las plazas de Lérida y Tortosa. El conde de Barcelona acumularía en sus títulos los de «Marchio Dertose et Ilerde». La solidaridad con los otros Estados cristianos se manifestará en la colaboración catalana en la toma de Almería por el rey-emperador Alfonso VII de Castilla-León.

El proceso repoblador y sus fuerzas

Al igual que en el campo de acción castellano-leonés, el *elemento repoblador* de los territorios ocupados por Aragón fue sumamente variado. La pervivencia de la *población de ascendencia islámica* fue aún más acentuada que en el valle del Tajo. Las ciudades, y sobre todo los campos del curso medio del Ebro, conocieron la presencia de este elemento —cada vez con un status más degradado— hasta las disposiciones de expulsión del duque de Lerma en 1610.

Los *judíos* siguieron habitando en los principales centros de población: Tudela, Zaragoza, Calatayud...

Por lo que se refiere a los *mozárabes*, aparte de las comunidades que habitaban en las ciudades tomadas por Alfonso I, hay que tener en cuenta las numerosas familias que el monarca atrajo hacia el curso del Ebro tras de sus correrías por Andalucía.

El *elemento cristiano procedente del Norte* fue tanto navarro y aragonés como franco. El «Batallador» dio importantes puestos de responsabilidad a franceses en el aparato eclesiástico y administrativo. Así veremos a un Gastón de Bearn recibiendo el gobierno de Zaragoza y a un Centulo de Bigorre beneficiándose del de Tarazona. Numerosos comerciantes también de ascendencia ultrapirenaica se asentaron en Tudela y Zaragoza.

El área Calatayud-Daroca constituirá una auténtica *extremadura*, beneficiaria de un derecho de frontera parecido al que disfrutaban algunas regiones castellanas.

En la *Cataluña Nueva*, a la ocupación militar de urgencia sucedió un amplio proceso de *repoblación y enfranquecimiento* que ha sido detalladamente estudiado por Font Ríus. Las concesiones oscilaban desde las donaciones «ad populandum», hasta estatutos de vida jurídica local a centros urbanos (Tortosa, Lérida...) que ya bajo la dominación musulmana habían desempeñado un importante papel político y económico. En cualquier caso, el conjunto de franquicias y exenciones fiscales que disfrutaron en este área tanto burgueses como campesinos contribuirá a dar a la vida de la Cataluña Nueva un sentido económico y social menos rígido que el estrictamente feudal.

Junto a los *musulmanes* y *judíos* que permanezcan en la región, se asentarán los cristianos venidos del Norte. Algunos, encuadrados en las *Ordenes Militares* del Temple (Tortosa) y el Hospital (Amposta, La Rápita). Otros, miembros de las *grandes familias*: Volta, Montcada... Y, los más, *simples gentes* atraídas por las ventajas económicas otorgadas: campesinos del valle del Llobregat instalados en Tortosa, hombres de Urgel y la Plana de Vich que se asientan en Lérida, etc....

Levante y Baleares en la órbita catalano-aragonesa

En septiembre de 1213, Pedro II de Aragón moría en Muret al tratar de defender a sus vasallos del Sur de Francia filocátaros frente a las presiones de los cruzados del Norte. El intento catalano-aragonés de establecer *una política hegemónica en el Midi sufría un rudo golpe*. El heredero del vencido, Jaime I, orientó la vitalidad de sus súbditos hacia otro tipo de empresas: el *Levante* y el *archipiélago balear*. Con este monarca, y a lo largo de un período de veintiséis años (1229-1245, aproximadamente) la Corona de Aragón puede dar prácticamente por terminada su Reconquista. Como contrapartida, el propio Jaime I liquidaba en el tratado de Corbeil (1258) las pretensiones transpirenaicas de su dinastía, salvo Rosellón y Montpellier.

La ocupación de las *Baleares* contaba con un precedente: la efímera conquista del archipiélago bajo Ramón Berenguer III por una fuerza conjunta de catalanes y pisanos. Bajo Jaime I la oportunidad había madurado, ya que en ella se vio, como dice Reglá, «la potencialidad de la marina catalana» y el empuje de una burguesía que veía en la presencia islamita en el archipiélago un grave obstáculo para sus actividades.

Las operaciones militares sobre la isla de Mallorca fueron fulminantes: victoria de Portopí, y toma de la capital en el último trimestre de 1229. Ibiza fue conquistada seis años más tarde. Menorca, por el contrario, se mantuvo independiente hasta los últimos años de la centuria, aunque en calidad de tributaria.

* * *

Si la conquista de Baleares fue una empresa casi exclusivamente catalana, la del *reino de Valencia* fue producto de la conjunción de esfuerzos de catalanes y aragoneses.

A Jaime I no le faltaron precedentes. Aparte las operaciones militares del Cid a fines del xi, los monarcas aragoneses y los condes de Barcelona habían mostrado un fuerte interés por el litoral levantino. Así, en los momentos de más grave presión almohade, Alfonso II llevó a cabo la ocupación de los *valles del Alfambra y alto Guadalaviar*, fundando Teruel y logrando de su colega castellano (tratado de Cazola de 1179) vía libre para ulteriores operaciones en Levante. Con Pedro II se ocupó el Rincón de Ademuz con la ayuda de Templarios y Hospitalarios... Jaime I, por tanto, dispuso de unas bases estratégicas de primer orden para asfixiar a la taifa valenciana.

Las operaciones militares fueron, sin embargo, más largas e intermitentes que las emprendidas contra las Baleares: las talas del territorio, las negociaciones diplomáticas y el asedio de algunas plazas fuertes, se sucedieron hasta alcanzar el momento culminante de la entrada en Valencia de Jaime I el 28 de septiembre de 1238. En los años siguientes se llevarán a cabo las operaciones de limpieza y los ajustes fronterizos que se plasmarán en el tratado de Almizra, suscrito con Alfonso X de Castilla. El puerto de Biar quedaba como frontera entre los dos grandes Estados hispanocristianos. Las disputas por el reino de Murcia habrían de alargarse aún hasta llegar a la solución de compromiso antes mencionda.

Las nuevas formas de repoblación

La colonización de las nuevas tierras ganadas al Islam por la Corona de Aragón tuvo distintas características, según se produjera en el litoral levantino o en el archipiélago balear.

Sobre *Mallorca* se llevó a cabo una conquista sistemática que produjo la expulsión de la población islámica y el *repartimiento* de la zona agrícola de la isla entre magnates, templarios y una masa de pequeños propietarios procedentes del Rosellón y el Ampurdán. El papel capital, sin embargo, fue sostenido por los mercaderes catalanes asentados en Palma, en donde pervivió también una fuerte comunidad judía. La isla se convertía en escala entre Cataluña, Provenza y el Norte de Africa. *Ibiza* fue colonizada por roselloneses, ampurdaneses y gentes de Tarragona asentadas por su arzobispo, uno de los grandes beneficiarios de la conquista. *Menorca* —de repoblación más tardía— fue, según expresión de Muntaner, colonizada por «bona gent cathalana» a la que más adelante se sumaron algunos sardos.

El archipiélago balear se convirtió en base para ulteriores avances de la Corona de Aragón en el Mediterráneo, tanto hacia Italia como hacia el Norte de Africa. Así, veremos cómo en 1230 se crea el cargo de «Almirante de Cataluña y del reino de Mallorca». Unos años después aparecerán los primeros «fondacos» catalanes en el Norte de Africa. Incluso, tras la muerte de Jaime I, Mallorca, erigida en reino independiente bajo su segundogénito, llegará a intentar rivalizar comercialmente con Barcelona.

* * *

A la repoblación de las zonas esencialmente pastoriles de la *meseta turolense* siguió la ocupación de las tierras hortícolas de *Levante*. La dualidad del elemento repoblador (catalanes y aragoneses) planteó la necesidad de unas transacciones jurídicas y una adaptación a una estructura político-social también dual. Así, frente a las pretensiones de los señores aragoneses que colaboraron en la conquista para que Valencia fuera una mera prolongación de Aragón, Jaime I logró hacer triunfar la tesis de tomarla como un reino aparte que se integraba en el sistema confederal de la Corona, aunque reservando a los nobles aragoneses el derecho a juzgarse por sus fueros.

Por otro lado, frente a la mayor densidad de *población catalana* dedicada a actividades mercantiles y artesanales asentada en el litoral, el interior del nuevo reino, con *elemento aragonés* preponderante, adquirió unas estructuras agrícolas y señorializantes. A diferencia del archipiélago balear, el reino valenciano conoció la pervivencia (más marcada en sus zonas más meridionales) de un fuerte contingente de población musulmana. En los primeros momentos de la conquista el elemento islámico era siete veces superior al de los recién llegados...

El asentamiento de la población se hizo, esencialmente, a base de donaciones concretas y directas, con obligación de residencia para el recipiendiario, a quien se concedía una parcela de tierra de 2 a 8 fanegas. En una segunda fase se procedió a la concesión de «Cartas pueblas», tanto por parte del monarca como de algunos magnates. Tenían unas características semejantes a las donaciones individuales en lo que a extensión de las tierras se refiere, pero englobaban un conjunto de ventajas y franquicias a fin de crear los necesarios alicientes en la atracción de inmigrantes.

Al sistema de «Repartimiento» castellano en la zona bética corresponde el de «Repartiment» catalán en Levante, por más que la propia dinámica histórica de los dos grandes Estados peninsulares haya propiciado la aparición de algunas características diferenciales.

Hacia el enclaustramiento navarro

En los primeros años del siglo XI, el reino de Navarra podía considerarse, con Sancho III el Mayor, el primer Estado hispano-cristiano. El elemento vascón hacía de aglutinante de sus elementos constitutivos. En el testamento de este monarca, se pretendió mantener la preeminencia sobre los otros Estados heredados por sus hijos. García III controló, así, un reino integrado por Navarra, la Rioja, las zonas vasconizadas de Alava, Guipúzcoa y Vizcaya, y los territorios más orientales de Burgos y Santander.

Tan prometedor porvenir quebró desde 1054, en que los antiguos condados de Castilla y Aragón —ahora erigidos en reinos— fueron erosionando implacablemente la potencia del reino pamplonés. En los años sucesivos, los castellanos recuperaron la Bureba y la región de Montes de Oca (hacia 1068). En 1076, una crisis sucesoria hizo bascular a Navarra hacia la órbita aragonesa, no sin que los castellanos sacasen también partido del hecho: Alfonso VI aprovechó la coyuntura para ocupar la Rioja e infiltrarse en parte de las regiones de Alava, Vizcaya y Guipúzcoa.

Navarra, unida al reino de Aragón, colaborará en las magnas empresas bélicas de Alfonso I «el

Batallador». A la muerte de éste, sin embargo, Aragón basculará hacia Cataluña, y Navarra recuperará su independencia con la elevación al trono de García Ramírez «el Restaurador». Pero Navarra era ya un Estado condenado a ser una entidad política de segunda fila. Sus dos sucesores, Sancho VI «el Sabio» y Sancho VII «el Fuerte», hicieron ímprobos esfuerzos por sacudirse la presión castellana. En 1199 llegó a firmarse un acuerdo entre Alfonso VIII de Castilla y Pedro II de Aragón para repartirse el reino.

Si bien no se llevó a la práctica, los castellanos procedieron en los primeros años del siglo XIII a la incorporación de Alava y Guipúzcoa. En 1207 se llegó a un acuerdo definitivo por el que Navarra quedaba reducida a unos ceñidos límites entre la Ribera del Ebro y el Pirineo y despojada de salida al mar. Más aún, las ambiciones castellano-leonesas apuntaron, por razones de entronques matrimoniales, hacia Gascuña.

Cuando Sancho VII —uno de los héroes de la jornada de las Navas de Tolosa— murió en 1234, los nobles navarros se resistieron a que el reino fuese absorbido por la confederación catalano-aragonesa.

De ahí que optasen por la entrega de la Corona a un sobrino del difunto: Teobaldo de Champaña, feudatario del rey de Francia. Con este monarca y sus sucesores, Navarra fue entrando en la órbita política de los Capeto, hasta el punto que Teobaldo II, casado con una hija de San Luis, colaboró con este monarca en su cruzada de Túnez. En 1274, ante la perspectiva de que una mujer (Juana I) ocupase el trono navarro, castellanos y aragoneses volvieron a poner en juego sus pretensiones a anexionarse el pequeño reino. La única forma de evitarlo fue echarse más aún en manos francesas, al producirse el enlace matrimonial de la soberana con el futuro monarca francés Felipe IV. A este respecto, y ante el segundo fracaso de Jaime I de Aragón en sus aspiraciones navarras, dice Soldevila que «Navarra, como el Languedoc, como Provenza, quedaba del lado de Francia. Durante mucho tiempo será como un apéndice de ella».

3

EL DECLIVE POLITICO DE AL-ANDALUS:
TAIFAS E IMPERIOS BEREBERES

La presión económica y militar de los Estados hispano-cristianos sobre los reinos de taifas desde mediados del XI provocó —tal y como hemos adelantado— la intervención en la Península de los belicosos almorávides. La situación guardaba un cierto paralelismo con la que se estaba produciendo en el otro extremo del Mediterráneo, en donde otros «bárbaros» —los turcos seldjúcidas— se iban a encargar de apuntalar al declinante califato de Bagdad.

Desde este momento, se puede decir que la supervivencia del Islam español habrá de depender en buena medida del apoyo norteafricano.

Los comienzos del Imperio almorávide. Yusuf ben Tasufín

El origen del *Imperio almorávide* ha tenido lugar en las estepas del Sahara, en torno a un conjunto de tribus nómadas que llevarán a cabo su progresión tanto hacia el Mogreb, por el Norte, como hacia las cuencas del Senegal y Niger por el Sur. Se trata de un caso típico de creación de un gran organismo político a partir de un elemento nómada que, progresivamente, ha ido aglutinando a una serie de débiles Estados circundantes.

La tradición habla del *origen* del Imperio almorávide como resultado de las predicaciones de Abdallah ibn Yasin al-Jazuli, desde 1039. Sus seguidores se mostraron tempranamente como fanáticos guerreros, que se agruparon en especies de «casas de ejercicios» o rapita (singular: ribat), de donde el nombre que tendrá el movimiento: Al-Murabitum; hispanizado «almorávides». Hacia 1055 crearon un primer Estado en torno al oasis de Sijilmassa. Los éxitos se sucedieron desde entonces, siendo sus artífices Abu Bakr ibn Umar y su primo Yusuf ben Tasufín. Este, hacia 1060, fundó Marraquech, desde donde extendió su dominio por las tierras que constituyen hoy Argelia y Marruecos.

El reconocimiento de la supremacía espiritual de Bagdad, la reavivación de la ortodoxia malekí frente a la tibieza de algunos gobernantes de los viejos Estados islámicos y la creación de un potente aparato militar, constituirán lo más decisivo del bagaje político-ideológico con el que los *almorávides harán acto de presencia en la Península.*

A solicitud de Mutamid de Sevilla —asustado tras la toma de Toledo por Alfonso VI—, Yusuf ben Tasufín desembarcó en Algeciras. Al poco tiempo, se libraba frente a los castellano-leoneses la sangrienta batalla de Zalaca, en tierras de Badajoz. El encuentro —del que Huici Miranda ha hecho modernamente una viva reproducción— fue un gravísimo descalabro para las armas cristianas. Sin embargo —como ya hemos indicado con anterioridad— las fronteras no sufrieron sensibles alteraciones. Yusuf regresó al Norte de Africa y hasta unos años más tarde no se decidió a asentarse definitivamente en la Península. Ya para entonces, la máquina de guerra almorávide conoció alternativamente las victorias (Uclés, Consuegra...) y las derrotas (Cuarte, Bairén...). El balance militar se limitó en lo positivo a sujetar a los cristianos en los valles del Tajo y el Ebro y a eliminar algunas peligrosas cuñas: Valencia, Aledo... El mayor interés de Yusuf se cifraba en *someter a su poder a los débiles reinos de taifas* que habían solicitado su ayuda.

Estos se debatían en un dilema: o la dependencia económica de los Estados hispano-cristianos, que podía llegar a situaciones insostenibles, o el sometimiento al fanatismo almorávide, tan distinto a las formas más liberales de vida de los reyezuelos hispano-musulmanes. La masa popular y los juristas malekíes eran partidarios de la fórmula proalmorávide, y Yusuf supo sacar partido de ello.

Las taifas de Granada y Córdoba se sometieron sin lucha. Mutamid de Sevilla trató de resistir, solicitando el apoyo cristiano. El lugarteniente del Cid, Alvar Háñez, fracasó al intentar el socorro. La ciudad cayó y Mutamid fue desterrado a Marruecos. En los años siguientes, Yusuf procedió al sometimiento de las taifas más septentrionales. El fanatismo almorávide daba, con ello, el golpe de muerte a un nacionalismo tolerante hispano-árabe. Cuando Yusuf muere en 1106, Al-Andalus se ha convertido en una provincia más del Imperio almorávide.

Apogeo y crisis de la potencia almorávide.
Las «segundas taifas»

El largo reinado de Alí ben Yusuf (1106-1143) conoce el apogeo y comienzo del declive de la potencia almorávide en el Mogreb y Al-Andalus. A la larga, en efecto, la reacción militar de los príncipes hispano-cristianos, el descontento de las poblaciones hispano-musulmanas y, sobre todo, la aparición de los almohades como nueva potencia norteafricana habrán de ejercer una influencia decisiva en el desarrollo de los acontecimientos.

La *crisis*, por tanto, estallaría en los años siguientes. Alfonso I tomaba la capital del Ebro y derrotaba a los islamitas en Cutanda. Su hijastro, Alfonso VII de Castilla-León, recuperaba algunas de las posiciones perdidas al Sur del Tajo después de Zalaca... En el Norte de Africa, además, la agitación de Ben Tumart, padre del *movimiento almohade*, se hizo evidente desde 1120. A pesar de que los gobiernos almorávides opusieron una dura resistencia, la rebelión fue cobrando fuerza. Abd-al-Mumin, sucesor de Ben Tumart, ocupó en 1132 la fortaleza de Tasgimut y avanzó por todo el Atlas central y septentrional. La victoria almorávide sobre Alfonso I en Fraga compensó momentáneamente de estos sinsabores. Pero en los años inmediatos, muerto Alí ben Yusuf, se produjo bajo sus sucesores, Tasufín, Ibrahim e Isaq, el desplome definitivo de la potencia almorávide en el Norte de Africa.

Paralelamente, *en la España musulmana*, la presencia de los en otro tiempo salvadores se fue haciendo cada vez más precaria. La intransigencia religiosa y el fanatismo militar jugaron como bazas decisivas, aunque posiblemente algo menos de lo que tradicionalmente se ha sostenido siguiendo las tesis de Dozy. El erudito arabista fijó la imagen de un Yusuf ben Tasufín como semibárbaro, y unos juristas malekíes como fanáticos y de escasa cultura. El enfrentamiento entre lo andalusí, culto y refinado, y lo bereber, áspero e intolerante, se haría irremediable.

La explicación de los hechos parece resultar más compleja. El elemento bereber, en efecto, fue portavoz del fanatismo militar y la intransigencia religiosa, hechos que en un principio le hicieron popular entre el pueblo llano, harto de la presión tributaria de unos taifas que compraban a precio de oro la paz a sus vecinos del Norte. Sin embargo, desde fecha temprana, bajo el propio Yusuf, se fue produciendo un deslumbramiento entre los generales almorávides por efecto de la refinada cultura de Al-Andalus. Levi-Provençal ha hablado de la hispanización del Imperio mogrebí por la vía andalusí. Marraquech llegó, así, a tener un foco literario comparable al de la antigua Córdoba. Como contrapartida, incluso, sugiere W. M. Watt, los almorávides dieron a los hispano-árabes conciencia de la comunidad religiosa a la que pertenecían, ya que el Islam había sido hasta entonces para ellos «una religión formal y oficial, aceptada como algo natural pero sin ardiente entusiasmo». De ahí, por ejemplo, que las dificultades se recrudecieran para las comunidades judía y mozárabe en Al-Andalus.

La *impopularidad de los almorávides* se produciría ante su incapacidad para retener Zaragoza y recuperar Toledo. Con el transcurso de los años, la idea de guerra santa se fue relajando y la presión tributaria sobre la masa popular se hizo tan fuerte como en los tiempos de los taifas. Incluso, en una sorprendente paradoja político-militar (Terrasse), los soberanos almorávides llegaron a hacer uso de milicias de mercenarios cristianos para oponerse a la rebelión de los almohades en el Mogreb... Demasiadas contradicciones que habían de acabar por provocar un profundo descontento en las poblaciones andalusíes.

El primer estallido se produjo en Córdoba en 1121 contra —significativo— los abusos fiscales del gobernador Ibn Rawad. Las predicaciones del místico almeriense Ibn al-Arif y luego de sus discípulos Ibn Barrayan de Sevilla e Ibn al-Husayn de Granada contribuyeron a minar la contextura ideológica sobre la que los almorávides se apoyaban. En los años siguientes, la descomposición política de éstos en Al-Andalus era tan patente como en el Norte de Africa. Pero, si en éste surgía otra fuerza unitaria —los almohades—, en la Península se impuso la disgregación. Lo que Codera llama «las segundas taifas».

* * *

El origen de estos nuevos Estados se encuentra en la aparición de múltiples focos de descontento contra el dominio bereber. Al-Andalus revivirá en estos años de mediados del XII una situación de anarquía paralela a la que conoció a la disolución del califato omeya: los distintos reyezuelos combatiéndose y buscando alternativamente el apoyo almorávide, almohade y de los cristianos del Norte.

Los focos de resistencia antialmorávide de mayor importancia fueron los de Mertola y Córdoba. En torno a la primera, un algaceliano de nombre Abencasi fundó una cofradía (al-muridin) y extendió la rebelión por toda la zona meridional del actual Portugal. En Córdoba, los motivos de descontento adquirieron unos matices más políticos que religiosos: deseos de restaurar el califato por parte del cadí de la ciudad Ibn Hamdún y de un miembro de la familia Banu Hud de nombre Zafadola.

Otros núcleos, en principio de menos importancia, fueron los de Jaén, Málaga, Murcia con su cadi Ibn Hassum al frente, Valencia, con el suyo Ibn Abdalaziz, Cádiz, en donde el almirante almorávide Ibn Maymum desertó para unirse a los almohades...

De esta primera generación de gobernantes, pocos se mantienen en el poder en 1146, momento en que se produce la primera intervención almohade en la Península, aunque aún sin intenciones abiertamente expansionistas. Durante algunos años, los taifas pensaron en la posibilidad de una política de equilibrio entre cristianos y norteafricanos. La retención de Almería por Alfonso VII durante un decenio y la definitiva eliminación de los almorávides hicieron inviable esta actitud. Ibn Ganiya, gobernante de Córdoba que había aceptado el vasallaje castellano-leonés, acabó pactando con los almohades. En los años sucesivos, éstos procedieron a una ocupación sistemática del territorio, no sólo a fijar guarniciones militares en las zonas con más adeptos. Hasta 1170, los gobernantes almohades llevan a cabo operaciones de liquidación de los últimos focos de resistencia hispano-árabes. El último sería el de Murcia-Levante, en donde Ibn Mardanish (el «rey Lobo» de los cristianos) mantendría durante toda su vida una dura resistencia. Al-Andalus y el Mogreb volvían a formar una unidad política bajo la égida de otro Imperio bereber.

El califato almohade: expansión y declive

El fundador del movimiento almohade es Abu-Abdalah ben Tumart. Nacido hacia el 1082 en las montañas del Atlas, recorrió como estudiante los principales focos intelectuales del Próximo Oriente, dejándose influenciar profundamente por las doctrinas del místico iraní Algacel. Haciéndose portavoz de un fuerte deseo reformador, ben Tumart fundó a su regreso al hogar el movimiento de «los unitarios» (al-Muahidun; *almohades*, en la terminología occidental).

En aquellos momentos (en torno a 1117) el poderío almorávide parecía inconmovible. Ben Tumart, sin embargo, fue reconocido como mahdí, y logró la aceptación de los montañeses Masmuda. Tinmal se convirtió en la primera capital del movimiento que sufrió un rudo golpe al morir en 1130 el fundador en un encuentro con los almorávides. Su sucesor, Abd-al-Mumin, prosiguió tenazmente la empresa que culminaría en 1147 con la toma de Marraquech.

Almorávides y almohades guardan ciertas similitudes. Su evolución política tiene un amplio paralelismo. Sin embargo, las *diferencias doctrinales* parecen marcadas. El movimiento almohade es, en efecto, una reacción frente a las rígidas concepciones de los alfaquíes y la interpretación demasiado literal de los escritos sagrados. Ben Tumart, al igual que Algacel, proponía una visión más espiritualista y alegórica, una auténtica reelaboración del dogma islámico. En cualquier caso, las consecuencias del movimiento para el Islam hispánico iban a ser similares a las acaecidas ante la presión almorávide. Algo semejante cabría decir para los reinos hispano-cristianos: con los almohades se presencia un nuevo reverdecimiento del espíritu de «guerra santa».

Bajo los sucesores de Abd al-Mumin, se alcanza el apogeo de la potencia almohade en la Península. Con Abu Yacub Yusuf I (1163-84) Al-Andalus quedó totalmente sometida. Con Abu Yusuf Yacub Almansur (1184-1199) se logra un rotundo éxito contra los cristianos en la batalla de Alarcos (1195). Alarcos, como Zalaca, fue un serio aviso para los castellanos, pero como Zalaca también no supuso una seria rectificación de fronteras.

La revancha hispano-cristiana vendría en los años siguientes: la victoria de las Navas de Tolosa (1212) supuso el comienzo del hundimiento de la potencia almohade.

La hegemonía militar pasaba definitivamente a los cristianos, por más que sus conflictos internos paralizasen en diversas ocasiones una iniciativa que en el futuro no iban ya a perder. La fulminante *ofensiva de los castellano-leoneses sobre el valle del Guadalquivir* con Fernando III y de la que hemos dado cumplida cuenta, es la mejor expresión del hundimiento de una potencia que había perdido prácticamente todo su primitivo arrojo.

No era sólo la debilidad frente a una maquinaria militar arrolladora, sino también las contradicciones internas del segundo Imperio bereber lo que se estaba poniendo en evidencia. En efecto, no parece que los almohades lograsen —por razones de *orden dogmático*— ganarse la simpatía de los influyentes alfaquíes, como habían conseguido sus antecesores almorávides. El respaldo popular, salvo en los primeros momentos, fue más bien escaso. La hostilidad del elemento hispano-musulmán frente al bereber se fue acentuando a lo largo de estos años. La doctrina del *mahdismo*, de fuerte atractivo entre los islamitas del Mogreb, no parece, sugiere Watt, que contase con el entusiasmo de las poblaciones no bereberes de Al-Andalus.

En última instancia, la muerte en 1223 del califa Abu Yacub Yusuf II sin descendencia directa, dio paso a la desintegración del Imperio almohade en la Península. Los distintos poderes surgidos no rebasaron el puro localismo. Los cristianos del Norte vieron, así, al igual que años atrás, su labor considerablemente facilitada. De la liquidación total sólo se libró el pequeño reino de Granada. Y ello gracias al compromiso de vasallaje suscrito en 1231 por Muhammad ibn Yusuf ibn Nasr con Fernando III. El último reducto hispano-árabe cubría las actuales provincias de Málaga, Granada y Almería, más una parte de las de Cádiz, Córdoba y Jaén.

La habilidad diplomática de los monarcas nazaríes les permitió la supervivencia durante los primeros tiempos. Los monarcas castellanos, por otro lado, agotados por el esfuerzo militar y la sangría humana que supuso la conquista del valle del Guadalquivir, no desearon embarcarse en aventuras de mayor coste. Por otro lado, la formación en el Norte de Africa de una nueva potencia unitaria sobre las ruinas del Imperio almohade permitió a los soberanos granadinos disponer de un aliado en los momentos de mayor presión cristiana. En efecto, los *benimerines*, dueños de Marruecos desde mediados del XIII, constituirán —aunque en menor medida— la nueva amenaza bereber frente a la potencia militar castellano-leonesa. Los últimos años de la vida de Alfonso X conocieron, en efecto, un nuevo fracaso a añadir a otros de su trayectoria política: la disputa con vistas a su sucesión entre los hijos de su primogénito difunto (los infantes de la Cerda) y su segundogénito Sancho. Los nazaríes y sus aliados benimerines tratarán, en estos últimos años de la centuria, de sacar partido de estas dificultades de sus rivales, a través de una serie de correrías en el valle del Guadalquivir de —por otra parte— escasa efectividad. Para los sucesores del rey Sabio, de todas formas, se les había de plantear como problema vital el control del Estrecho (bases de Gibraltar, Tarifa y Algeciras) como condición sine qua non para evitar nuevos sobresaltos procedentes del Mogreb.

4

LA ESPAÑA CRISTIANA, SOCIEDAD EN EXPANSION

Desde finales del x a fines del xiii o comienzos del xiv, la Europa occidental conoce un proceso de expansión económica paralelo a su reafirmación política. La España cristiana no fue una excepción a la regla, pese a los distintos matices que sus estructuras socio-económicas puedan adquirir. En efecto, el fenómeno político-militar de la Reconquista es inseparable (al hablar de repoblación ya lo hemos indicado) de otro de naturaleza económica de indudables proporciones. Si la agricultura sigue siendo el medio esencial de vida, el comercio adquiere ya indudables destellos.

Las formas económicas tradicionales

La base de la estructura social del Medievo fue la *familia*. L. Genicot ha dicho a este respecto que «el hombre del siglo xiii perteneció, ante todo, a su hogar». Por encima de la familia se desarrollan otras células, cuales son la aldea, la parroquia o el señorío.
La Plenitud del Medievo en la Península ve la reafirmación del gran dominio al lado de la per-

vivencia de la pequeña propiedad característica de las zonas de reciente repoblación. Siguiendo las pautas indicadas en capítulos anteriores, el gran dominio señorial está integrado por la *reserva*, en torno a la *curtis* o casa del señor. Es la tierra explotada, para beneficio directo del señor, por jornaleros, mano de obra servil o las prestaciones de los cultivadores libres de los contornos. A su lado, los *mansos*, de tenencia libre o servil, constituyen las unidades económicas teóricamente familiares, cedidas al cultivador bien en *precaria* o bien bajo la figura de *contratos* de distinta índole (foro, aparcería...). Por último, quedan los bienes de *aprovechamiento comunal* (emparamentum en Cataluña) para todos los vecinos: leña, pastos, caza, etc.

* * *

La *trilogía mediterránea* siguió siendo la base fundamental de la agricultura de los países hispano-cristianos.

El *cereal* (trigo, centeno, cebada), elemento clave de la dieta alimenticia, fue tremendamente sensible a las oscilaciones climatológicas. La abundancia de mano de obra y los avances del movimiento roturador fueron insuficientes para suplir una bajísima productividad. Lograr que un 40 por 100 de la cosecha fuera dedicada a la panificación, podía considerarse como un éxito en las regiones más favorecidas.

El cultivo de la *vid* favoreció la aparición de contratos de plantación entre señor y campesino (caso de la rabassa morta en Cataluña). Las zonas que tiendan a una especialización viti-vinícola lo conseguirán desde el momento en que la economía de cambio permita la venta de vino en los centros urbanos en expansión: caso de la Rioja en la Península, paralelo al del Bordelais o el Maconais en Francia.

El *olivo* sólo pudo ser objeto de atención sistemática por los cristianos al llevarse a cabo la ocupación de la depresión bética. La monarquía castellano-leonesa iba a hacerse, en este caso, heredera de una tradición secular de cultivo y de exportación a otras zonas del Mediterráneo.

La expansión de los Estados hispano-cristianos en las zonas olivareras del Sur y de la huerta levantina, permitió una serie de nuevos aportes a la alimentación tradicional (pan, nabos, queso, algunas legumbres, pescado, y, rara vez, carne), aunque siempre a muy pequeña escala. Al igual que en el resto de la Europa occidental, el fantasma del hambre siguió siendo una amenaza harto frecuente en la España cristiana. Como un símbolo se pueden considerar los períodos de implacable sequía que con sus terribles secuelas asolaron los reinos hispano-cristianos en los años que sucedieron a la jornada de las Navas de Tolosa...

A la baja —aunque en todo caso superior a la del período precedente— productividad de la agricultura hispánica se unió la escasa incidencia de la renovación de *técnicas agrícolas* que, en esencia, siguieron siendo las mismas de época romana y visigoda: el arado pesado apenas fue conocido, y de la rotación trienal no hay noticias, aunque quepa la posibilidad de que se practicase en algunas zonas.

En asociación unas veces con la agricultura, en dura competencia con ella en otras, la *ganadería* fue una ocupación clave del campesino español de la Plenitud del Medievo.

La de tipo *estante* se benefició de los amplios espacios libres (tierras comunales, barbechos...) y del aprovechamiento de las hierbas y rastrojos de las tierras de sembradura una vez levantada la cosecha. Es la llamada «derrota de mieses». Todo ello respondía a la existencia de una vida rural de «campos abiertos», símbolo de la cohesión de las comunidades rurales. Los campos cerrados sólo se dan en algunos casos de prados y montes de señores acotados como dehesas. Son los «cotos redondos».

La *trashumancia* constituyó un fenómeno característico de la ganadería peninsular en la Plenitud del Medievo.

En los Estados pirenaicos, desde el siglo XII puede hablarse de un amplio desarrollo de este sistema entre las dos vertientes de la cordillera. La ocupación del valle del Ebro facilitó más aún la tarea, y permitió la aparición de hermandades de ganaderos (los *ligallos)* que usaban de caminos adecuados para sus funciones: las cabañeras en Aragón, los carreratges en Cataluña. Las primeras agrupaciones de ganaderos aragoneses importantes fueron las Casas de Ganaderos de Zaragoza, Tauste y Ejea y los Ligallos de Calatayud y Teruel. A la primera de las instituciones le fueron concedidos amplios privilegios desde Alfonso I en 1127, ampliados más tarde con Jaime I que los defendió frente a los agricultores de la zona de Epila.

El avance de la Corona de Castilla hacia el valle

del Guadalquivir favoreció considerablemente la expansión de la ganadería trashumante. Ch. J. Bishko ha señalado la importancia para ello de la ocupación de la zona de pastos del Guadiana. Al igual que en sus vecinos pirenaicos, en Castilla-León surgen hermandades, las *mestas*, cuya función original era el litigar los pleitos entre propietarios de ganado. Algunas alcanzarán gran renombre al especializarse en el traslado de sus ganados a pastar a las sierras cercanas: mesta leonesa, segoviana, soriana, conquense... El gran impulso a la trashumancia vendrá con la creación del Honrado Concejo de la Mesta. Las grandes repercusiones socio-económicas se dejarán sentir especialmente a partir de 1300.

La incidencia de la nueva coyuntura en la Península: El despegue mercantil

La *revolución mercantil* por la que atraviesa la Europa cristiana a lo largo de la Plenitud del Medievo tuvo su repercusión en los Estados hispano-cristianos también.

Castilla entró en el siglo XIII con un comercio interior fuertemente condicionado por una débil infraestructura. Cara al exterior, sin embargo, dos zonas empezaron a despuntar: la cornisa cantábrica y los puertos de la *Baja Andalucía*. Quizá ya con Fernando III, comerciantes genoveses se asentaron en Burgos y Sevilla. En esta plaza, Alfonso X construyó unas poderosas atarazanas. Los *puertos cántabros*, al calor de la política foral concedida desde fines del XII, experimentaron un indudable despegue: unidos castellanos y vascos, crearon en 1296 la «Hermandad de la Marina de Castilla con Vitoria», poderosa liga mercantil dedicada al transporte del vino bordelés, el hierro vasco y, desde comienzos del XIV, la lana merina castellana.

Dentro de la *Corona de Aragón*, Barcelona, y luego Valencia y Mallorca, desarrollaron una amplia actividad mercantil. El interior de la confederación —el reino de Aragón— actuó de granero de la Corona. El *comercio catalán*, tendió sus redes por todo el Mediterráneo, en una política semejante a la de sus colegas las ciudades italianas. Las especias (adquiridas en Alejandría, Crimea o Rodas) constituyeron, desde el siglo XII, el principal producto en juego. Pero no hay que olvidar otros como el hierro, la seda, las tinturas y los cueros. La expansión política que los condes-reyes de Aragón inicien desde fines del XIII en la cuenca occidental del Mediterráneo contribuirá, lógicamente, a reforzar estas posiciones.

Aunque esencialmente agrícola como sus vecinos occidentales, el reino de *Portugal* sintió también la atracción del mar. Siguiendo una pauta semejante a la de los castellanos, los marinos genoveses se instalaron en el litoral lusitano. Se echarán, así, las bases de la futura expansión ultramarina portuguesa. Desde 1293 Portugal comercia activamente con Inglaterra e instala una colonia mercantil en Brujas.

* * *

El desarrollo de las actividades mercantiles necesitó de una serie de *instrumentos*. Entre otros, cabría recordar:

Una periodicidad y una localización de las transacciones comerciales. Ello nos lleva a pensar en los *mercados y ferias*, éstas más espaciadas cronológicamente y sin alcanzar en ningún caso en estos años la importancia e internacionalidad de las de Champaña. Los Estados occidentales fueron más propicios a esta fórmula: ferias de Valladolid, Sahagún, Belorado, Cáceres, Badajoz, Guimarães, Murcia, Sevilla... En la Corona de Aragón tuvo más éxito la fórmula italiana de transacciones en *plazas* y *lonjas*. Siguiendo la pauta también mediterránea, los súbditos de la confederación catalano-aragonesa organizaron sus colonias mercantiles por el sistema del *consulado*, regido por magistrados originarios de la metrópoli. En ésta existió desde 1257 un organismo semejante: la «Universidad de los prohombres de la ribera». El fuerte impulso dado por los barceloneses al comercio se reflejaría en toda una jurisprudencia que quedaría plasmada en un documento de singular importancia: el Libro del Consulado del Mar.

A través de esta fuente y de otras de la más variada índole (v. g. Las Partidas) conocemos la existencia de *asociaciones de mercaderes* en la España del siglo xiii: *compañía, commenda* y *sociedad de mar*, en las que se regula el reparto de beneficios entre mercaderes y patronos de barcos.

La expansión mercantil fue paralela a la creación en el Occidente europeo de un *sistema monetario propio*, independiente del de Bizancio y el mundo árabe. El gross o matapan para la moneda de plata y el florín y el ducado para la de oro, marcaron una pauta que fue seguida en la mayor parte de los Estados europeos. Los reinos hispano-cristianos, aunque no vieron barridas totalmente las manifestaciones de economía monetaria en la Alta Edad Media, hubieron de adaptarse, lógicamente, a las nuevas circunstancias. En la Corona de Aragón, tras diversas experiencias, acabó imponiéndose como moneda a fines del siglo XIII el diner barcelonés, moneda de plata llamada popularmente *croat*, verdadero símbolo del empuje económico catalán. En la Corona de Castilla, bajo influencia musulmana, se acuñaron algunas monedas de oro: el *dinar*, el morabetino o *maravedí* y, finalmente, con Alfonso X, la *dobla*. Bajo los nombres de pepiones, dineros burgaleses y maravedís de plata se acuñaron también monedas de este metal.

Aunque necesariamente ceñida a un ámbito muy reducido, la circulación monetaria fue acompañada de otras manifestaciones: la aparición de la figura del *cambista*, oficio reglamentado por las leyes hasta el punto que en las cortes catalanas de fines del XIII hay un especial interés en velar por la solvencia de las operaciones; el desarrollo consiguiente de amplias operaciones de *crédito* sobre la base de los capitales confiados a las *taulas o bancos;* el desarrollo del préstamo a interés a pesar de las prohibiciones eclesiásticas, etcétera. La *usura judía*, desarrollada a su calor, constituyó una de las preocupaciones primordiales reflejada en los cuadernos de Cortes desde fecha muy temprana.

* * *

El desarrollo de un *sector artesanal* no alcanzó en los reinos peninsulares los niveles de las ciudades italianas o flamencas.

La industria de los *núcleos de población caste-llanos* se limitó a la confección de productos para un consumo puramente local. Sólo en el siglo XIII empezó a funcionar un sector textil de cierta envergadura cuyos productos se vendían en las principales ferias de la Corona. De todos los focos de producción, el de Segovia estaría destinado a tener más brillante porvenir. Pero, en cualquier caso, la industria quedaba subordinada a unos intereses agrícola-ganaderos y de exportación de materias primas que habrían de hipotecar en el futuro la evolución de la economía castellano-leonesa.

Un carácter más variado tuvieron las actividades artesanales en la *Corona catalano-aragonesa:* explotación de la sal y el coral; cierto desarrollo de la metalurgia del hierro que dio vida a numerosas fargas (forjas) en zonas idóneas. Junto a un importante desarrollo de la industria del cuero, Aragón dio vida a una producción de paños de baja calidad (como la blanqueta) en los más importantes núcleos de población a lo largo del siglo XIII. Con posterioridad, Cataluña entrará también en este juego.

El desarrollo de las *corporaciones de oficios* (gremios, collegia, arti, gilden, etc.) se empezó a producir en España en la primera mitad del siglo XII: cofradía de arrieros de Soria. La centuria siguiente conoció un fuerte impulso del movimiento gremial. No se llegó, sin embargo, a una reglamentación tan precisa como la que quedó plasmada en Francia bajo San Luis con el LIBRO DE LOS OFICIOS DE PARÍS, redactado bajo la dirección de Etienne Boileau. Los monarcas ibéricos, por el contrario, vieron con desconfianza este tipo de organismos, que consideraban escapaban a la autoridad real. Como muestras de estas reticencias se han tomado tradicionalmente las actitudes de un Alfonso X o de un Jaime I. De ahí que el movimiento gremial tuviera una maduración más tardía que en el resto de la Europa más desarrollada económicamente.

El renacimiento urbano y sus peculiaridades en el medio hispánico

El renacimiento de la vida urbana en el Occidente en la Plenitud del Medievo resulta un *problema* que se presta a la más amplia controversia. Las clásicas *tesis de Pirenne*, que vinculaban el resurgir de la vida urbana a la reactivación mercantil, han ido sufriendo, con el transcurso de los años, serias matizaciones. En efecto, más que de «ciudad medieval» como algo uniforme, cabría hablar de «ciudades medievales» que responderían a una amplia tipología, bien por su origen, bien por su evolución, bien por las funciones que desempeñen, que no han de ser especialmente artesanales o mercantiles, aunque comercio e industria sean dos puntos de referencia muy calificados.

Hace algunos años, Luis G. de Valdeavellano, en su discurso de entrada en la Real Academia, fijó, dentro de unos moldes esencialmente institucionalistas, lo que había sido el renacer de la vida urbana en la España cristiana.

a) En primer lugar, nos encontraríamos con algunos *núcleos de población que existieron antes del siglo XI* y que a partir de esta centuria experimentarían un auge indudable. Uno sería *León*, en donde al mercado semanal extramuros del siglo X se sumarán otros establecimientos permanentes de mercaderes venidos de Al-Andalus y Ultramontes, establecimientos que se incorporarían al núcleo primitivo. La urbe leonesa, calcula C. Estepa, no rebasaría la cifra de cinco mil habitantes en el siglo XIII. La otra ciudad sería *Barcelona*, de importancia política pareja a León. Episcopal y agrícola hasta fines del X, experimentará desde entonces un fuerte impulso mercantil: burgos del Mercadal, San Pedro de Puellas, Santa María del Mar y Puerta Episcopal, que quedarían en el siglo XIII englobados en un recinto fortificado común. Orientada hacia el mar, Barcelona conocerá una época de esplendor en los años siguientes.

b) Un segundo tipo de ciudades correspondería a aquellos núcleos de población que nacieron o se desarrollaron de forma decisiva al calor de la corriente peregrinatoria del *Camino de Santiago*. Junto a los peregrinos vendrán a la Península numerosos *mercaderes* ultrapirenaicos (francos llamados de forma genérica en la Península) que se asentarán junto a poblaciones de escasa entidad dándoles un fuerte impulso. Los ejemplos se repiten a lo largo de los distintos Estados hispánicos.

Así, en *Navarra* serán los casos de Pamplona y Estella, en donde a fines del siglo XI aparecen, junto a los primitivos núcleos militares o agrícolas, importantes contingentes de población francesa. En *Aragón* será el caso de Jaca, la primitiva capital del reino. En la *Rioja* sucederá algo semejante con Logroño, Santo Domingo de la Calzada y Nájera. Esta contaba a mediados del xi con una alberguería de peregrinos con un barrio de tiendas. En el *área castellano-leonesa*, el crecimiento de algunas ciudades se debió, entre otros factores, a las peregrinaciones. En Burgos, el número de francos debía ser muy crecido a fines del xi. Algo semejante ocurriría con Carrión, Sahagún y León, en donde en 1092 había un «vicus francorum». Aproximándonos hacia el *rincón N-W*, toda una serie de poblaciones que jalonan el Camino de Santiago tienen sus propios burgos de francos: Villafranca del Bierzo, Padornelo, Mellid y, lógicamente, Santiago, en donde la afluencia de peregrinos permitió en el siglo xii la existencia de un amplio asentamiento de mercaderes y artesanos perfectamente definidos frente al clero de la localidad. Coruña (lugar de desembarco de los peregrinos llegados por mar) y Pontevedra (punto de paso de los penitentes portugueses) completarían el cuadro de núcleos de población vivificados por el movimiento peregrinatorio.

c) Las peculiaridades del fenómeno repoblador dieron vida a un tipo de *ciudades fortaleza* características de la zona entre el Duero y el Tajo. Las más típicas, según hemos adelantado al hablar de la repoblación, serán las situadas *entre el Duero y el Sistema Central:* Salamanca, Soria, Segovia, Avila... Esta última, fundación puramente militar. En esencia, estas ciudades cuentan con un recinto amurallado y un amplio alfoz. El tono de vida lo da una clase de caballeros «villanos», labriegos y guerreros al mismo tiempo, a los que sólo de forma muy generosa se podría calificar de «burgueses».

d) La Reconquista, desde el siglo XI, tiene unas características distintas de las de centurias anteriores, según hemos ya indicado. En efecto, a la ocupación de territorios desiertos o semidesiertos, sucede la de áreas de mayor riqueza en las cuales se encontraban ubicadas importantes *ciudades con una activa vida en época musulmana.* Poblaciones como Toledo, Zaragoza, Lisboa, Sevilla, Córdoba o Valencia, con un gran desarrollo mercantil o industrial, quedaron así englobadas en el ámbito de los Estados hispano-cristianos. La reactivación de la vida urbana en la España cristiana tuvo, así, unas peculiares manifestaciones.

e) En último término cabría citar aquellas *ciudades episcopales o señoriales,* en las que, al calor del cambio de coyuntura económica, ha crecido un fuerte contingente de población burguesa. Los casos de Sahagún o de Santiago serán los más representativos de la oposición de ésta a las cargas de origen feudal que los poderes tradicionales quisieron mantener.

Estructura social de la España cristiana en el Pleno Medievo

Impulso económico e *incremento demográfico* son dos fenómenos inseparables en el panorama socio-económico de la Europa del Pleno Medievo. Los Estados hispano-cristianos tampoco fueron la excepción en lo concerniente al crecimiento de población, aunque los datos de que disponemos no son tan precisos como los de otros países, particularmente Inglaterra. Menéndez Pidal ha fijado para la Corona castellano-leonesa entre 4 y 5 millones de almas para fines del siglo XIII. La Corona de Aragón, con una extensión muy inferior, oscilaría entre 1/4 y 1/5 de estas cifras. Si hubiera que aplicar los criterios utilizados por otros autores para el resto de Europa, los sectores de colonización reciente disfrutarían de un crecimiento superior. Pero en el caso español hay que tener en cuenta la emigración de parte del elemento musulmán una vez que se produjo el avance cristiano hacia las tierras más prósperas del Levante y Guadalquivir.

La masa de población estaría constituida por el *elemento hispano-cristiano*, bien de lejana ascendencia goda, bien procedente de las áreas pobremente romanizadas cántabro-pirenaicas, bien mozárabes integrados progresivamente en el aparato político-social de los Estados cristianos.

Un segundo elemento lo constituirían los *francos* inmigrados: eclesiásticos, guerreros y comerciantes, agentes importantes del cambio de vida en la Península. El factor religioso, de valor extraordinario en el Medievo, daría a los dos grupos anteriores un fuerte vínculo de solidaridad.

Frente a ellos, y en una situación especial, quedaban otros dos grupos. En primer lugar el *mudéjar*, cuyo grado de permanencia ya hemos visto dependió mucho de las circunstancias. En segundo lugar, el *elemento judío*, evidentemente discriminado pero aún no víctima de las explosiones antisemitas que se inician en Europa con gran virulencia desde fines del siglo XI. El aislamiento en que estas comunidades vivían (morerías mudéjares, aljamas, juderías o calles judías) propició el desarrollo de una cierta autonomía de vida bajo la protección de los propios monarcas: existencia de jeques para resolver las cuestiones internas de las comunidades islámicas, de tributos especiales («capitaciones») para ambas, etc. En cualquier caso, la Plenitud del Medievo en España conoce (el ejemplo de Toledo es significativo) una amplia coexistencia entre las distintas comunidades étnico-religiosas.

* * *

Sin llegar a un régimen de castas completamente cerrado, la sociedad medieval tuvo un fuerte *sentido jerárquico*. Desde el siglo XI la escala de valores por los que se regía parecen ya perfectamente establecidos: libertad o franquicia, status privilegiado, poder económico, linaje, funciones en el aparato estatal, servicio de armas, etcétera, actúan como puntos de referencia para el estudio de una sociedad en la que al individuo se le asignan sus funciones primordiales en virtud de su dedicación a la guerra, a la oración o al trabajo manual. De ahí que para definir a una sociedad genéricamente llamada «feudal» se hayan utilizado términos como los de «trinitarismo», «tripartición funcional», etc. Sin embargo, a medida que se avanza en los siglos de Plenitud medieval, la tríada de guerreros-eclesiásticos-campesinos va a ir admitiendo serias matizaciones. El despegue de la economía urbana ha sido el principal responsable.

a) En la cúspide de la sociedad nos encontramos con una clase, la *nobleza*, grupo minoritario cuya solidaridad se basa en la existencia de unos lazos feudovasalláticos.

¿Hasta qué punto la sociedad hispánica se feudalizó?

Institucionalistas y marxistas han dado vida a una amplia polémica en torno al alcance del *término feudalismo*. Si para los segundos el modo de producción bajo el que la España cristiana vivió en el Medievo y en siglos posteriores fue indudablemente el feudal, para los institucionalistas, por el contrario, el feudalismo, entendido como un conjunto de mecanismos jurídicos que ligan a hombres libres entre sí, no se dio en la Península (salvo el caso de Cataluña) con la misma fuerza y pureza que en el resto de Europa. La penetración de las instituciones feudales, insisten autores como Sánchez Albornoz, Valdeavellano o Grassotti, fue tardía, y la terminología presenta amplias diferenciaciones con la transpirenaica: concepto de vasallo de gran amplitud, aparición rara vez del término feudo, feudalización de funciones públicas pero rara vez de forma hereditaria, fusión no obligada de beneficio y vasallaje, etcétera. La pirámide feudal sólo se encuentra perfectamente establecida —quizá por la vieja dependencia de Francia— en Cataluña, en donde desde condes hasta milites o cavallers nos hallamos ante una jerarquía nobiliaria bien definida.

En cualquier caso, sin embargo, el término *feudal* puede ser empleado, como ha sugerido Moxó, dentro de una gran variedad de acepciones complementarias entre sí: sociales, políticas, económicas y culturales. Y en cualquier caso también, la base de la estructura económica la constituye el *gran dominio* sobre el que el señor refuerza sus posiciones económicas con unas prerrogativas de orden jurisdiccional hasta entonces ejercidas por el rey o sus agentes.

Para la Plenitud medieval se puede hablar ya de una auténtica *nobleza*, clase que ha cristalizado en una serie de linajes con un status social específico y unos ideales de conducta —la caballería— peculiares.

Para la *Corona castellano-leonesa*, Salvador de Moxó ha hablado de formación de una «nobleza vieja» (sucesora de la «primitiva» astur-leonesa), que será quien ocupe los puestos rectores en la vida de los siglos XII y XIII. En ella se integrarán los ricos-hombres, herederos de los antiguos magnates, y otros grupos que se irán consolidando al calor de la conquista del valle del Guadalquivir. La riqueza será el factor más importante en la promoción del estamento nobiliario, cuyo engrandecimiento puede venir del patrimonio logrado a través de generaciones o del favor del monarca en la concesión de cargos administrativos como Alférez Mayor, Adelantado, Mayordomo, Almirante, etc. El mencionado Prof. Moxó ha reconstruido lo que fue la trayectoria de los treinta más importantes linajes castellano-leoneses de la «nobleza vieja» a lo largo de la Plenitud del Medievo: Lara, Castro, Haro, Meneses, Girón, Guzmán, Aguilar, Osorio, etc. Las vicisitudes políticas o la simple extinción biológica harán que sólo una tercera parte de estas familias se integren en la nobleza «nueva» bajomedieval que va configurándose desde mediados del XIV. Infanzones, hidalgos, y caballeros constituirán escalones inferiores de un estamento nobiliario que tratarán de abrirse paso hacia puestos de mayor rango.

Para *Portugal* cabe fijar una escala semejante.

En cabeza figuran los ricos-homens, detentadores de grandes dominios y altos cargos. Con muy irregulares resultados, monarcas como Alfonso II (confirmaçoes de 1216 a 1221) trataron de controlar las donaciones de las que habían sido beneficiarios. Infançoes y fidalgos desempeñan un papel semejante al de sus homónimos de Castilla-León.

En *Aragón*, la prodigalidad monárquica permitió el crecimiento de una nobleza que habría de dar a los soberanos serios quebraderos de cabeza. La expansión en Levante y Baleares permitió disponer de un campo de acción a linajes como los Urrea, Cornel, Lizana, Alagón, etc. Los intentos de un Jaime I por limitar la potencia del estamento nobiliar chocaron con una fuerte resistencia. La aristocracia aragonesa, firmemente asentada en los valles del Ebro y el Jalón y en el Reino de Valencia, logrará, frente a los intentos romanistas de la realeza, sujetar sus dominios a «sus fueros, costumbres, usos y privilegios». A distancia de ricos-hombres y vástagos de la familia real se sitúan infanzones y caballeros. Clase cerrada en definitiva, la nobleza aragonesa se prepara a fines del XIII a limitar drásticamente la autoridad real.

La nobleza en *Cataluña* presenta en sus más altos estratos unos fuertes lazos de solidaridad con el «hermano mayor», el conde de Barcelona, con el tiempo también rey de Aragón. Santiago Sobrequés ha dicho que «los condados catalanes dan la sensación de constituir un gran condominio familiar». Los grandes barones catalanes son los titulares de los condados de Barcelona, Besalú, Cerdaña, Rosellón, Pallars-Jussá, Pallars-Subirá, Ampurias y Urgel. A lo largo del siglo XII, los cinco primeros condados pasarán a ser ostentados por la misma persona: el conde de Barcelona. En un segundo escalón, y con el título de vizconde, figurarán una serie de magnates, a veces tenentes de castillos que acaban dando su nombre a la familia: Bas, Cabrera, Rocabertí, Cardona, Moncada... Por debajo de estas dos categorías, quedarían vasvassores, mílites y cavallers, estos últimos, equivalentes a los infanzones y caballeros de los reinos occidentales.

Como en los Estados vecinos, también en *Navarra* el estamento nobiliar se articula en ricoshombres, caballeros e infanzones. Con este último nombre acabará conociéndose a toda la nobleza de linaje. Desde el siglo XIII —y en especial para defenderse frente a la centralización de la casa de Champaña— se reunirán periódicamente en juntas. Las de la villa de Obanos serán las más célebres.

b) Dentro de las clases populares, los *campesinos* son una aplastante mayoría. Tradicionalmente se ha venido sosteniendo que en el medio rural se observó un proceso progresivo de emancipación social a lo largo de la Plenitud del Medievo. El movimiento roturador, que se mantuvo con una gran fuerza en el Occidente europeo, actuó, se viene a decir, de factor decisivo en este proceso. El problema, sin embargo, resulta mucho más complejo. En la Península, al igual que en los siglos anteriores, entre los estatutos de libertad y servidumbre nos encontramos con una amplia gama de matices, a los que se vienen a unir los de raigambre francesa: la palabra «franco», que se convertirá en sinónimo de «ingenuo», es un buen ejemplo...

Es cierto que las oportunidades de emigración abren buenas posibilidades a las gentes insatisfechas con su condición social y económica. Pero también es verdad que los frenazos que sufre la Reconquista, sobre todo desde mediados del XIII, constituyen un factor propicio para el endurecimiento de la situación del pequeño campesino. La expansión de las normas jurídicas del Derecho justinianeo y su aplicación por los señores de una manera rígida contribuirán a menudo a reforzar la sujeción a la que se somete a las clases más modestas.

Hasta cierto punto se puede hablar de una uniformación de las masas rurales hasta el nivel del *colonato*. Ello se deberá a un doble movimiento. Por un lado, la elevación de numerosos siervos, beneficiarios de las prácticas de manumisión y del atractivo que sobre ellos ejercerán los fueros de distintas localidades. Por otro, la degradación de numerosos hombres libres por la presión de los sistemas de encomendación. Así, en Castilla y León, los «homines de benefactoria», llamados desde el XIII «hombres de behetría», aunque en principio tengan plena libertad para elegir a su señor, ven su condición original de hombres libres progresivamente limitada por los vínculos de dependencia señorial.

Los «tirones» reconquistadores hacia el Guadalquivir y Levante abrieron amplias posibilidades a gentes de variada condición, según hemos indicado en su momento. Sin embargo, en el caso del Guadalquivir, las gentes de mediano estado se vieron pronto víctimas del proceso inflacionario que se desató en los últimos años del reinado de Alfonso X. De ahí la expansión de una clase de jornaleros, dueños, a lo sumo, de una yunta de bueyes y sobre los que pronto, como sucederá con sus vecinos de otras zonas de la Península, se dejará sentir la presión de los lazos jurídico-sociales propios del señorío.

A través de prestaciones personales y de limitaciones a la libre disposición de su patrimonio, el señor ejerce su poder sobre las masas campesinas. Entre las primeras se encontrarán las rentas pagaderas por el disfrute de la tierra, que reciben distintos nombres como pecho, foro, parata, usáticum...; las sernas o faenas agrícolas a cumplir en la reserva señorial; la fazendera o trabajos en los caminos; el yantar o alimentación del señor en sus desplazamientos, etc. Entre las limitaciones a la actuación del labriego, cabe destacar como particularmente onerosas y significativas los «seis malos usos» existentes en la Cataluña Vieja ya desde mediados del xi. Estos van desde la remensa (redención fijada arbitrariamente por el señor al payés que quería abandonar el predio) a la intestia (percepción por el señor de la tercera parte de los bienes del payés muerto sin haber hecho testamento).

A lo largo de la Plenitud del Medievo, los viejos lazos orgánicos reserva-mansos, propios de los siglos anteriores, entran en franca regresión. Refiriéndose a Aragón —y el ejemplo se puede hacer extensivo a otras áreas— Lacarra ha escrito que «la sumisión económica entra por cauces distintos, ya que desde el siglo xiii las antiguas pechas y servicios señoriales, más o menos arbitrarios, han quedado consignados en un documento escrito, especie de contrato agrario al que deben sujetarse señor y cultivador». Pero no hay que llamarse a engaño, ya que, si bien la condición económica del campesino puede mejorar, no ocurre lo mismo con su situación jurídica. En efecto, en Aragón y Cataluña, la dureza de las relaciones señoriales parece haber estado más acentuada que en los otros reinos hispánicos. Es significativa, a este respecto, la sanción legal que la Curia de Cervera dio en 1202 al «ius maletractandi» o derecho de los señores a maltratar a sus colonos.

La *servidumbre* pura y simple fue en sentido decreciente en los reinos occidentales, desde Portugal y Galicia a Castilla. En la Corona de Aragón, la conclusión del fenómeno reconquistador eliminó una posible fuente de provisión de esclavos. La piratería quedó como otro conducto que propició desde el siglo XIII un incremento de la población servil, mora fundamentalmente, en Cataluña y Valencia, más que en las zonas del interior. En cualquier caso, el esclavo es tanto una mercancía sujeta a rescate como el posible complemento de una mano de obra libre o semilibre. El caso de los mudéjares —los exáricos del valle del Ebro o los antiguos cultivadores de la huerta levantina— constituye el modelo especial de una minoría difícilmente asimilable y cuya situación de inferioridad en relación con colonos cristianos ha derivado de razones tanto de orden político como religioso.

   c) La gran novedad social de la Plenitud del Medievo es la aparición de *grupos de población urbana* con unos intereses perfectamente definidos. Un proverbio alemán decía: «El aire de la ciudad hace libre». A lo largo del siglo XIX, algunos autores reivindicadores del Medievo frente a los detractores de centurias anteriores contribuyeron a crear la imagen de una «revolución comunal». Este habría sido el medio por el que la población de los renacidos núcleos urbanos logró sus libertades frente a los poderes tradicionales de signo feudal. El problema resulta mucho más complejo habida cuenta que la violencia no fue el arma favorita de la nueva clase burguesa. Sólo se empleó en contadas ocasiones, por cuanto el pacto y la transacción entre las antiguas y las nuevas fuerzas sociales acabará imponiéndose.

Los reinos peninsulares no fueron una excepción dentro de este —violento o pacífico— movimiento comunal. Los casos más significativos fueron los de Santiago y Sahagún entre finales del XI y comienzos del XII. En ambos —sugiere Pastor de Togneri— incidieron una serie de circunstancias comunes: la crisis política de la Corona castellano-leonesa tras la muerte de Alfonso VI, la coalición de enemigos domésticos de los señores eclesiásticos de las dos localidades (el abad de Sahagún y el obispo Gelmírez), la pugna de los burgueses por la anulación de algunos monopolios señoriales, etc. Si la «germanitas» o «communio» de burgueses no va a alcanzar sus objetivos maximalistas, algunos de los abusos señoriales se conseguirán limitar. Así, el fuero de Sahagún de 1152 anulará el monopolio señorial del horno y declarará la inviolabilidad de domicilio.

Dentro del conglomerado de habitantes de las urbes renacidas o de nuevo cuño se podrían hacer ciertas distinciones. A los vecinos no siempre se les conoce bajo el denominador de *burgueses* en la Península. Así, en LAS PARTIDAS, se habla de «cibdadanos», al igual que en un texto contemporáneo del aragonés Vidal de Canellas, en donde el término «burgueses» se restringe a aquellos ciudadanos que no trabajan por sus propias manos. En Cataluña, Aragón, Navarra y Galicia aparece el término «burgenses» con más frecuencia. En Navarra, la expresión «ruanos» acabará designando a los componentes de la clase industrial y mercantil. En Portugal serán los homens bons dos concelhos...

La falta de unidad de la población urbana viene por dos conductos.

De un lado, la diferente procedencia de los pobladores. Así, las gentes de origen ultrapirenaico no siempre se fundieron con el elemento indígena. En Pamplona, por ejemplo, hasta fecha muy avanzada existieron tres «burgos»: la Navarrería o barrio hispánico, el barrio franco de San Cernin y el mixto de San Nicolás. La existencia de minorías étnico-religiosas provocará la existencia de juderías y morerías en las principales ciudades de los distintos reinos hispánicos. Y, en definitiva, la permanencia de algunos núcleos mozárabes con sus peculiaridades características (los mozárabes de Toledo, regidos por su propio fuero) introduce un elemento más de variedad.

Por otro lado, la falta de unidad se irá produciendo a lo largo de los siglos XI al XIII a través de toda una estratificación de la población urbana.

En la cúspide se destacará un grupo al que genéricamente se ha designado como *patriciado urbano*. En su formación han incidido una serie de factores: el enriquecimiento por el comercio, la industria, el arrendamiento de fincas obtenidas en los repartimientos o el ejercicio de algunas funciones públicas. La participación en este grupo de gentes provenientes del estamento nobiliario fue mayor en los Estados occidentales. Así, en Castilla la ciudadanía y la función de las armas no fueron incompatibles: entre el Duero y el Guadiana, el elemento dirigente de las ciudades son caballeros a los que no sería fácil calificar de burgueses. En Portugal, los homens bons ejercen funciones militares —como jinetes (cavaleiros vilaos) e infantes (peoes)— y administrativas.

En todo caso, el patriciado urbano (caballeros y ciudadanos) acaba teniendo unos gustos y unos intereses económicos tan aristocráticos como los de la propia nobleza de sangre.

Bajo los términos de *medianos* o *má mitjana* o *mercaders* se encuentra el segundo estrato social de la población urbana. Ellos serán —particularmente en Cataluña— los grandes beneficiarios de la expansión económica de la Plenitud del Medievo. Mercaderes modestos u opulentos, cambistas, arrendatarios de algunos impuestos municipales, pañeros, especieros, artistas, notarios, etc., tendrán como objetivo último el incorporarse al patriciado. Para Cataluña, Santiago Sobrequés fijó todo un cursus honorum del ciudadano medio que empieza por merchante en ferias para pasar a mercader de altos vuelos, financiero o rentista y, por último, llegar —una minoría sin duda— a caballero. De entre los medianos saldrán los cuadros dirigentes de las organizaciones gremiales.

Artesanos y menestrales constituyen el grueso de la población urbana. Ellos serán los que den a la ciudad su fisonomía peculiar. En Castilla es la parroquia o collacion el elemento encuadrador del individuo, no sólo desde el punto de vista religioso sino también administrativo. Las gentes de oficio reconocido (mester o menester) constituían, dentro de este grupo, una auténtica élite que tiende a agruparse, según los oficios, en calles o barrios determinados. Bien trabajando independientemente, bien por cuenta de un mercader, el artesano medieval intentará la defensa de sus intereses por la formación de corporaciones de oficios que van dejando de ser exclusivamente religiosas con el transcurso del tiempo.

En algunas ciudades españolas (Barcelona desde 1257) aparecen en el siglo XIII los representantes de los oficios en la corporación municipal. El número, sin embargo, nunca guardó proporción con su porcentaje de población. Más aún, las gentes sin oficio especializado (peones, braceros...) y los vagabundos y pobres, exentos de todo tipo de impuestos, constituyeron, a medida que su número crecía, un elemento de permanente tensión.

Ya en 1117, la turba de Santiago, compuesta sin duda de los elementos menos cualificados profesionalmente, fue utilizada por los burgueses como masa de maniobra en la rebelión contra Gelmírez. Siglo y pico después, en 1285, estalló en Barcelona la rebelión de Berenguer Oller, en la que se agrupó todo el «poble menut» contra los «promens de la ciutat» con la finalidad, sugiere **Ph**. Wolff, de «fundar en Barcelona una organización popular yuxtapuesta a las instituciones municipales creadas a lo largo del siglo XIII»...

* * *

En conclusión, podemos decir que la estructura socio-económica de los Estados hispano-cristianos a lo largo de la Plenitud del Medievo respondería a unas líneas maestras:

1) La maduración de aquellos elementos esbozados a lo largo de las anteriores centurias.

2) Un indudable proceso de expansión favorecido por una serie de circunstancias: el gran empuje reconquistador, el renacimiento de la vida mercantil y urbana y los contactos más amplios con los otros Estados de la Europa cristiana.

3) Unos primeros síntomas de crisis y agotamiento que se van haciendo visibles a lo largo de la segunda mitad del siglo XIII y que anuncian las grandes transformaciones de la Baja Edad Media.

5

ESPAÑA, ESLABON CULTURAL
ENTRE LA CRISTIANDAD Y EL ISLAM

A lo largo de los siglos de Plenitud del Medievo, la Península Ibérica se convierte en pieza básica de las manifestaciones culturales del Occidente europeo. El llamado «renacimiento del siglo XII» fue posible en buena medida por los aportes procedentes tanto de un Al-Andalus decadente políticamente pero pujante aún en su cultura, como de unos Estados hispano-cristianos que consiguen superar la inferioridad bajo la que han vivido en las centurias anteriores.

La cultura andalusí bajo taifas y bereberes

La muerte en el destierro mogrebí del reyezuelo sevillano Mutamid fue significativa desde el punto de vista político (sometimiento de Al-Andalus a un Imperio norteafricano). No supone una ruptura, sin embargo, con el esplendor de unas manifestaciones literarias —la *poesía* en este caso— que siguieron contando con excelentes cultivadores. Ibn Quzman (una «voz en la calle», según García Gómez) es a lo largo de la primera mitad del XII el poeta alegre y desenfadado frente a las viejas tradiciones islámicas. A su lado, y a lo largo de la centuria, trabajan autores como el cordobés Ibn Baqi, el granadino Abu Chafar Ibn Said o el hebreo Moisés ben Ezra. La tradición poética se mantendrá en el siglo siguiente en autores como Abu-l-Baqa, muerto hacia el 1285 y que en composiciones elegíacas lamenta la pérdida de las principales ciudades andalusíes.

La *filosofía* árabe se debatió a lo largo de su historia entre las corrientes místicas y racionalistas.

Continuador del misticismo massarrita fue el murciano Ibn al Arabi (1165-1240), uno de los más grandes autores dentro de esta corriente, según Asín Palacios.

Sin embargo, el gran aporte del Islam peninsular vendría en función de haberse constituido en receptor de las corrientes aristotélicas que dieron autores de la talla de Avempace, Aventofail, Avenzoar y, sobre todo, Averroes y Maimónides. Protagonistas (como luego lo será Santo Tomás en la Cristiandad) de una avenencia entre fe y razón, la vida de estos autores cubre buena parte del siglo XII. El tratado DESTRUCCIÓN DE LA DESTRUCCIÓN de Averroes es un duro alegato contra la obra de Algacel DESTRUCCIÓN DE LA FILOSOFÍA. En una línea semejante queda la GUÍA DE DUBITANTES del hebreo Maimónides, intento de conexión de la religión mosaica con el aristotelismo musulmán.

En el otro extremo del espectro ideológico se encuentra otro judío, Abulhasan Yehuda Halevi (muerto en 1143), exaltador de su pueblo y su religión y cuya obra tuvo tanta influencia como la GUÍA de Maimónides.

Las «escuelas de traductores».
La génesis del movimiento universitario

Los contactos entre cristianos y musulmanes no se circunscribieron sólo al ámbito militar. Las relaciones culturales se produjeron desde fecha muy temprana y se intensificaron al hacerse dueños los primeros de las más importantes urbes de Al-Andalus. Cristianos, musulmanes, judíos y judeoconversos fueron los artífices de esta magna empresa que convirtió a la Península en el puente cultural entre el Islam y la sociedad de la Europa occidental. Estudiosos de otros países como Hugo Sanctallensis, Roberto de Chester, Platón de Tívoli y Hermán el Dálmata trabajaron en Barcelona, Zaragoza y Tudela desde la primera mitad del XII. Esta última ciudad será también la patria de dos insignes autores hebreos: el astrónomo Abraham ben Ezra y el geógrafo Benjamín de Tudela.

Hacia mediados del XII, Toledo ocupa la primacía como gran foco cultural internacional. Se ha discutido por autores como Jourdan, Menéndez Pidal y Sánchez Albornoz, si existió una *Escuela de Traductores* propiamente dicha, fundada por el prelado don Raimundo. En cualquier caso, la histórica ciudad se convirtió en foco de atracción de los estudiosos de diversa procedencia espiritual y geográfica.

La primera generación estuvo constituida por figuras como Domingo Gundisalvo, Juan Hispano, Hermán el Dálmata y Gerardo de Cremona. En el saldo de su actuación se encontrarán las traducciones de obras de Al-Farabi, Algazel, el Planisferio de Ptolomeo y parte del Corpus de Galeno.

La segunda generación corresponderá a la labor de Herman el Alemán, Miguel Scoto y Daniel de Morlay. El De Plantis de Aristóteles y el De tactu pulsus de Galeno figuran entre las traducciones acometidas en estos momentos.

Avanzado el siglo xiii, el impulso de Alfonso X se deja sentir a partir de 1251: El Libro de la Acafeha, El Lapidario, Las tablas astronómicas se encuentran entre los principales aportes toledanos. A ellos habría que añadir los de otros núcleos recién conquistados a los árabes, concretamente el de Murcia, en donde las figuras de El Ricotí (persona versada en matemáticas, música y medicina) y del obispo de Cartagena fray Pedro Gallego ocuparán un lugar preferente.

La estratégica posición que acaba alcanzando la *Corona catalano-aragonesa* —relaciones con el Sur de Francia y lanzamiento de una política mediterránea— influyó notoriamente en la conformación de focos culturales y personalidades de proyección universal a lo largo del siglo xiii. Las juderías de las ciudades catalanas (Barcelona, Gerona, Perpiñán) vieron la aparición de Moisés ben Nahamn, «la más alta autoridad rabínica de su momento» según Millás, y de su discípulo Salomón ben Adret.

El contacto entre la cultura cristiana, la árabe y la judía propiciaron el desarrollo de la labor de Ramón Martí y, sobre todo, de Raimundo Lulio, escritor en árabe, latín y catalán, poeta, místico, novelista y autor de distintas obras de controversia frente a averroístas y sarracenos. La fundación por este personaje del Colegio de Miramar para el estudio de las lenguas orientales en 1276 es toda una muestra de las nuevas inquietudes —aunque de distinto signo— de las que se hará partícipe en los últimos años del siglo el físico y visionario Arnau de Vilanova.

* * *

La incidencia del movimiento corporativo en la vida docente dio lugar en la Europa occidental, desde mediados del XII, a la aparición de las *Universidades*. Refiriéndose a ellas (estudios generales, estudios particulares), la Segunda Partida dice que «Estudio es ayuntamiento de maestros e escolares que es fecho en algun lugar con voluntad e entendimiento de aprender los saberes». Para los primeros años del XIII, Palencia contaba con una universidad impulsada por el obispo Don Tello. Hacia 1215, Salamanca tuvo la suya, siendo confirmados sus privilegios por Alfonso X en 1254, fecha para la que ya Valladolid debía tener consolidado también su Estudio General a costa del declinar de la vecina Palencia. De 1290 arranca el Estudo Geral de Lisboa y de 1300 el de Lérida.

Los datos recogidos en LAS PARTIDAS y los estatutos de la Universidad salmantina permiten reconstruir los grandes rasgos de la vida docente en este tipo de centros. Trivium, Quatrivium y los dos Derechos constituían la base de los estudios. Leyes y Cánones, Física, Lógica y Gramática eran las cátedras mejor retribuidas. Junto al rector de estudios (nombrado por profesores y alumnos), Alfonso X mantuvo la autoridad del obispo y el

maestrescuela, a título de tutores y con jurisdicción para castigar a los revoltosos. Dualidad de
jurisdicciones que habría de acarrear más de un
problema.

Latín y lenguas romances.
Literaturas e historias nacionales

A lo largo de los siglos de Plenitud del Medievo,
la Península Ibérica avanza hacia la definitiva
perfilación lingüística y la consagración de unas
literaturas incipientemente nacionales.

El *vascuence*, la lengua más antigua del territorio ibérico, llevó a cabo una serie de infiltracio-
nes al calor del movimiento reconquistador en
sus primeros siglos. Los topónimos euskéricos de
la Rioja y de una parte de los territorios orientales del antiguo condado castellano son un dato
significativo al respecto.

Serán, sin embargo, las lenguas romances las
que acaben imponiéndose, primero como vehículo
de expresión popular y más tarde como medio de
expresión oficial en los distintos Estados hispánicos.

El *castellano* se impondrá como la lengua ma-
yoritaria a costa de los dialectos vecinos (leonés,
navarro-aragonés, manifestaciones romances de
los grupos mozárabes, etc.). Las GLOSAS EMILIA-
NENSES, anotadas por un anónimo monje del Monasterio de San Millán hacia el 977, se han considerado como el más antiguo monumento de una
lengua que sin ser el latín se aproxima bastante
a lo que será el castellano. En su período arcaico,
la peculiar forma de vida de la Meseta facilitó

el desarrollo de una serie de poemas épicos de los que el más representativo sería el CANTAR DE MÍO CID, redactado quizá hacia 1140. Habrá que esperar aún casi un siglo para que Gonzalo de Berceo, otro monje de la Rioja (auténtica encrucijada política y lingüística), nos legase, de forma ya no anónima, un conjunto de poemas en «roman paladino». Con Berceo nace así una corriente literaria —el mester de clerecía— con unas pretensiones más eruditas que las de sus predecesores juglares.

El *galaico-portugués* (progresivamente diversificado entre las dos orillas del Miño) acaba constituyendo desde el XII la lengua literaria de la franja occidental de la Península, el «jardín secreto de la meditación» en expresión de Figueiredo. La RIBEIRINHA, pieza atribuida a Payo Soares de Taveiros hacia 1189, parece el monumento literario más antiguo de una lengua de cuya capacidad lírica dio bastantes muestras en las CANTIGAS un personaje tan profunda y literariamente castellano como Alfonso X.

Las primeras manifestaciones literarias en *catalán* se han considerado los sermones en lengua vulgar. Las HOMILÍAS de Organyá, datadas en la segunda mitad del XII, constituirían el texto literario más antiguo conservado en lengua catalana. Las conexiones de todo tipo entre el Principado y Provenza y el Languedoc permitieron un amplio desarrollo de la lírica trovadoresca en Cataluña: Berenguer de Palol, Guerau de Cabrera, Hugo de Mataplana, Ramón Vidal de Besalú, se encuentran entre las figuras más representativas del género. Con Raimundo Lulio «habla la filosofía por vez primera en lengua vulgar» (Soldevila.)

Desde mediados del XIII, las lenguas romances se imponen como oficiales en los grandes Estados ibéricos. La identificación de las monarquías con los viejos vehículos de expresión popular no sólo estuvo en la redacción de textos político-jurídicos como el Fur (fuero) DE VALENCIA, escrito primero en latín y luego vertido al catalán. Se encuentra también en la aparición de una *historiografía romance* que los propios soberanos impulsaban. En Castilla, a la HISTORIA GOTHICA del arzobispo de Toledo D. Rodrigo Jiménez de Rada redactada aún en latín, sucederá la PRIMERA CRÓNICA GENERAL, escrita en castellano bajo la dirección de Alfonso X. Dentro de una línea semejante, Cataluña producirá el LLIBRE DELS FEITS DEL REY EN JAUME, que abre el ciclo de las grandes crónicas redactadas en catalán. La historia en ambos casos es el soporte de unas literaturas, pero también de unos sentimientos incipientemente nacionales.

La Iglesia hispana: uniformismo romanista y monacato benedictino. Los mendicantes

La política de restauración de la administración eclesiástica en los reinos cristianos se acentuó con el gran impulso de la Reconquista. Dado el nuevo perfil político que la Península iba adquiriendo, las fronteras de los nuevos Estados forzaron a amplios reajustes en lo que a las circunscripciones eclesiásticas se refiere.

A lo largo del siglo XII presenciamos un gran florecimiento de *sedes episcopales*, bien antiguas ahora restauradas, bien otras de nuevo cuño: Salamanca, Avila, Segovia, Zamora, Cuenca, Zaragoza, Tarazona, Tarragona, Tortosa, Lisboa, Evora, etc. Su número llegará a duplicarse en relación con el período anterior. En el XIII no se produjo un fenómeno de tan amplia envergadura, aunque asistamos a la creación de los importantes obispados de Palma, Valencia, Córdoba, Baeza, Jaén y Cartagena. A fines de la centuria puede decirse que el mapa de la administración eclesiástica en la Península adquiere unos perfiles casi definitivos.

Parroquias e *iglesias propias* siguieron siendo el instrumento encuadrador de la inmensa mayoría de la población. Pero, en el caso de las primeras, no responden ahora sólo a las necesidades de una población rural con una lógica tendencia a la dispersión, sino también a las nuevas condiciones de vida derivadas del renacimiento urbano. La collacion, como ya hemos anticipado, fue «una demarcación eclesiástica que trascendía a la vida civil y que fue uno de los elementos que contribuyeron a la progresiva cohesión del grupo local» (Valdeavellano). Su espíritu queda reflejado tanto en la participación para el nombramiento de ciertos oficios municipales como en la labor de beneficencia.

Al igual que en otros ámbitos de la vida peninsular, la penetración del elemento ultrapirenaico también se dejó sentir ampliamente en las estructuras episcopales.

* * *

La *reforma gregoriana*, con su afán unificador, y la orden de Cluny fueron las principales respon-

233

sables de la «europeización» de la Iglesia hispánica.

El abandono del viejo rito nacional mozárabe se produjo a lo largo de la segunda mitad del XI a la vez que la aceptación de los distintos cánones de los concilios promovidos por los pontífices. Los pasos decisivos se fueron dando en los concilios de Coyanza (1050), Compostela, Nájera y Jaca (en 1063). Desde el 1071, los Estados pirenaicos se comprometen plenamente con las normas de la reforma gregoriana.

La Corona castellano-leonesa fue más remisa. El clero indígena, apegado al rito mozárabe, ofreció una seria resistencia que a veces los propios monarcas (Alfonso VI) apoyaron ante el temor de que los pontífices hiciesen valer en su plenitud la idea de que la Península pertenecía al patrimonio de San Pedro. La penetración masiva de los *cluniacenses* irá quebrando esta resistencia. Monjes de esta orden ocuparon puestos destacados de la vida eclesiástica: Roberto, abad de Sahagún, Bernardo, metropolitano de Toledo... Después de un decenio de graves tensiones (1080-1090), dos concilios (Burgos y León) acabaron por imponer el ritual romanista y la letra «francesa» como elemento de expresión gráfica frente a la letra «visigoda» nacional.

La clunización de la Península constituyó un serio peligro de colonización cultural, pero para la Corona e Iglesia castellanas supuso también (como destaca Barreiro Somoza) una ventaja: el reconocimiento de su preponderancia sobre todas las iglesias de España.

Aunque con menos fuerza, la reforma gregoriano-cluniacense se dejó sentir frente a los vicios de las iglesias propias al intentar que las ambiciones dominicales se redujesen a un simple «derecho de patronato».

Frente a la progresiva mundanización de Cluny se abre paso, desde los primeros años del XII, otra orden llamada a eclipsarla: *el Cister*. Al excesivo apego a las grandiosas manifestaciones litúrgicas y a la férrea organización centralizada, sucede la revalorización del trabajo manual y una estructura de gobierno más colegiada.

La expansión del Cister en España fue paralela a la de las Ordenes Militares. Los datos recopilados por Dom Cocheril permiten reconocer 47 monasterios de filiación de Clairvaux (entre ellos, Poblet, Santas Creus y Alcobaça), 22 de Morimond y 8 de Citeaux.

En líneas generales, y siguiendo las prescripciones de la regla, las abadías se establecen lejos de las grandes vías de comunicación. El propio Cocheril ha fijado, de acuerdo con su emplazamiento, tres modelos: abadías de montaña, de meseta y de depresiones y litoral. A este último grupo pertenecerían algunas de las más importantes. No se puede, sin embargo, fijar una evolución uniforme para todas ellas, ni en lo espiritual ni en lo económico. En este segundo aspecto, el desarrollo queda condicionado por una serie de factores: capacidad de atracción de mano de obra servil, influencias a ejercer sobre los contornos, extensión que pueda adquirir el dominio, etc. En cualquier caso, las señorías cistercienses, tanto en España como en el resto de Europa, constituyen un excelente reto para el estudioso de las estructuras económicas del Medievo.

Los siglos XI y XII fueron momentos de expansión de Ordenes salidas de la rama madre benedictina. El XIII conocerá la expansión de otras nuevas: las *mendicantes*. Son el producto de las nuevas condiciones de la sociedad europea: expansión urbana que obliga a las Ordenes a adoptar un nuevo espíritu acorde con la vida ciudadana, avances del espíritu de pobreza evangélica y anhelos de un apostolado doctrinal. Este último, en réplica a los brotes heréticos —valdenses y albigenses en particular— que amenazaban la unidad de la Iglesia.

De los dos grandes fundadores de las nuevas Ordenes, uno —Domingo de Guzmán— procedía de una familia de la pequeña nobleza castellana. Canónigo en Osma, pasó los años en torno al 1200 en una inútil pugna contra la herejía en el Midi. La creación de su «Ordo predicatorum» se mostraría a la larga como un enorme acierto en la política de erradicación de las disidencias espirituales. Desde 1233, en efecto, la *Inquisición* era encomendada a los dominicos. Dos años más tarde, un dominico catalán, Raimundo de Penyafort, daba las normas bajo las que el tribunal había de regirse en la Corona de Aragón, algo afectada por contaminaciones albigenses. Por entonces también algunos pequeños brotes heréticos eran extirpados en León.

Junto a las grandes Ordenes mendicantes surgirá otra estrictamente española: los *mercedarios*. Si la idea de Pedro Nolasco fue en principio la de una orden de Caballería (su reclutamiento fue esencialmente aristocrático al principio) acabaría predominando en ella la espiritualidad de franciscanos y dominicos, desprendiéndose paulatinamente de sus funciones militares.

La ruta peregrinatoria jacobea

Roma, Jerusalén y Santiago de Compostela fueron las tres principales metas de los *peregrinos medievales*.

Compostela no tuvo en los primeros momentos más que un atractivo puramente local. Pero desde comienzos del XI se puede hablar de que adquiere un carácter internacional bien definido. Peregrinos franceses, italianos, flamencos, frisones y en menor grado ingleses, alemanes y de la Europa oriental, protagonizaron nutridas corrientes penitenciales. Personajes como Santo Domingo de la Calzada, los obispos Dalmacio y Gelmírez, monarcas como Alfonso VI, etc., laboraron en pro de un sostenido impulso de este movimiento. Una obra redactada hacia 1140 —la GUÍA DEL PEREGRINO DE SANTIAGO, atribuida a Amalarico Picaud— nos muestra la celebridad de las *peregrinaciones jacobeas* en la Plenitud del Medievo.

Aunque no se haya llegado aún a fijar la red completa de caminos que conducían a Santiago, puede decirse que la ruta más transitada era la que se iniciaba en Roncesvalles. Hasta allí llegaban los peregrinos tras recorrer algunos de los principales santuarios franceses como Conques, Vezelay, Moissac y San Martín de Tours. Cruzado el Pirineo, los puntos más frecuentados eran Pamplona, Puente la Reina, Estella, Logroño, Nájera, Burgos, Frómista, Sahagún, León, Astorga, Ponferrada, Villafranca del Bierzo, Monte Cebreiro, Portomarín y, por fin, Santiago. Era el «camino francés» por excelencia.

La ruta jacobea se convirtió en camino no sólo de penitencia, sino también de intercambio de numerosas influencias de todo tipo. Los contactos de los Estados ibéricos con el resto de Europa occidental avivaron (ya lo hemos en parte adelantado) el renacimiento de la vida económica en general y de la urbana en particular. La España cristiana empezó, así, a encontrar en el otro lado del Pirineo un contrapeso a la dependencia económica que hasta principios del xi había tenido en relación con Al-Andalus.

Pero la «europeización» de los Estados peninsulares vino también por otras influencias en las que el Camino de Santiago —se piensa— tuvo un importante papel. Por un lado, los préstamos de orden literario, lírico y épico, aunque estos últimos parezcan discutibles. Por otro, los elementos artísticos, de los que los reinos hispano-cristianos se hacen tanto receptores como transmisores.

La penetración de formas artísticas europeas

La desintegración del califato cordobés fue acompañada en el terreno artístico por una proliferación de los elementos decorativos y barrocos. La Aljafería de Zaragoza es el edificio que mejor expresa esta tendencia. Con las *dinastías africanas*, al calor de la reforma religiosa que impulsan, se vive unos primeros momentos —dominio almorávide— de reacción puritana. Con los almohades, Sevilla se convertirá tanto en capital política como artística.

Pese a la irremediable contracción política del Islam peninsular, Al-Andalus será capaz de dejar su huella artística en territorio cristiano. Así, desde el siglo XII puede hablarse de la aparición de un estilo, el *mudéjar*, cuyos efectos sobre la arquitectura y las artes menores será decisivo. Y también puede hablarse de una serie de elementos de raíz islámica (modillones de lóbulos, arco lobulado, bóvedas nervadas, etc.) que la Europa occidental recibirá a través de las rutas de peregrinación.

Los orígenes del *románico* —primera manifestación artística supranacional del Occidente cristiano— se prestan a la más amplia controversia. En cualquier caso, los reinos hispánicos no fueron ajenos al fenómeno, ya que contaban con una tradición, al menos a nivel arquitectónico (arte asturiano y mozárabe, «primer arte románico»...), no desdeñable.

A nivel de los Estados occidentales, el valle del Duero y el Camino de Santiago fueron las principales vías de transmisión, desde San Juan de Duero en Soria, pasando por las catedrales de Salamanca y Zamora, hasta la basílica de Santiago, que sigue esquemas de iglesia de peregrinación semejantes a los de San Sernín de Toulouse.

En el bloque arquitectónico oriental, es la vertiente Sur del Pirineo la que actúa de elemento de unión: desde la cripta de Leyre y la catedral de Jaca a las iglesias catalanas como San Cugat del Vallés, en donde coexisten las influencias francesas e italianas.

Desde el punto de vista de la escultura y pintura, las funciones didácticas tienen tanta importancia como las decorativas: la enseñanza al fiel iletrado de los grandes misterios de la fe, tal y como se expresan en Santa María de Ripoll, el claustro de Santo Domingo de Silos y, sobre todo, el Pórtico de la Gloria de Santiago, síntesis de lo mejor de las formas escultóricas del románico. La pintura de murales y frontales de iglesias se caracteriza por su estilización, esquematismo e hieratismo. Cataluña, en este campo, presenta una riqueza y uniformidad superiores a las de la Meseta.

* * *

Las nuevas corrientes monásticas —el Císter— imponen desde la segunda mitad del XII nuevas manifestaciones artísticas. Al lujo y ornamentación de los edificios románicos de Cluny sucede la austeridad de los difundidos por los discípulos de San Bernardo. Pero el estilo del Císter, como arte de transición, presenta algunos elementos que serán aprovechados ampliamente en el futuro: bóvedas de crucería y arcos apuntados. Los monasterios de Poblet o Alcobaça y las catedrales de Tarragona o Cuenca son la mejor expresión de este estilo a nivel peninsular.

El XIII abre las perspectivas a un estilo que en Francia ya había dado excelentes frutos: el *gótico*. Se trata de «un arte de síntesis de las técnicas de la arquitectura, de la escultura, de la orfebrería y de la vidriería, es un arte de la luz como manifestación de Dios y un arte del hombre» (Le Goff). La influencia francesa —más concretamente de la Isla de Francia— se deja sentir ampliamente en las primeras grandes manifestaciones de la arquitectura gótica en la Península: las catedrales de Burgos, León y Toledo, iniciadas entre 1221 y 1254. Obra de varias generaciones, la catedral gótica es no sólo reflejo de los cambios técnicos producidos en la arquitectura, sino también de las transformaciones sociales y mentales que ha experimentado Europa y que llegan a una equilibrada síntesis en el XIII.

6

LOS PROTOTIPOS
DE UNA PLENITUD POLITICA

La vieja supremacía —aunque sólo fuera moral— detentada por los soberanos castellano-leoneses alcanzó su cénit con Alfonso VII, que recibió el homenaje incluso de señores del otro lado del Pirineo. El «Imperium» leonés, desde entonces, dejará paso a fórmulas distintas de relación entre los diversos soberanos peninsulares. En la segunda mitad del XII, el monarca castellano Alfonso VIII levantó el vasallaje al que desde años atrás estaban sometidos los monarcas aragoneses. Las pretensiones de supremacía castellano-leonesas eran sucedidas por la coexistencia de los *Cinco Reinos* (León, Castilla, Portugal, Navarra y la confederación catalano-aragonesa) o, si preferimos la expresión de Vicéns Vives, del *tridente peninsular:* Portugal, la Corona castellano-leonesa y la catalano-aragonesa.

Los objetivos de los monarcas hispánicos son, de forma preferente, peninsulares, pero no excluyen las apetencias en otros ámbitos geográficos. Aragón —como ya hemos adelantado— mantuvo hasta fecha muy avanzada intereses en el Languedoc y Provenza. Castilla, en varias ocasiones, y por razones de entronques familiares con la monarquía inglesa, reivindicó Gascuña, aunque sin éxito. En el declive de la Plenitud medieval, Alfonso X presentará su candidatura, también con nulos resultados, al trono imperial alemán. El relanzamiento de la política exterior de los Estados hispano-cristianos sólo será posible desde fines del XIII. La Corona aragonesa, con su gran expansión mediterránea, abrirá brecha.

La realeza y sus medios de acción. El aparato administrativo

Desde el siglo XI, las monarquías «feudales» del Occidente europeo empiezan a convertirse en instrumentos políticos más viables que la pura atomización feudal o que los afanes universalistas de los emperadores alemanes.

¿Cabe hablar para la Península de la existencia de una monarquía absoluta en virtud de los amplios poderes de los que el monarca era en teoría depositario? La respuesta requeriría una serie de matizaciones.

En principio, la monarquía es una institución que se considera de *derecho divino*, en función de la procedencia divina de todo poder. En LAS PARTIDAS se dirá que «el Rey es puesto en la tierra en lugar de Dios para complir la justicia, e dar a cada uno su derecho». Pero en la práctica, las posibilidades de maniobra del rey quedaban bastante recortadas. Así, desde el punto de vista doctrinal, se siguió manteniendo la tesis de distinguir entre el rey justo y el tirano y se fue lentamente abriendo camino el principio de que el Rey recibía el poder de Dios mediatamente e inmediatamente del pueblo. Esta idea se reflejará en las monarquías peninsulares a través del *prin-*

cipio pactista, de gran fuerza en los Estados de la Corona de Aragón. En virtud de él, la monarquía era producto de un pacto entre gobernantes y gobernados, en el que los primeros se comprometían a respetar las leyes y costumbres del reino y los segundos, como contrapartida, a guardar fidelidad al rey. Desde 1265 (Cortes de Ejea) la nobleza aragonesa consigue que el Justicia de Aragón se convierta en juez de las diferencias suscitadas entre el rey y la aristocracia del país.

Desde el XI el *principio hereditario* se impone de hecho, aunque de derecho sólo acabe reglamentándose en LAS PARTIDAS. Los escollos no fueron fáciles de salvar, ya que la costumbre de los monarcas de considerar el territorio de sus Estados como algo casi patrimonial, llevó (particularmente en el caso de Castilla-León) a diversas divisiones (Fernando I, Alfonso VII) que ocasionaron serios trastornos. Dificultades que también se encontraron en otras situaciones: turbulentas minorías de monarcas como Alfonso VIII, reticencias en reconocer la autoridad de una mujer en el trono, como lo acaecido con Urraca al suceder a su padre Alfonso VI...

Los recursos militares y fiscales de las monarquías ibéricas fueron sumamente limitados.

Los *ejércitos* de la Plenitud del Medievo se nutrieron de grupos demasiado heterogéneos: señores laicos y eclesiásticos con sus mesnadas, milicias concejiles, contingentes de las Ordenes Militares, extranjeros venidos al calor de la aventura o grupos de profesionales especialistas en golpes de mano fronterizos, como los almogávares. Fonsado (guerra ofensiva) y apellido (guerra defensiva) fueron las dos modalidades de movilización. Para el siglo XIII cabe hablar del nacimiento de un importante elemento complementario que en el futuro desempeñará un importante papel: las marinas de guerra, que contaron con algunos precedentes: los esfuerzos de Gelmírez en Galicia en el XII o los de los condes de Ampurias en Cataluña, ya en el siglo IX.

Los ingresos de la *hacienda real* tardaron en adquirir la categoría de públicos. Durante mucho tiempo tuvieron un carácter demasiado privado y «feudal»: botín de guerra, ingresos provenientes del patrimonio regio, penas pecuniarias de los delincuentes (calonias), regalías sobre salinas, minas y acuñación de monedas, impuestos de aduanas herederos de los telonea romano-visigodos, ingresos de carácter señorial (yantar, mañería...), participación en algunas rentas eclesiásticas (tercias reales), etc. Conjunto de recursos éstos no muy saneados y demasiado aleatorios, dadas tanto las numerosas exenciones tributarias totales o parciales (nobles, clero, ciertos sectores del tercer estado...) como las frecuentes enajenaciones que los reyes hicieron de buena parte de sus recursos a favor de algunos magnates. La aparición en Castilla-León del Pedido o Servicio desde mediados del XII supondrá la de un tributo en principio extraordinario pero, a la larga, uno de los que tendrán un carácter público más señalado.

El *aparato administrativo* del Pleno Medievo va conociendo en los Estados hispano-cristianos un progresivo perfeccionamiento, aunque aún se esté lejos de ver a cada uno de los organismos con sus esferas de acción bien delimitadas.

Como órgano de la administración central de los Estados hispánicos, tenemos la *curia o corte* (heredera del antiguo palatium) con una gran amplitud de funciones: casa real, organismos militares supremos, cancillería, ciertas funciones eclesiásticas, alto tribunal de justicia, asesoramiento del monarca, etc.

La *administración territorial* experimenta sensibles cambios desde el siglo XI. La figura del merino cobrará una gran importancia como cabeza de circunscripciones administrativas en Castilla la Vieja (18 merindades), Navarra (cinco) y Aragón, aunque aquí con funciones más que nada fiscales. En la Corona castellano-leonesa, las grandes divisiones administrativas correspondieron a las Merindades Mayores (Castilla, León, Asturias, Galicia...), término junto al cual, desde mediados del XIII y muchas veces confundiéndose con él, aparece el de los Adelantamientos Mayores, particularmente en territorios fronterizos. Las provincias vascongadas, que se fueron incorporando a Castilla desde 1200, tendrán en fecha posterior una peculiar forma de autogobierno basada en las Hermandades de las tres regiones históricas de Alava, Vizcaya y Guipúzcoa, siendo su órgano político las «Juntas generales de hermandad», asambleas que resolvían los asuntos concernientes a la comunidad. En Cataluña, la circunscripción administrativa fue la veguería, en número de diez a fines del siglo XII. El veguer ostenta la jurisdicción civil y criminal aparte de las funciones militares. Tras su incorporación, el reino de Valencia quedó dividido en gobernaciones y éstas a su vez en justiciazgos, en torno a los principales centros urbanos.

El municipio hispánico

Las libertades municipales constituyen una conquista lograda en los reinos hispánicos a partir del siglo XI, paralelamente al renacimiento de la vida urbana. Con anterioridad, los organismos rectores de las comunidades de hombres libres (el concilium o conventus publicus vicinorum) carecían en general de personalidad jurídica pública dado su sometimiento a las autoridades de los distritos correspondientes.

A la *autonomía municipal* contribuyeron una serie de circunstancias: la aparición de mercados y colonias mercantiles dotados de estatutos de privilegio, la extensión de fueros y franquicias concedidos por los monarcas y, en definitiva, el derecho de las comunidades vecinales a elegir sus propias autoridades. El municipio se erige así en un ente con personalidad jurídica propia y con autoridad sobre un vasto término, el alfoz.

El municipio hispánico presenta una serie de matices regionales.

En los *Estados occidentales*, el municipio (concejo castellano-leonés, concelho portugués) se organiza, a grandes rasgos, de acuerdo con el siguiente esquema: un iudex o juez, como jefe político de la asamblea, varios alcaldes que le asesoran y tienen funciones esencialmente judiciales y unos jurados (dos por collacion generalmente) para, entre otras cosas, fiscalizar el funcionamiento de la economía del municipio. Por debajo quedan una serie de oficiales como el merino, almotacen, notario, alguacil, alférez, etc. Con el tiempo, en diversas localidades, la elección de los magistrados municipales, que en principio tenía un carácter popular, quedó en manos de un organismo cerrado y oligárquico: el regimiento.

En *Aragón*, los magistrados municipales —jurados— eran elegidos por las parroquias de cada lugar. Por encima de ellos estaba el justicia o zalmedina, nombrado por el rey, bien directamente, bien a propuesta (caso de Zaragoza en 1250) del propio municipio.

Algo semejante ocurre en el *municipio navarro*, en donde el Juez o Alcalde era nombrado previa intervención del concejo.

En los países de *ámbito catalán*, el municipio presenta ciertas analogías.

El de Barcelona puede tomarse como el prototipo de municipio en este área. El consell será su órgano principal, compuesto desde 1265 por cien prohoms o jurats (Consell de Cent), asesores de los cinco magistrados o Consellers, renovables cada año. Al igual que en Castilla, la oligarquía del patriciado urbano acabó copando los más importantes puestos de la administración municipal.

En los municipios valencianos y mallorquines, el batlle o justicia es el representante de la autoridad real. Los magistrados locales o jurats son asesorados por un consell, integrado, caso de Palma, por 93 miembros a los que luego se unirán representantes del ámbito rural circundante.

* * *

El desenvolvimiento de la vida local responde a los principios jurídicos plasmados en la carta de privilegios o *fuero*, concedido por el monarca o el señor a una determinada localidad. En líneas generales, el documento era la garantía para los vecinos en lo que concernía al disfrute de las tierras, el aprovechamiento de pastos comunales, la explotación de ciertos servicios en tiempos monopolio del señor, la autonomía en la administración de justicia, etc. Este conjunto de libertades (fueros, costums, franquicias) harán del municipio una de las piezas clave de la evolución histórica de la España medieval.

Lo que caracterizará a los fueros con el transcurso del tiempo será la progresiva proyección de algunos de ellos mucho más allá del ámbito que les vio nacer. Así, el fuero de Jaca se extendió incluso más allá de las fronteras políticas del reino de Aragón: hacia Estella y San Sebastián. El de Sepúlveda se convirtió en el típico derecho de frontera en las tierras de la «extremadura» aragonesa de Daroca y Calatayud. El de León se transmitió a Benavente y, desde aquí, a Oviedo, Avilés y Ribadavia...

De esta forma, a medida que se penetra en los años de Plenitud del Medievo, los reinos hispánicos, si no uniformados, presencian una cierta superación del localismo jurídico. Los monarcas del XIII tenían así el terreno abonado para la promulgación de sus grandes ordenamientos.

Hacia la uniformidad jurídica

El renacimiento del Derecho romano en el Occidente, desde mediados del XII, supuso un serio intento de superación de la atomización feudal y de la multiplicidad (matizada, como hemos indicado) de normas jurídicas locales.

A Fernando III se ha atribuido el primer intento de una *compilación legal* para uso en sus Estados... Fue el SETENARIO, que no llegó a terminar, concluyéndose bajo Alfonso X pero sin llegar a tener fuerza de ley.

Bajo este mismo monarca se hicieron otras recopilaciones: el FUERO REAL, hacia 1254, con el fin de llenar la carencia de fuero propio en algunas localidades; las LEYES DEL ESTILO que acompañan al anterior; el ESPÉCULO, que fue el libro de consulta de los juristas de la época y, en definitiva, las LEYES DE PARTIDAS, redactadas entre 1256 y 1265. Más que un tratado original, constituyen un compendio metódico en el que se recogen elementos procedentes tanto de los fueros castellano-leoneses como del Derecho canónico vigente y de las obras de los grandes jurisconsultos romanos. En ellas se estudian desde los asuntos concernientes a la fe católica (Partida I) hasta aquellos referidos al Derecho penal (Partida VII). Sobre las influencias foráneas en la redacción del Código Alfonsino, se ha jugado con una proyección de las CONSTITUCIONES DE MELFI dadas por Federico II en 1231, y con la posible colaboración de juristas boloñeses discípulos de Azón. El objetivo de Alfonso X, tal y como reza en el prólogo, era el que «se gobiernen por ellas (todos los de nuestro señorío) y no por otra ley ni por otro fuero». Objetivo ambicioso que chocó con la maraña de un ordenamiento jurídico precedente y que obligó a que LAS PARTIDAS no pudiesen ser sancionadas como ley común hasta muchos años después de la muerte del Rey Sabio.

De los Estados orientales, *Cataluña* conoció importantes compilaciones, como las de las Cos-

TUMBRES de Lérida (1229), Tortosa y, sobre todo, las generales del Príncipado, que acometió Pere Albert en el reinado de Jaime I.

La resistencia a la adopción de normas jurídicas romanizantes fue más fuerte en *Aragón* y Navarra. En el primero de estos reinos, Jaime I encargó al obispo de Huesca, Vidal de Canellas, una COMPILACIÓN en la que quedó plasmado el Derecho tradicional aragonés sin que se encuentren recogidos elementos procedentes del Derecho romano. La fuerte oposición de la nobleza del reino parece que actuó como determinante en la orientación dada a esta colección. Era, dice Lalinde, el triunfo de una «foralidad militar, impuesta por el grupo social dominante de los barones, ricos-hombres, infanzones y caballeros».

Navarra siguió un camino semejante: el FUERO GENERAL, en el que se recogen numerosos arcaísmos, parece más una compilación privada que el producto de la iniciativa de unos poderes públicos influidos por un romanismo progresivamente imperante en Europa.

Los comienzos de las Cortes

En 1188, en la Curia regis reunida en León, los magnates, que hasta entonces habían monopolizado este organismo, aparecen «cum electis civibus ex singulis civitatibus», convocados por el monarca Alfonso IX. Por primera vez en un Estado hispánico la burguesía hace acto de presencia en los organismos del poder.

¿Madurez política de esta clase social? ¿Deseos por parte de los burgueses de fiscalizar una política monetaria regia que se les antojaba perjudicial, como sugiere Sánchez Albornoz? ¿Cumplimiento por parte del tercer Estado del deber de consilium hacia su señor como sugiere Pérez Prendes? En cualquier caso, el hecho es de una trascendencia extraordinaria. Unos años más tarde estos pasos serán seguidos por Castilla, cuyas *Cortes* pronto se fundirán con las leonesas al unirse definitivamente ambos reinos. Para Portugal se ha tomado la fecha de 1254 (Cortes de Leiría). Para la Corona de Aragón se han dado las fechas de 1218 (Cataluña), 1274 (Aragón), 1283 (Valencia). Las de Navarra surgirán en 1300.

La *constitución de las cortes* es muy semejante en todos los Estados hispánicos: tres brazos que representan a la nobleza, el clero y el estado llano. En Aragón serán cuatro, ya que la nobleza se desglosa en ricos-hombres y caballeros. Su delimitación se encuentra más marcada en la Corona aragonesa que en Castilla-León. Por otro lado, si en la Corona castellana las Cortes tienen unas funciones eminentemente consultivas y de votación de subsidios, en la confederación aragonesa las facultades judiciales y legislativas están más definidas: las Cortes juzgan los agravios del rey o sus oficiales por los contrafueros cometidos, y sólo se consideran leyes (constitucions, capitols de cort catalanas) aquellas que habían sido aprobadas o propuestas por los brazos. Desde fines del XIII, las Cortes de los Estados de la Corona de Aragón dispondrán de un organismo —la Diputación— integrado por miembros de los distintos brazos, encargado, una vez disuelta la asamblea, de velar por el cumplimiento de los acuerdos tomados.

En cuanto a la periodicidad de reunión, existió una tendencia (particularmente para Aragón y Cataluña desde 1283) a que las Cortes se reunieran anualmente. Para Castilla-León, las convocatorias aparecen más espaciadas.

Sin llegar a las triunfalistas conclusiones de un Martínez Marina, a comienzos del pasado siglo, que vio equivocadamente en las Cortes medievales una asamblea representativa del cuerpo social —la masa campesina no estaba representadas en ellas—, es necesario ver en la participación burguesa un contrapeso a la prepotencia nobiliaria. La monarquía castellana, por ejemplo, tendrá en las villas y ciudades representadas en las Cortes uno de los más decididos apoyos en los momentos —minoridades de monarcas, por ejemplo— de más grave turbulencia.

7

LOS REINOS HISPANICOS EN EL TRANSITO A LA BAJA EDAD MEDIA: HACIA NUEVAS ORIENTACIONES POLITICAS

En torno a 1300 se llevan a cabo algunas *rectificaciones de fronteras* (acuerdo castellano-portugués de Alcañices, acuerdo castellano-aragonés de Agreda) por los que los límites entre los distintos Estados hispano-cristianos quedan fijados de forma prácticamente definitiva. La Reconquista, en el sentido de ocupación de amplios espacios, queda detenida en estos años. La política de las monarquías ibéricas va a quedar marcada por otras directrices: la pugna entre nobleza y monarquía, crecida aquella por los beneficios cuantiosos recibidos en los últimos tiempos, y la intervención —caso aragonés— en las grandes decisiones de la política internacional.

Castilla: la batalla del Estrecho y la revuelta de la nobleza

Alfonso X muere en 1284 dejando una pesada herencia. En primer término, una *cuestión sucesoria* de compleja solución: disputa entre su heredero y segundogénito Sancho y sus nietos (hijos del difunto primogénito Fernando) los infantes de la Cerda. La guerra civil que se cernió sobre la Corona castellana se vio favorecida desde el exterior, dada la protección de Aragón a los infantes, y desde el interior, en donde los más importantes linajes se aprestaron a sacar partido de las dificultades de la monarquía.

Pero otro fue también el peligro para la realeza castellana: la *frontera de Granada*, desde donde nazaríes y benimerines realizaron profundas correrías hasta el interior de los territorios recientemente conquistados.

Durante su breve reinado, sin embargo, Sancho IV dio grandes muestras de energía. La nobleza fue aquietada tras la violenta eliminación de uno de sus principales representantes, Lope Díaz de Haro. Para conjurar el peligro islámico, se llegó a un acuerdo con Aragón (Monteagudo, 1291) por el que se fijaba un reparto de futuras influencias en el Norte de Africa, poniendo el río Muluya como divisoria. Proyecto irrealizable por lo demás. Las armas castellanas hubieron de limitarse a conquistar Tarifa, pieza sin embargo clave para el control del Estrecho.

Los años inmediatos a la muerte de Sancho IV (1295) suponen un peligroso momento de inestabilidad, marcado por las *minoridades* de su sucesor Fernando y de su nieto Alfonso XI. En ambas ocasiones, la nobleza volvió a intentar un asalto al poder. Y, en ambas ocasiones también, la regente, Doña María de Molina, supo, apoyándose en el estamento popular y en algunos sectores de la pequeña nobleza, conjurar el peligro. Cuando las Cortes de Valladolid de 1325 declaran mayor de edad a Alfonso XI se inicia un serio proceso de apuntalamiento político de la monarquía.

El nuevo soberano procedió con gran energía

frente a la turbulenta nobleza, utilizando tanto los medios expeditivos (contra el infante Don Juan el Tuerto o Alvaz Núñez de Osorio) como los diplomáticos (frente a Don Juan Manuel o Don Alfonso de la Cerda) para neutralizar su poder.

Pero la obra de Alfonso XI arrojó otro saldo positivo. En el *interior*, procedió a dar pasos importantes para la centralización del poder. En este sentido, fue decisiva la reunión de Cortes de Alcalá en 1348, en donde es posible que LAS PARTIDAS fuesen ya tomadas como instrumento legal básico y fundamento jurídico sólido de la monarquía. Los municipios castellanos, que gozaban de una amplia autonomía, empezaron a verse mediatizados por la autoridad real, que dará un importante paso en el nombramiento de oficiales para fiscalizar su actuación: pesquisidores, veedores, corregidores...

Cara al *mundo islámico*, Alfonso XI acometió una política sumamente acertada: en 1330 se ocuparon algunas plazas fronterizas del reino de Granada (Pruna, Ayamonte, Teba...), lo que obligó al monarca nazarí a estrechar su alianza con el soberano benimerín Abul-Hasan. El castellano hizo lo propio con su colega portugués, cuando un gran ejército africano cruzó el Estrecho. El encuentro decisivo tuvo lugar a orillas del río Salado (1340) y se resolvió con un gran éxito cristiano. Alfonso se aprestó a sacar partido de la victoria presionando de nuevo en la frontera granadina y, sobre todo, poniendo cerco a Algeciras con la colaboración de los marinos genoveses. La plaza cayó en 1344. En los años siguientes se puso sitio a Gibraltar, pero la peste —que se cobró una de sus víctimas en el monarca castellano— obligó a levantar el asedio. Sin embargo, la retención de Tarifa y Algeciras en manos castellanas resolvía la «batalla del Estrecho» a favor de los cristianos. El peligro africano parecía definitivamente conjurado.

Portugal: la afirmación de la autoridad monárquica

El reinado de Don Dionís (1279-1325) coincide con el momento culminante de la historia portuguesa en el Medievo. Concluido el proceso reconquistador en territorio lusitano, la monarquía portuguesa se afanará por hacer valer su *autoridad* frente a una nobleza y una iglesia cuyo poder no había dejado de crecer en los años anteriores.

Al igual que sus colegas castellanos, Don Dionís se apoyará en el tercer estado como elemento estabilizador. De ahí el despliegue en la protección a la agricultura (el monarca será el «rei lavrador»), al comercio (privilegios a las «feiras francas» de Braga, Lisboa, Coimbra, Viana, etc.), a los concelhos, muchos de ellos con un fuerte resabio de ruralismo, etc. Incluso, en la línea de los soberanos de Castilla y Aragón, Portugal contará con una flota de guerra propia a partir de 1317 en que un genovés, Manuel Pezagno, recibirá el título de almirante. Monarca preocupado por la cultura como su abuelo Alfonso X, Don Dionís —será también el «rey poeta»— será un enamorado de la lírica de origen provenzal y el promotor de la Universidad de Lisboa, trasladada posteriormente a Coimbra.

Las diferencias suscitadas entre Don Dionís y su heredero Alfonso, temeroso del favor que alcanzaba en la corte la numerosa prole de bastardos del «rei lavrador», no fueron obstáculo insalvable para que al subir al trono este último en 1325 la política de afianzamiento del poder real prosiguiera. Siguiendo una línea de conducta parecida a la de su homónimo y contemporáneo castellano-leonés, Alfonso IV (1325-57) procedió a limitar no sólo la fuerza de la nobleza, sino también la autonomía de los concelhos mediante el establecimiento de juizes da fora y corregedores. Han sido, sin embargo, razones de índole sentimental las que han dado a este monarca una imagen más conocida: su enérgica actitud para acabar con las relaciones entre su heredero y su amante Inés de Castro. El fruto de ellas —los infantes Don Juan y Don Dionís— habrá de convertirse en bandera de propaganda en los conflictos civiles que sacudan al país lusitano en el futuro.

La Corona de Aragón: expansión mediterránea y revuelta de la nobleza

El 29 de marzo de 1282 estalló la sangrienta rebelión de las Vísperas Sicilianas contra la dominación angevina. Los rebeldes procedieron a ofrecer el trono de la Isla a Pedro III de Aragón, como depositario —por parte de su esposa— de los derechos que los Staufen habían ostentado en buena parte de Italia. A fines de agosto, el monarca catalano-aragonés desembarcaba en Trápani. «La revolución siciliana —dice Runciman— era ya una guerra europea.» En los meses siguientes, la flota catalana, mandada por el napolitano Roger de Lauria, y las fuerzas de tierra —los temibles almogávares— se hacían dueños de la situación. *Sicilia* pasaba a engrosar los dominios de la Corona catalano-aragonesa.

El conflicto introdujo al reino de Aragón en los entresijos de la gran política internacional y provocó la animadversión de los pontífices, que no dudaron en emplear contra él el ya gastado expediente de la cruzada a fin de apoyar la debilitada posición de los angevinos. Todo fue inútil. Cuando Pedro III muere en 1285, la dinastía de condes-reyes catalanes ha echado raíces en Sicilia. Si en los años sucesivos la unión personal no fue ni mucho menos una constante —Aragón, Cataluña y Valencia bajo un monarca, Mallorca y Rosellón bajo otro, Sicilia con un tercero diferente—, la solidaridad de intereses era muy fuerte. La rama mayor catalano-aragonesa será la que marque la pauta.

Con Jaime II, el papel del rey de Aragón puede calificarse de hegemónico. Algunos acuerdos políticos (Anagni, Caltabellota...) fueron liquidando el contencioso con la casa de Anjou, cuya esfera de acción quedó limitada al reino de Nápoles. Las dificultades del reino castellano permitieron a Jaime II incorporar la zona de Alicante a sus Estados. El ya mencionado acuerdo de Monteagudo para el «reparto» del *Norte de Africa* fue para Aragón la ratificación de una política de penetración económica en la zona de Túnez, Bugía y Tremecén. Y, en definitiva, bajo el reinado de Jaime II y de su hermano Fadrique de Sicilia, tuvo lugar la portentosa aventura de los *almogávares en Oriente*. El cronista Muntaner nos dejó una viva descripción de lo que fue una campaña en la que se mezclaron el heroísmo, la traición y la brutalidad. Al servicio primero del emperador de Bizancio y después de algunos señores francos de Grecia, enfrentados muchas veces sus jefes en feroces rivalidades, la Compañía catalana acabará, con su victoria en el río Cefis (1311), creando en Grecia dos nuevos Estados catalanes: los *ducados de Atenas y de Neopatria*.

El último gran esfuerzo, y el más costoso también, fue la ocupación de la isla de *Cerdeña*. Al carácter indómito de sus habitantes se unió la fuerte hostilidad de los grandes clanes de Doria, Arborea, Malaspina..., atizados por pisanos y, sobre todo, por genoveses. La conquista de Cerdeña habría de dar paso a la gran rivalidad entre Génova y Barcelona como potencias económicas en el Mediterráneo occidental. La ocupación de la Isla por Jaime II se reveló puramente ficticia, ya que, en los años sucesivos, los repliegues de las fuerzas catalanas a las grandes bases de Cagliari, Sassari o Alghero fueron frecuentes.

Tras el reinado de Alfonso «el Benigno» (1327-36), la Corona de Aragón contó con un soberano dotado de prodigiosas cualidades: Pedro IV «el Ceremonioso», cuyo dilatado gobierno se extendió hasta 1387. Habilísimo político, su actitud cara al Mediterráneo había de estar marcada por una política de *reintegración* a la rama madre peninsular de los Estados dispersos de la dinastía catalana. Sobre Cerdeña prosiguieron las operaciones militares con variada fortuna, llegándose sólo en 1385 a un acuerdo honorable con los rebeldes. En Sicilia, gracias a una acertada política matrimonial, se echaron las bases para una futura incorporación a la Corona aragonesa. Pero el gran éxito de Pedro IV fue la recuperación del reino de Mallorca. Utilizando alternativamente la fuerza y las manipulaciones jurídicas, el soberano aragonés logró la incorporación del Rosellón, la Cerdaña y el archipiélago balear, después de la derrota en Luchmayor (1349) del último monarca independiente mallorquín Jaime III. Los dominios de la casa de Barcelona pasaban, según Muntaner, a semejar una gran mata de junco cuya fuerza venía dada por la estrecha ligazón entre cada una de sus piezas.

* * *

Desde 1283 a 1348, la situación interior fue, sin embargo, para los monarcas catalano-aragoneses, sumamente difícil. Con su fuerza creciente, la *nobleza aragonesa* fue capaz de arrancar a Pedro III el llamado Privilegio General, por el que la autoridad real veía recortadas sus facultades cara a la aristocracia. Algunos años después, Alfonso III hubo de suscribir otro documento —el Privilegio de la Unión— que supuso una auténtica humillación. Los monarcas, en lo sucesivo, no podrían proceder contra la oligarquía sin sentencia del Justicia y consentimiento de las Cortes. Estas, además, serían quienes designasen los consejeros del rey para el gobierno de Aragón, Valencia y Ribagorza.

La Unión aragonesa se mantuvo relativamente apaciguada en los años sucesivos, hasta que Pedro IV se hizo con las riendas del poder. Las previsiones sucesorias del monarca encendieron la chispa de la guerra entre los unionistas y el rey.

Los unionistas aragoneses y valencianos no consiguieron, sin embargo, mantener la cohesión. Pedro IV, humillado al principio, se tomó la revancha apoyado en los catalanes y en algunas villas aragonesas. Los rebeldes fueron derrotados en Epila (1348), el PRIVILEGIO DE LA UNIÓN fue destruido personalmente por el rey y la represión se desató contra la alta nobleza. La autoridad monárquica —al igual de lo que estaba sucediendo en Castilla en aquellos momentos con Alfonso XI— parecía consolidada en Aragón. No fue ello obstáculo, sin embargo, para que el PRIVILEGIO GENERAL se siguiera manteniendo y el papel del Justicia siguiese siendo de gran importancia.

Navarra: una difícil independencia

Desde 1276 (toma del burgo pamplonés de la Navarrería por el ejército francés) a 1329, *Navarra* vive como un auténtico apéndice de la monarquía Capeto. Los monarcas franceses del momento (Felipe IV, Luis X, Juan I, Felipe V y Carlos IV), casi todos de muy breve reinado, lo fueron también del reino de Navarra.

A la muerte de Carlos IV (I en Navarra), sin descendientes varones, sobre Francia se impuso el criterio de la llamada «ley sálica» que, marginando a la descendencia femenina, permitió el acceso al trono de Felipe de Valois, un miembro de la alta nobleza pariente lejano del difunto monarca. Los navarros, sin embargo, no admitieron la vigencia de tal disposición y reconocieron los derechos de Juana, hija de Luis X, casada con

Felipe de Evreux (III de Navarra), que entronizó en el país una nueva dinastía. A lo más que pudo aspirar en los años de su reinado fue a mantener —con éxito, por otra parte— una política de equilibrio entre los dos grandes bloques peninsulares.

CUARTA PARTE

LA BAJA EDAD MEDIA (1348-1492) (TENSIONES DE UN MUNDO EN TRANSFORMACION)

1

LOS REINOS HISPANICOS
Y LAS LINEAS MAESTRAS DE
LA POLITICA INTERNACIONAL

Conflictos internacionales antiguos (lucha por la supremacía en el Mediterráneo) y modernos (Guerra de los Cien Años) inciden en la evolución política de la España bajomedieval. Junto a ellos nos encontramos con la pugna por el ejercicio de la hegemonía en la propia Península. A pesar de sus dificultades internas, Castilla será, por su mayor potencia, quien acabe imponiéndose.

La pugna por la hegemonía peninsular.
La «guerra de los dos Pedros»

En 1356 estalla la guerra entre las Coronas de Castilla y Aragón. Pedro IV «el Ceremonioso», en la cima de su poder en aquellos años, hubo de enfrentarse con su homónimo castellano Pedro I «el Cruel». Este había heredado de su padre Alfonso XI unos Estados sólidamente organizados. El nuevo monarca, sin embargo, por su carácter violento e inestable, lindando en la locura, habría de enemistarse con poderosas fuerzas —una oligarquía nobiliaria encabezada por sus hermanos bastardos— que vieron en la guerra con Aragón la ocasión propicia para frenar el despotismo real.

La *guerra de los dos Pedros*, como se acostumbra a denominar al conflicto castellano-aragonés, mostró en todo momento la superioridad castellana. En profundas incursiones, las fuerzas de Pedro I lograron tomar importantes plazas como Daroca y Calatayud, saquearon la región de Orihuela y —lo que era más grave para sus rivales— razziaron con sus naves el litoral levantino, atacando a la propia Barcelona. Pedro IV, para contrarrestar su inferioridad, echó mano de diversos expedientes: la ayuda a Enrique de Trastámara, hermanastro del rey castellano, la periódica suscripción de treguas que permitiesen algún respiro y, sobre todo, el apoyo internacional. Esta última circunstancia iba a convertir una guerra por la supremacía peninsular en el apendice del gran conflicto internacional conocido como Guerra de los Cien Años.

La guerra civil castellana y la Guerra de los Cien Años

En 1360 la Francia de los Valois había suscrito con Eduardo III de Inglaterra la humillante paz de Bretigny. Ascendido al trono francés Carlos V (1364), pensó desde un principio en tomarse la revancha. Para la diplomacia francesa era imprescindible la búsqueda de aliados en el exterior. Aragón —Pedro IV lo había intentado— podía ser una baza, aunque su debilitamiento en el choque con Castilla era notorio. La jugada maestra sería el desplazamiento del trono castellano de Pedro I, proclive a la anglofilia, y su sustitución por su hermano bastardo Enrique de Trastámara, hasta entonces cabeza del turbulento estamento nobiliario.

Pedro IV, acosado, actuó intensamente para acelerar esta política. El instrumento para combatir a Pedro «el Cruel» serían las terribles Compañías Blancas acampadas en Francia y que, en paro forzoso por la paz de Bretigny, constituían una auténtica plaga.

A fines de 1365 Enrique de Trastámara y Beltrán du Guesclin, al frente de un heterogéneo ejército, entraron en la Península. Las plazas aragonesas ocupadas por Pedro I fueron rescatadas. El Trastámara entró sin dificultad en Castilla en donde recibió el apoyo masivo de la nobleza, se coronó rey en las Huelgas de Burgos y reunió Cortes en esa misma ciudad.

Pedro I no se dio fácilmente por vencido. Huido a Bayona, suscribió un acuerdo con el heredero inglés Eduardo de Gales (el «Príncipe Negro»). A cambio de apoyo militar, el monarca castellano se comprometía a entregar a Eduardo Vizcaya y a Carlos II de Navarra, Guipúzcoa, Alava y algunas plazas de la Rioja. La *guerra civil* entre los dos hermanos se internacionalizaba irremisiblemente. A principios de 1367, Eduardo de Gales cruzó los Pirineos y se encaminó hacia la Rioja. En Nájera chocó con las fuerzas de Enrique de Trastámara, que sufrieron un serio descalabro. Los vencedores no supieron aprovechar la victoria. Pedro I volvió a mostrar su incapacidad como gobernante. Su aliado, el «Príncipe Negro», se retiró al ver la imposibilidad de pagar a sus fuerzas y de cobrarse las recompensas territoriales prometidas por «el Cruel».

Carlos V aprovechó tan magnífica ocasión. Volvió a ofrecer su apoyo a Enrique de **Trastámara**, que regresó a Castilla. La guerra civil volvió a encenderse. El pretendiente suscribió con el monarca francés un *acuerdo* (Toledo 1368) que sería la pieza clave de una futura estrecha colaboración. El obstáculo principal, Pedro I, sería eliminado en los meses siguientes en Montiel, en donde el bastardo y el legítimo saldarían sangrientamente cuentas pasadas. La *victoria de Enrique de Trastámara*, rematada por un fratricidio, era —y ello habría de pesar en el futuro— la del estamento nobiliario sobre el autoritarismo real. Pero también era una victoria diplomática inestimable para Carlos V de Francia.

El eje franco-castellano y la crisis sucesoria portuguesa

La tarea más urgente de Enrique II, una vez ascendido al trono castellano, fue la de reprimir los focos de resistencia petrista (Zamora, Carmona, algunas localidades de Galicia) y la de romper el *cerco diplomático* a que le sometieron los restantes Estados peninsulares. Los acuerdos de Alcoutim con Portugal y Alcañiz con Pedro IV lograron reafirmar la superioridad castellana a nivel peninsular.

El siguiente objetivo de la dinastía trastámara fue el dar cumplimiento a los acuerdos de ayuda militar a Carlos V de Francia. El *eje franco-castellano* se reafirmaba así, tanto más cuanto un príncipe inglés —Juan de Gante, duque de Lancaster—

mantenía, como yerno de Pedro I, pretensiones a la Corona castellano-leonesa.

En Francia, Du Gueslin, elevado a condestable, llevó a cabo una serie de operaciones militares en tono menor contra los ocupantes ingleses. Pero el hecho de armas decisivo corrió a cargo de la *flota castellana,* que causó una decisiva derrota a la británica a la altura de La Rochelle en junio de 1372. Suponía ello el comienzo de la hegemonía naval castellana en las rutas del Canal y del Golfo de Vizcaya. En tierra también, los ingleses y sus eventuales aliados perdieron por completo la iniciativa. Una cabalgada del duque de Lancaster a través de toda Francia, con intención de penetrar luego en Castilla, acabó en un rotundo fracaso. Las intentonas de Carlos II de Navarra por sacudirse la semitutela castellana corrieron un destino semejante.

Los últimos años de vida de Enrique II y los primeros de gobierno de su sucesor, Juan I, conocieron el apogeo de las incursiones navales castellanas, que alcanzaron la zona portuaria del Sur de Inglaterra e incluso el propio estuario del Támesis.

* * *

El desquite inglés frente a la prepotencia castellano-francesa vino en la década de los ochenta. Portugal se convertirá en el nuevo campo de batalla de la Guerra de los Cien Años.

En 1383, moría el último monarca de la dinastía de Borgoña, Fernando, viejo rival de la casa de Trastámara. Juan I de Castilla se aprestó a solicitar para su esposa Beatriz, hija del difunto, la

Corona lusitana. Lo que en principio podía parecer un simple *pleito dinástico* acabó convirtiéndose en una verdadera guerra nacional contra la posible absorción del reino portugués por Castilla. Guerra nacional que fue acompañada de algunos tintes —los datos recogidos por el cronista Fernao Lopes son significativos— auténticamente revolucionarios.

Del lado de Juan I se situó la alta nobleza lusitana. Frente a él, la burguesía, legistas y bajo pueblo, que dudaron entre reconocer los derechos al trono de un hijo de Pedro I de Portugal e Inés de Castro, el infante D. Juan, o apoyar las pretensiones de otro hijo bastardo de este monarca, también llamado Juan, maestre de Avis. La brillante defensa llevada a cabo por éste en Lisboa frente a las fuerzas castellanas hizo que la mayoría de la opinión portuguesa se inclinase hacia él. Así, las Cortes, reunidas en Coimbra, acabaron reconociéndole como rey (Juan I de Portugal) el 11 de abril de 1385.

En los meses siguientes el gobierno inglés, controlado por el duque de Lancaster, vio en Portugal una excelente baza a jugar para debilitar el eje militar franco-castellano. Un cuerpo de arqueros británicos reforzó a las fuerzas del novel monarca lusitano en el momento en que Juan I de Castilla se dispuso a iniciar una nueva ofensiva. El choque decisivo tuvo lugar el mes de agosto en *Aljubarrota.* La caballería castellana sufrió un descalabro total, que trajo como resultado la consolidación de la casa de Avis en el reino lusitano.

Para el duque de Lancaster, la derrota del Trastámara en suelo portugués supuso una nueva oportunidad para reclamar sus viejos derechos al trono castellano. A fines de julio de 1386, en efecto, un cuerpo de ejército inglés desembarcó en Galicia. No pudo, sin embargo, forzar la línea defensiva Valencia de Don Juan-Benavente. La peste, la falta de coordinación con sus aliados portugueses y la solidaridad que las ciudades castellano-leonesas mostraron hacia la casa de Trastámara (Cortes de Valladolid y de Segovia) hicieron comprender al inglés la inutilidad de sus proyectos. Los propósitos franceses de volcarse en apoyo de Castilla forzaron a todos los contendientes a buscar una solución negociada. Esta quedó plasmada en las *treguas* suscritas en Bayona y Leulinghen. El duque de Lancaster renunciaba a la Corona castellana a cambio de una sustanciosa renta y del compromiso matrimonial de su hija Catalina con el heredero castellano Enrique. Inglaterra, Francia, Escocia y Portugal eran invitadas a suscribir unos acuerdos de interrupción de hostilidades en el Occidente.

Liquidados así los contenciosos portugués y castellano, Europa iba a vivir el más largo período de tregua de los habidos durante la Guerra de los Cien Años.

El Mediterráneo y el Atlántico en la política externa de los reinos hispánicos a lo largo del siglo XV

Bajo los sucesores de Pedro el Ceremonioso la política mediterránea alterna con las veleidades continentalistas. Con Juan I, de carácter pacifista y protector de los artistas y poetas, Aragón se ale-

273

jó de la política guerrera. Atenas cayó en manos de los señores florentinos Acciajuoli.

Con Martín el Humano se trataron de subsanar estos errores. Sicilia fue sometida a la autoridad de su hijo Martín el Joven. Este mismo príncipe encabezará una gran expedición para acabar con la endémica *rebelión sarda.* El resultado fue brillante: el 30 de junio de 1409 las fuerzas de la Corona de Aragón obtenían una aplastante victoria en San Lurí. Cerdeña quedaba definitivamente pacificada.

La extinción de la casa de Barcelona a la muerte de Martín el Humano y la *entronización de la dinastía castellana de los Trastámara* (compromiso de Caspe de 1412) no paralizaron el empuje mediterráneo de la Corona de Aragón. Alfonso V el Magnánimo (1416-1458) vivió casi toda su vida alejado de sus reinos hispánicos, fuertemente atraído por los ensueños políticos italianos. Vicens Vives le calificó de «apátrida mediterráneo».

Aseguradas Sicilia y Cerdeña, las miras de Alfonso se dirigieron a *Nápoles.* La volubilidad de su soberana, Juana II, que primero adoptó al aragonés para luego rechazarle; el complejo panorama interno napolitano con sus feroces luchas banderizas y, en definitiva, la enemiga de algunas ciudades italianas, en especial Génova, fueron obstáculos con los que Alfonso V hubo de enfrentarse. Ellos hicieron que la conquista del reino de Nápoles fuera una operación lenta, marcada sucesivamente por avances y retrocesos. Entre éstos, la derrota de Ponza (1435) en la que el soberano aragonés y un buen número de sus barones cayeron prisioneros de los genoveses. Al fin, en 1442, Alfonso V hacía su entrada en Nápoles.

Hasta su muerte en 1458, el Magnánimo sintió un fuerte atractivo por el *Mediterráneo oriental*. Los avances de los turcos otomanos que tomaron Constantinopla en 1453 eran una llamada de aviso. En la mente del aragonés surgió la tentación de una posible cruzada. Sin embargo, a todo lo más que se llegó fue a fortificar algunas posiciones del Adriático (castillo de Castellorizo) y a recibir el homenaje de Jorge Castriota (Scanderbeg), el héroe de la resistencia antiturca en Albania.

Las magnas empresas mediterráneas quedaron además disminuidas por dos hechos: la paz de Lodi de 1454, por la que los Estados italianos, Nápoles incluido, se comprometían a respetarse mútuamente; y la muerte de Alfonso V, en cuyo testamento separaba Nápoles (entregado a un hijo natural) de los restantes dominios de la Corona de Aragón.

* * *

Las treguas de Leulinghen abrieron para Castilla y los demás suscriptores un período de relativa calma en el Atlántico Norte. Sin embargo, ello no fue obstáculo para que las naves castellanas siguieran dejando sentir su peso en las *rutas del Canal* y mantuviesen un duelo con los marinos británicos que trataban de obstaculizarlas. La Crónica EL VICTORIAL nos ha reflejado las hazañas del almirante castellano Pero Niño, conde de Buelna, en éste y otros teatros de operaciones. Sin embargo, cuando las hostilidades se reanuden en suelo francés, desde la victoria de las armas inglesas en Azincourt (1415), el papel de la Corona castellana —sus problemas internos son demasiado graves en estos momentos— en esta segunda fase de la Guerra de los Cien Años será sumamente limitado. La colaboración militar activa con la casa de Valois era ya algo del pasado.

El *Mediterráneo* en estos años fue objeto también de atención de los marinos castellanos. Cartagena experimenta un fuerte impulso mercantil y los marinos vascos dejan sentir una activa presencia. Enrique III de Castilla tampoco fue insensible al peligro turco. De ahí el intento de alianza —fracasado a la postre— con el soberano mongol Tamerlan, cuyos detalles nos dejó recogidos Ruy González de Clavijo en un inolvidable libro de viajes.

* * *

La gran novedad de la política expansiva será, sin embargo, el *Atlántico Sur*. Desde 1402, un grupo de caballeros normandos al mando de Juan de Bethencourt ocupaba algunas de las Canarias en nombre del rey de Castilla. Trece años después, y con mucha más fortuna, la casa de Avis inicia (toma de Ceuta) su brillante política africana.

El principal agente de ella en la primera etapa será el infante Enrique, hijo menor de Juan I de Avis. Mezcla de idealismo, cálculo político e interés económico, el infante irá dirigiendo desde su cuartel general de Sagres un conjunto de expediciones que colocarán a Portugal a la cabeza de la política descubridora. La aplicación de una serie de innovaciones de técnica naval, que se sintetizarán en la carabela, la labor de geógrafos y cartógrafos y la «política de sigilo» mantenida por el infante harán posible la consecución de los grandes objetivos expansivos, que para Chaunu eran: la tierra, el oro, la sed de conocimientos, el espíritu de cruzada y la creación de una ruta de las especias exclusivamente cristiana.

Cuando Don Enrique muere en 1460 se han ocupado los archipiélagos de las Azores, Cabo Verde y Madeira y las carabelas lusitanas se aproximan a la línea del Ecuador. En los años siguientes, el periplo africano alterna con nuevos intentos de penetración en Marruecos: Alfonso V de Portugal tomará Tánger en 1471, tras una serie de intentos fracasados. Su sucesor Juan II mandará construir la gran fortaleza-factoría de San Jorge de la Mina en Costa de Oro y dará un nuevo impulso a la navegación africana: Diego Cao alcanzaba la desembocadura del Congo en 1485 y dos años más tarde Bartolomé Dias doblaba el Cabo de las Tormentas. En el mismo año, dos viajeros, Covilha y de Paiva, intentaban por la ruta Mediterráneo-Mar Rojo-Aden hasta la India y Abisinia, jalonar el itinerario de los mercaderes árabes y conectar con el mítico Preste Juan de las Indias.

Las ventajas portuguesas en la política descubridora no se lograban, sin embargo, sin la competencia castellana. Competencia que se agudizará en los años siguientes y que obligará a buscar soluciones de compromiso.

2

SOCIEDAD Y ECONOMIA EN LA BAJA EDAD MEDIA ESPAÑOLA: LAS ESTRUCTURAS DE UN MUNDO EN TRANSFORMACION

Las dificultades políticas por las que atraviesa Europa en general y los reinos hispánicos en particular a lo largo de los siglos XIV y XV forman parte de un más amplio contexto histórico: la crisis general que se cierne sobre la sociedad del Medievo.

Desde los más diversos ángulos de la investigación histórica ha ido acrecentándose en los últimos tiempos el interés por el estudio de un fenómeno genéricamente bautizado como el de «crisis de la sociedad feudal». Tal concepto admitiría sin duda amplios matices, pero lo que parece indiscutible es que en la Europa de los siglos XIV y XV, a través de múltiples dificultades, se advierten tanto los síntomas de desintegración del mundo configurado en los años anteriores, como los primeros destellos de la Modernidad.

Los problemas demográficos

De las grandes catástrofes documentadas para el siglo XIV, ninguna sin duda tan llamativa como la referida a la *regresión demográfica*. ¿Mortalidad resultado de prolongados períodos de malas cosechas debidas a cambios microclimáticos? ¿Incidencia de los dilatados conflictos bélicos? ¿Impacto de oleadas epidémicas particularmente graves? Son factores no desdeñables, particularmente el último.

¿Hasta qué punto las transformaciones demográficas afectaron a los Estados peninsulares?

Para la *Corona de Aragón* —la más afectada por el impacto— los efectos se dejaron sentir especialmente en Cataluña. El 1333 fue el «mal any primer», caracterizado por una grave crisis alimentaria. La oleada de peste negra de 1348 afectó al Principado con especial crueldad. Aún hubo otros brotes en años sucesivos. El despoblamiento llegó a niveles del 68 por 100 en la Plana de Vich y al 50 por 100 en Valencia y Zaragoza. Desde fines del XIV se va dejando sentir una recuperación demográfica que hará que Valencia, Aragón y Mallorca alcancen e incluso rebasen levemente las cifras de población del 1300. No así Cataluña, que —uno de tantos síntomas de su decadencia generalizada— contará a fines del cuatrocientos con una población sensiblemente menor a la de dos siglos atrás. Así, Barcelona, que contaba en 1340 con 50.000 habitantes, no alcanza los 30.000 a fines del siglo XV. Al entrar en la Modernidad, la confederación catalano-aragonesa no debía de rebasar el millón de habitantes.

* * *

La *Corona de Castilla*, el otro gran Estado peninsular, se vio menos afectado por la crisis demográfica. La peste negra será también para ella el «aldabonazo final» (Valdeón) de toda una serie de dificultares que se habían padecido desde fines del siglo XIII. 1350 fue un año particularmente doloroso. En los sucesivos se dejarán sentir una serie de sacudidas epidemiológicas, algunas tan generalizadas como la de 1400. Las guerras y dificultades internas en general fueron particularmente calamitosas para un proceso de restauración demográfica que se va produciendo lentamente, a lo largo del siglo XV, hasta recuperar la cifra de 4,5 millones de habitantes que los territorios de la Corona debían tener hacia 1300. Aunque la masa de población sea esencialmente rural, se aprecia (García de Cortázar) una «reducción del número de núcleos habitados y el aumento del peso específico de la población urbana». El caso de Sevilla, que duplica su cifra de población a lo largo del siglo XV, es significativo.

* * *

Mudéjares, y sobre todo *judíos*, constituirían dos minorías cuyas dificultades no dejarán de crecer a lo largo de la Baja Edad Media. El equilibrio entre las comunidades étnico-religiosas quebró estrepitosamente a partir de los feroces pogroms de 1391, que afectaron a los Estados peninsulares. Los 70.000 judíos de la Corona aragonesa y los 300.000 de la castellana —siempre cifras aproximadas— se verán fuertemente afectados tanto por las periódicas sacudidas antisemitas como por las numerosas deserciones que hacia el campo cristiano se irán produciendo en estos años.

El medio rural y sus transformaciones.
El «boom» lanero castellano

La *Corona aragonesa* entró en la Baja Edad Media con una agricultura comparable a la de los países más progresivos del Occidente. Al cereal-vid-olivo propios de Cataluña y Aragón se habían unido los productos típicos de la huerta levantina (azafrán, arroz, agrios), en donde se habían perpetuado las avanzadas técnicas aportadas por los musulmanes. La gran expansión mercantil catalana favoreció la inversión de capitales de la burguesía comercial en la adquisición de patrimonios rústicos, así como también la conquista (Vicéns Vives) de nuevas tierras en la Maresme o el Llano de Llobregat.

La peste negra trajo como consecuencia la despoblación de numerosos mansos (masos ronecs) en el Principado. Esta circunstancia favoreció la atracción de inmigrantes del otro lado del Pirineo (pastores gascones sobre todo) y la concentración de los mansos vacíos en manos de los campesinos supervivientes. Si bien éstos se vieron económicamente favorecidos, en contraposición su situación jurídica —férrea sujeción a los poderes señoriales— les convertía en un elemento potencialmente revolucionario. Al final, la crisis general por la que atraviese el Principado habrá de tener en las relaciones aristocracia-payeses una de sus más dramáticas expresiones.

* * *

La *Corona de Castilla* se vio seriamente afectada en el ámbito rural por la crisis demográfica del XIV. Trabajos al respecto, como el de N. Cabrillana para la diócesis de Palencia, son sumamente ilustrativos. La recuperación que se va iniciando desde comienzos de la centuria siguiente hace pensar en el posible aumento de la superficie cultivada y en la existencia de diversos expedientes, algunos ya utilizados por los poderes señoriales en los años anteriores con vistas a la atracción de nuevos pobladores. En el patrimonio del arzobispado toledano se ponen en práctica en la segunda mitad del XIV, en tierras de Salamanca desde 1418, en tierras de Sevilla a lo largo del XIV y en la transición entre las dos centurias, etc... El caso más generalizado, sugiere García de Cortázar, se encuentra en un aumento de los ingresos jurisdiccionales sobre los estrictamente dominicales y en la búsqueda de la acumulación de rentas a través de la percepción de ciertos derechos como las alcabalas, diezmos del mar, portazgos, etc...

En todo caso, la Corona de Castilla no conoce un impulso notable de su producción agrícola. Tan sólo algunas zonas presentan un incremento de la producción vitícola, orientada tanto al consumo interno como hacia la exportación: Rioja, La Mancha, Jerez...

La gran novedad en el ámbito rural castellano será, indudablemente, el fuerte impulso que experimente la *ganadería*. El número de ovejas, que era en 1300 de medio millón, se cuadruplica a lo largo de las dos centurias siguientes. A la creación del *Honrado Concejo de la Mesta* se unirá en los inicios del trescientos la aparición de la oveja me-

rina, cuya lana se convertirá en motor de la economía castellana en la Baja Edad Media.

La Mesta gozará de amplios privilegios confirmados por la realeza, en detrimento muchas veces
de los intereses de los agricultores. La *trashumancia* se articulará a lo largo de tres grandes caminos: las cañadas leonesa (de los montes de León
hasta Badajoz), segoviana (que en distintos rama-
les recorría la Rioja, valle medio del Duero hasta
Guadarrama, desde donde descendía hasta el valle de Alcudia y curso del Guadalquivir) y manche-
ga (desde la Serranía de Cuenca al curso alto del
Gualdalquivir). La agrupación del ganado era por
cabañas (unas mil cabezas) dirigidas por un mayo-
ral. Al frente de la organización había un En-
tregador principal, cargo vinculado desde fecha
temprana a importantes linajes. Los cuatro
alcaldes de cuadrilla, los entregadores menores,
recaudadores, etc..., completaban el cuadro de
una minuciosa organización sobre la que (contra-
riamente a lo que sugirió J. Klein) los criterios
imperantes son los de los representantes de las
grandes familias castellanas, Ordenes Militares y
algunas de las más prestigiosas instituciones eclesiásticas. Los fuertes intereses de todos ellos habrán de pesar decisivamente en el desarrollo de
una economía regida por unos moldes demasiado
arcaicos.

* * *

La política de roturaciones y saneamiento de zonas pantanosas emprendida en *Portugal* bajo
Don Dionís y que favoreció el asentamiento de pequeños cultivadores, se prosiguió en los años si-

guientes, pese a los inconvenientes de la crisis demográfica de mediados del XIV. Bajo el rey Fernando (1367-83) contrasta su desastrosa política exterior con el interés en el aumento de la producción agrícola. De ahí la ley de las Sesmarias (1375), que obligaba a los propietarios a ceder las tierras incultas a quienes se comprometían a ponerlas en cultivo. La emigración de numerosos nobles protrastamaristas a Castilla entre 1385 y 1400 favoreció un gran trasiego de tierras entregadas por la dinastía de Avis a sus seguidores. La guerra dinástica en definitiva contribuyó a cambiar los perfiles de la sociedad portuguesa. Junto a la nobleza de nuevo cuño, la burguesía de las ciudades (según veremos más adelante), el campesinado acomodado agrupado en concelhos (la «burguesía rural» llamada por A. Cunhal) e incluso el proletariado rural entran en juego.

En los años sucesivos, algunas de las conquistas revolucionarias en el medio rural fueron progresivamente limadas. La reacción nobiliaria desde la muerte de Juan I fue anulando aquellas que más atentatorias se consideraban contra los privilegios de la nobleza. En los años sucesivos también, Portugal, deficitario en trigo, verá en la irrupción en el Mogreb, tradicionalmente exportador, un medio para suplir sus deficiencias.

* * *

Empotrada entre el Pirineo y la Ribera del Ebro, y con una población no superior a los 100.000 habitantes, *Navarra* parece que resistió mejor que sus vecinos los efectos de la peste negra. País eminentemente rural, el reino navarro estaba constituido por el ensamblaje de dos elementos: la montaña, con una forma de vida esencialmente pastoril, y la llanura, más próspera agrícolamente y asiento de los principales núcleos de población. Las relaciones de trashumancia constituyen el nexo de unión entre las dos regiones.

Mundo rural que se verá seriamente afectado tanto por las periódicas malas cosechas (en los testimonios se habla de «fortuna de piedra», «esterilidad de los tiempos»...) como por la conversión del reino en campo de batalla de las apetencias de sus más poderosos vecinos.

* * *

La supervivencia del pequeño *reino de Granada* hizo necesario un incremento de su producción agrícola. No obstante, desde el punto de vista cerealista, el Estado nazarí fue siempre deficitario. En contraposición, la horticultura y arboricultura alcanzaron elevados niveles. Ciertos cultivos como la caña de azúcar o los frutos secos, además del azafrán, constituyeron importantes capítulos de la exportación. Desde el punto de vista de la ganadería, la zona de la Serranía de Ronda ofreció excelentes posibilidades, aunque tanto en este capítulo como en el de la producción oleícola Granada fuese deficitaria y tuviese que depender de las periódicas treguas con Castilla que favoreciesen los intercambios.

La Vega de Granada, particularmente su zona noroccidental, constituirá el sector más próspero del Estado nazarí, objetivo muchas veces de las incursiones de los guerreros castellanos.

El mundo artesanal y su organización

La variedad de *oficios* que figuran en los *documentos castellanos* bajo-medievales no ha de llevarnos a pensar en un fuerte impulso de las actividades industriales. La mayor parte de la producción tiene una irradiación puramente regional. La expansión lanera pudo abrir excelentes posibilidades para la creación de una industria nacional. En algunas sesiones de Cortes (Madrigal 1438, Toledo 1462) los procuradores trataron de conseguir que se adoptasen algunas medidas proteccionistas. El intento chocó con los intereses de un importante sector de mercaderes y, sobre todo, con la intervención de la Mesta, en donde la influencia de la aristocracia castellana era dominante. La Corona de Castilla, así, fue la exportadora de una materia prima luego elaborada en el exterior. No obstante, algunos núcleos (Toledo, Córdoba, Segovia, Cuenca, etc...) llegaron a alcanzar unos niveles de producción y calidad no desdeñables.

* * *

En la *Corona aragonesa*, la organización corporativa del trabajo alcanzó un desarrollo superior al de su vecina castellana, aunque no llegase a los niveles de Flandes o del Norte de Italia. Los recientes trabajos de P. Bonnassie permiten hablar de la existencia de comunidades de trabajadores, en cuya cúpula se encuentran los maestros, a cuya categoría se accede por unas pruebas de capacitación. El «parar obredor e haver senyal» les distingue de las otras categorías: los aprendices, sometidos a esta condición por un período de tres o cuatro años por lo general; y los obreros («joves», «bergants», «mossos», etc...). Por debajo quedaban los esclavos (negros, moros, tártaros, eslavos), cuyo número aumentó sensiblemente en la Cataluña de fines del Medievo y a los que se dedica a las labores menos cualificadas.

La metalurgia (la tradicional forja catalana) y la producción textil constituyeron los dos sectores más importantes de la producción artesanal. Jaca, Huesca, Zaragoza, Tarazona, Albarracín, Barcelona, Gerona, Valencia, etc..., verán el desarrollo de una industria pañera, aunque por lo general sean piezas de calidad inferior (la «blanqueta» o el «brun») para un consumo local. Perpiñán, Vich y Mallorca lanzan otras de mejor calidad. El declive general de la economía del Principado a fines del xv y la fuerte competencia de franceses, ingleses y flamencos darán un rudo golpe a tan buenas perspectivas.

El desarrollo del comercio. Centros de irradiación

La mayor parte de los intercambios mercantiles bajomedievales se hacen dentro de ámbitos muy restringidos. El *aprovisionamiento* —en cereal fundamentalmente— de los grandes núcleos de población cubre una buena parte de las transacciones comerciales. Será, también, la primordial preocupación de los poderes municipales. Así, veremos cómo la depresión del Ebro y los Llanos de Urgel son el granero de la Corona aragonesa y su producción se redistribuye a través de Barcelona y Tortosa. Así veremos también cómo Sevilla —uno de los grandes emporios del momento— orienta buena parte de su tráfico al abastecimiento de una población en incremento que usa el curso del Guadalquivir como vía de aprovisionamiento natural. Y veremos —ya lo hemos adelantado— cómo la mayor parte de la producción artesanal no tiene más objetivo que el de servir las necesidades primarias de los núcleos de población más cercanos.

A pesar de todo, no hay que desdeñar los *intercambios* que se producen entre los distintos *Estados hispánicos*. Por las aduanas de Ariza, Calatayud y Tarazona se producían intercambios entre Aragón (que facilita aceites, frutas, pieles) y Castilla (que envía mercurio, cobre, estaño). La frontera de Granada fue zona de activo contrabando de aquellos productos de los que el reino nazarí era deficitario...

Sin embargo, lo más destacable a tener en consideración en este capítulo son los *aportes* que los reinos hispánicos presten al desarrollo del *gran comercio* internacional. Aunque circunscritos a zonas muy concretas, es necesario no olvidarlos.

* * *

La Corona de Aragón —en particular el litoral catalán— cruzó el umbral de la Baja Edad Media con una organización técnica mercantil de primer orden: el «Consulado de Barcelona» (heredero de la «Universidad de prohombres de ribera»), el LIBRO DEL CONSULADO DEL MAR, las numerosas factorías fundadas a lo largo del Mediterráneo, etc...

hablan por sí solos. En 1346, Pedro IV acuña una moneda de oro propia: el florín de oro de 22 quilates.

Para entonces —y al calor de la expansión política propiciada por los condes-reyes— el comercio catalán ha alcanzado sus definitivas *ramificaciones*: Languedoc-Provenza (Barcelona actúa de redistribuidora del trigo y las especias); el Tirreno, apoyándose en Sicilia y Cerdeña, pero también en consulados fundados en el reino de Nápoles. Recalando en el pivote siciliano, los catalanes penetrarán en el Adriático (Otranto, Venecia...) y lanzarán sus avanzadas hacia el Mediterráneo oriental: Modón, Chios, Constantinopla, Beirut, Alejandría... El interés por el Africa mogrebí se refuerza tanto más cuanto puntos como Túnez, Bugia u Orán eran etapa final de la ruta del oro sudanés. Fuera del Mediterráneo, la Corona de Aragón orientó su interés a la creación de asentamientos en Sevilla, Lisboa y Brujas. Hacia el Atlántico sur, catalanes y mallorquines —las cartas geográficas muestran el interés por esta zona— fueron los primeros en instalar colonias y misiones en Canarias.

Tan prometedor panorama se vio seriamente afectado a partir de 1348. La Corona de Aragón fue el Estado peninsular más violentamente sacudido por la *crisis*. Su estudio en profundidad es permanente objeto de interés para los investigadores. La peste negra de 1348 fue el primer presagio grave del declinar económico catalán. Pierre Vilar ha centrado en los últimos años de reinado de Pedro IV los primeros graves síntomas de decadencia de la economía ciudadana: baja de precios, estancamiento de las actividades mercantiles, depreciación de la moneda, etc... La primera mitad del xv presentó algunos síntomas de recuperación que en lo sucesivo se revelaron engañosos. La fundación de la «Taula de Canvis» en 1401, pese a su gran perfección técnica, no sirvió más que para la inmovilización de capitales, no para la flexibilización de las actividades mercantiles. Muchos burgueses catalanes prefirieron la inversión de su dinero en tierras con vistas a la percepción de rentas.

Desde 1445 las cifras de comercio son ya inferiores a las de un siglo atrás. La competencia genovesa, las agotadoras guerras en el Mediterráneo, la apertura de las finanzas reales a los banqueros italianos ante el hundimiento de la banca nacional (en 1406 había quebrado la banca Gualbes, puntal de la economía barcelonesa), el despliegue turco en el Mediterráneo oriental, la eliminación de los catalanes en el Atlántico por castellanos y portugueses y, en definitiva, la crisis política que se agudiza en el Principado desde la instauración de los Trastámara, son algunos de los fenómenos que inciden en la quiebra general de las actividades mercantiles de Barcelona. La revolución catalana contra Juan II será el dramático epílogo.

Agotada Barcelona, Valencia pasará a ejercer el puesto hegemónico en la economía de la confederación aragonesa. En buenas relaciones con genoveses y marselleses, tradicionales enemigos de Barcelona, receptora de numerosos empresarios emigrados ante las dificultades políticas del Principado, con una moneda equilibrada y con unas buenas relaciones económicas con Castilla, la capital levantina «se elevó desde 1462 al rango de capital financiera de la Corona de Aragón» (Vicens Vives).

* * *

La Guerra de los Cien Años fue para los contendientes —Castilla incluida— una confrontación militar, pero también una guerra de mercados. La lana se convirtió en una de las piezas clave de las exportaciones castellanas en su *fachada cantábrica*. A distancia quedan otros productos como el vino, la miel, el aceite y el mineral de hierro.

La prosperidad de este comercio, aunque afecte a muy reducidos contingentes de población, explica la prosperidad de algunas ciudades. Así, Burgos será el punto de concentración de la lana para su posterior expedición y contará desde 1443 con una universidad o cofradía de mercaderes. Medina del Campo verá, particularmente desde comienzos del xv, el crecimiento de unas *ferias* que rebasan el sentido de simple mercado comarcal. Se convertirán no sólo en mercado de productos sino también —y es lo más importante— de capitales. Y, en definitiva, serán las villas vascocantábricas de la Hermandad de las Marismas, las beneficiarias de un intenso tráfico mercantil en competencia con los marinos ingleses y hanseáticos.

Brujas constituyó la principal meta de los marinos castellanos; era la receptora de la materia prima para mover la industria textil flamenca. Pero también eran otras las posiciones en el Atlántico Dieppe, Harfleur y Rouen, a través de las cuales se suministra a Normandía lana, cueros, vino y hierro a cambio de arenques y trigo; Nantes, donde se establecen los castellanos tras un acuerdo con los duques de Bretaña; La Rochelle, etc... Desde 1447 al menos los mercaderes de Burgos y de la costa vasca disponen de una gilde en Brujas con sus organismos de gobierno propios.

* * *

La marina del Cantábrico dejó también sentir su peso en el *Mediterráneo*. Desde mediados del XIV aparecen vascos en el litoral catalán. En la centuria siguiente los vemos como porteadores entre la Corona de Aragón, el Sur de Italia y la costa provenzal. Tras ellos marcharán los marinos de otras procedencias, aunque en el caso de los andaluces su campo de acción principal vaya a ser otro.

Los genoveses tuvieron una gran responsabilidad en la creación de la plataforma mercantil de *Sevilla*. Los privilegios concedidos desde Fernando III y confirmados por sucesivos monarcas permitieron a estos comerciantes dedicarse a variadas actividades: desde la entrada de equipos de guerra, especias y paños de lujo a la salida de lana y aceite. El interés de los genoveses en el litoral meridional hispánico no sólo se prolongó en el área cristiana (Cádiz, Jerez, Sanlúcar) sino también en la nazarí. El puerto de *Málaga* canalizó la salida de la seda, el azúcar, los frutos, el azafrán y la entrada de especias, algodón, drogas, metales, etc... El volumen del comercio genovés en el reino granadino fue tal que en 1452 se creó la «Compera Granate» para prevenir los riesgos mercantiles.

Si bien el Mediterráneo fue el área de primitiva preocupación de los marinos (genoveses o andaluces) de la baja Andalucía, acabó siendo el *Atlántico Sur* el campo favorito de operaciones. Desde mediados del XIV, se ha sugerido, puede hablarse de un auténtico eje Sevilla-Rabat en el que los cueros, la cochinilla y el oro sudanés están en juego. J. Heers calcula que la mayor parte de las 68.300 liras en oro que entraron en Génova en 1377 eran de procedencia andaluza.

En 1393, partió de Andalucía la primera expedición castellana (conjuntamente vascos y andaluces) que razzió Canarias; en 1402 se llevan a cabo los primeros asentamientos firmes. Sanlúcar, Niebla, Palos y Sevilla se convirtieron en lugar de recepción de esclavos de Canarias, Guinea y Senegambia. Se trata en su mayor parte de operaciones en corso («a furto») en las que junto a la caza del hombre se persigue el logro de otros productos: marfil, oro («rescatar el oro» se dice), cueros, orchilla, etc... Pero, desde fecha muy temprana, los marinos andaluces habrán de sufrir la competencia de otros avisados navegantes: los portugueses.

* * *

El impulso mercantil experimentado por *Portugal* a fines del XIII prosigue a lo largo de las dos centurias siguientes. Durante el trescientos, una serie de poblaciones litorales (Lisboa, Oporto, Setúbal, Sezimbra, Vila do Conde) ven el crecimiento de una burguesía relacionada con los mercados de Flandes, Inglaterra y Normandía. Bajo el reinado de Don Fernando se creó la «Companhia das

Naus» en Lisboa y Oporto, verdadera organización de seguros marítimos.

La burguesía fue —ya lo hemos anticipado— uno de los soportes de Juan de Avis en su ascenso al trono. La administración de Lisboa estaba en manos parcialmente de un grupo de representantes de este estamento: la «Casa dos Vinte e Quatro».

La gran expansión ultramarina —de la que los navegantes y mercaderes italianos no estuvieron ausentes— tuvo en la burguesía lusitana una base imprescindible. Su intento de controlar el comercio del Mediterráneo tras la toma de Ceuta (1415) fracasó, pero en la carrera de descubrimientos y explotación del litoral africano Portugal llevó una amplia ventaja a su vecina Castilla. El principal producto será el oro, obtenido a cambio de objetos de cobre y latón, corales, cuentas de cristal y paños. Desde la fundación del fuerte de San Jorge de la Mina, Portugal logrará la obtención del oro directamente, prescindiendo de los intermediarios musulmanes. Hacia 1500, en el momento culminante, los portugueses llegarán a obtener en torno a los 700 kgs. anuales de este producto. El trigo mogrebí, la búsqueda de tierras para la explotación de la caña de azúcar y, desde 1441, en particular la caza de esclavos, completan el cuadro de los intereses comerciales de los portugueses en el continente africano. Portugal encontraba en la expansión ultramarina su peculiar forma de combatir la crisis económica que sacudió a Europa en la Baja Edad Media.

El emplazamiento de los castellanos en Canarias y Santa Cruz del Mar Pequeña no constituyó obstáculo serio para el monopolio que de facto tendrá el comercio lusitano camino del Golfo de

Guinea. Monopolio que lo será de jure desde 1455 (Bula Romanus Pontifex de Nicolás V). En los años sucesivos, Castilla habrá de reconsiderar cuál puede ser el nuevo camino de sus intereses económicos. La respuesta se producirá con Colón.

Clases sociales y tensiones sociales en la Castilla trastámara: el impacto del proceso señorializador

El reinado de Pedro I de Castilla (1350-1369) estuvo marcado por la feroz *oposición entre la nobleza castellana y la autoridad monárquica.* El fratricidio de Montiel dio vía libre para que, de mano de la nueva dinastía —los Trastámara—, la aristocracia castellana llevase a cabo un auténtico asalto al poder. Los trabajos de Suárez Fernández sobre el estamento nobiliar, iniciados hace ya una veintena de años, han ido abriendo paso a una profundización cada vez mayor en el estudio de las consecuencias que para la Corona de Castilla tuvo el incremento del proceso de señorialización en la Baja Edad Media. La formación y engrandecimiento de esta «nobleza nueva» ha atravesado *dos momentos.*

Uno corresponde, a grandes rasgos, a la *segunda mitad del XIV*. Es el período de las «mercedes enriqueñas». Enrique II y sus sucesores (Juan I y Enrique III) han sido los principales impulsores de este proceso. A lo largo de estos años se van formando una serie de linajes, bien vinculados familiarmente a la persona del rey, bien procedentes de la promoción de una hasta ahora pequeña nobleza: Velasco, Stúñiga, Manrique, Mendoza, etc...

El segundo momento corresponde, grosso modo, a los *dos primeros tercios del siglo XV.* Apoyados en una cada vez más amplia plataforma económica, los grandes clanes nobiliarios arriba mencionados, acompañados por una nueva hornada de parientes del rey (los famosos «infantes de Aragón»), tratan de mediatizar la vida política anulando por completo la iniciativa real. Bajo Juan II, un personaje de indudable talla y de una ambición pareja, el valido real don Alvaro de Luna, logrará impedirlo durante bastantes años aunque a la larga lo pague con su vida. Bajo Enrique IV, tras unos primeros años de prometedor reinado, la rebelión de la nobleza se generaliza ante la pasividad del monarca. La «Farsa de Avila», en la que éste fue destronado en efigie (1465), marca, sin duda, la mayor humillación sufrida por la autoridad real...

¿Qué factores inciden en el enriquecimiento de esta nueva nobleza?

En su momento (en una obra titulada EVOLUCIÓN DE LA NOBLEZA EN CASTILLA BAJO ENRIQUE III) dimos algunas pistas al respecto. El primer paso puede darse por la concesión de un cargo por parte del rey (mayordomo, condestable, camarero...). El segundo suele venir con la concesión de alguna importante merced, en el sentido señorial de la expresión, que conlleva un determinado título (los Enríquez, señores de Rioseco; los Stúñiga, condes de Béjar; los Pimentel de Benavente, etc...) Esta plataforma, en una tercera fase, los distintos linajes tratan de ampliarla a través de compras, enlaces matrimoniales, permutas o bien por la confrontación directa con la autoridad real u otros linajes rivales. La Baja Edad Media estuvo salpicada de enfrentamientos entre los distintos clanes nobiliarios castellanos: Ayala contra Silva en Toledo, Fajardo contra Manuel en Murcia, Medinasidonia contra Ponce de León en Sevilla, o los famosos enfrentamientos de los banderizos vascos de Oñacinos y Gamboinos, interminable cadena de asesinatos, venganzas y pillajes. En último término, la erección de mayorazgos, en número creciente a medida que avanzan los años, consolida y transmite el poder logrado por las grandes familias, dueñas de la mayor parte de los resortes económicos del país.

* * *

En el reforzamiento del proceso de señorialización en Castilla está la clave de las graves tensiones que padecerá el territorio a lo largo de los siglos XIV y XV. El enfrentamiento nobleza-monarquía es una realidad innegable. Los testimonios cronísticos del momento lo han reflejado con una extraordinaria prolijidad.

Pero bajo ello subyace otro orden de tensiones. Salvador de Moxó ha dejado analizados los elementos típicos del señorío: el solariego y el jurisdiccional. El *señorío territorial-jurisdiccional* característico de la Castilla bajomedieval se significa, dice Valdeavellano, porque en él «el señor unía a su condición de dueño de la tierra y de titular de la potestad señorial que de ella procedía, la de ejercer en sus dominios la jurisdicción y algunas facultades del poder regio». Julio Valdeón recalca esto diciendo que en la Castilla trastámara «lo más novedoso no era en sí la expansión señorial, sino los aspectos institucionales que la acompañaban con su enorme trascendencia desde el punto de vista económico y social: el triunfo del señorío pleno jurisdiccional y solariego y la difusión del mayorazgo».

La autoridad real vio mermadas con ello muchas de sus facultades, pero el tercer estado fue, sin duda, la principal víctima del proceso señorializador.

¿Hasta qué punto las tensiones sociales que sacudieron a Europa en la Baja Edad Media se proyectaron en la Corona castellana?

Resulta difícil llegar a sistematizar lo que fue la resistencia del estado llano frente a los señores. Julio Valdeón ha hecho a este respecto el más meritorio esfuerzo, ayudándose de numerosos trabajos de investigación dispersos y siguiendo un criterio eminentemente cronológico.

La *agitación social* en Castilla no parece responder —salvo en el caso de los irmandiños gallegos— a un programa preciso. Se trata de explosiones de los vecinos de distintas localidades contra las exigencias, muchas veces arbitrarias, de los señores a los que han sido entregados. Estos, algunas veces son extranjeros deseosos de resarcirse de las pérdidas sufridas en su país de origen, como el exiliado portugués Juan Alfonso Pimentel, señor de Benavente desde fines del xiv. Las protestas, aunque mal coordinadas, son numerosas: Paredes de Nava en 1371, Sepúlveda en 1394, Agreda en 1395, Benavente en 1400, Llanera en 1408, Covarrubias en 1410, Salamanca en 1453... Los concejos de las localidades (encabezados a veces por los caballeros) son muchas veces los portavoces del descontento. Los Cuadernos de Cortes de la época trastámara abundan en las quejas que los representantes de villas y ciudades exponen a una autoridad monárquica a menudo impotente, cuando no cómplice, en la limitación de las libertades municipales.

Las vicisitudes económicas —la alteración del valor de la moneda, por ejemplo, es práctica normal en estos años— incidirán de forma cruel también sobre un estado llano agobiado por unas cargas fiscales cada vez mayores. EL LIBRO BECERRO DE LAS BEHETRÍAS DE CASTILLA, precioso documento fiscal redactado bajo Pedro I, es un buen exponente de las numerosas cargas que pesan sobre el campesinado. Cargas que, con el asalto de la nobleza al poder en los años siguientes, no tienden precisamente a decrecer.

El tercer estado intentará —ante la pasividad de la realeza— una serie de medios de autodefensa. Puede ser la «resistencia pasiva», como la de los vecinos de Baena en 1394, que se negaron a obedecer a su nuevo señor Diego Fernández de Córdoba. Puede ser la rebelión abierta, como en algunos de los casos antes citados. Puede ser —el caso más irracional y en momentos de grave crisis económica— la explosión antisemita, ya que el judío no sólo es miembro de un «pueblo deicida», sino tradicionalmente también arrendador de rentas reales. Y puede ser, en último término, la organización de *hermandades*.

La primera Hermandad General está datada en 1282. En lo sucesivo, resurgirá siempre que en momentos de dificultades y turbulencias, las ciudades castellanas quieran mantener un mínimo de seguridad o defender sus privilegios. Bajo los Trastámaras, la Hermandad General fue un excelente soporte de la realeza en los momentos de confrontación abierta con los nobles. De ahí que

300

las Hermandades acabasen adquiriendo en ocasiones un tinte abiertamente antiaristocrático. En las Vascongadas, los habitantes de las villas se organizaron utilizando este expediente para combatir los abusos de los poderosos. En Galicia el movimiento adquirirá incluso unos matices abiertamente revolucionarios: será la *guerra irmandiña* que sacudió a la región durante el reinado de Enrique IV. En algunos momentos la Irmandade llegó a agrupar contra la alta nobleza a campesinos, artesanos de las ciudades, clérigos e incluso algunos miembros de la pequeña nobleza como Alonso de Lanzós o Pedro de Osorio. Su deserción acabaría privando a los irmandiños de los cuadros militares y facilitando consiguientemente (1469) la represión de una aristocracia que había visto seriamente comprometidas sus posiciones.

Los conflictos de la Corona aragonesa. La revolución catalana

La victoria de Pedro IV sobre las Uniones no supuso ni mucho menos la liquidación del *estamento nobiliario*. En los años siguientes de su reinado se dejará sentir una cierta reacción, materializada en la ejecución de Bernardo de Cabrera, uno de los grandes defensores del autoritarismo real. Las Cortes del Principado constituyeron (R. de Abadal lo estudió en detalle) otro de los medios de canalización de un descontento que culminará en las generales de Monzón de 1383 en una verdadera ofensiva contra los organismos sustentadores del poder real. Bajo Juan I de Aragón (1387-96) la orientación pronobiliaria de la monarquía se acentúa. A los viejos gastos de la política exterior suceden ahora los de una corte fastuosa. Su sucesor Martín el Humano llegó a abrir proceso por corrupción a algunos de los consejeros de su predecesor.

La muerte sin descendencia de este monarca (1410) propició la exacerbación de la lucha de bandos en las ciudades (Lunas y Urreas en Aragón, Centelles y Soler en Valencia...) y facilitó, a la larga, la entronización de la Casa de Trastámara en la confederación catalano-aragonesa.

Los dos primeros monarcas de esta dinastía (Fernando I y Alfonso V) tuvieron que mantener una política de difícil equilibrio frente a los sectores defensores del *pactismo* catalán tradicional. Sectores que se identificaban cada vez más con los grupos privilegiados. Las Cortes de Barcelona de 1416 sostuvieron una fuerte ofensiva pactista encabezada por los principales miembros de la nobleza catalana: Cabrera, Roger de Pallars, Dalmau de Rocabertí... En el fondo no se trataba sólo de un enfrentamiento nobleza-monarquía. Había otro problema más agudo: el de la *grave situación social* por la que el Principado atravesaba en aquellos momentos.

* * *

Lo que con indudable acierto se ha llamado *la revolución catalana del siglo XV* ha sido objeto de numerosos e interesantes estudios en los últimos tiempos. Los trabajos de Vicens Vives, P. Vilar, C. Carrère, C. Batlle y S. y J. Sobrequés se encuentran entre los más conocidos. J. Reglá sintetizó acertadamente el sentido de la revolución catalana: fue —dice— el enfrentamiento de los grupos privilegiados del Principado, barones y oligarquía burguesa de las ciudades, defensores de la libertad política (pactismo) y del conservadurismo social, contra el tercer Trastámara aragonés, Juan II, defensor del autoritarismo real y apoyado en los grupos menos favorecidos de la población: el campesinado remensa y los grupos gremiales de la ciudad más desheredados, partidarios de un cambio social auténticamente revolucionario.

La crisis económica que sacudió al Principado actuó como circunstancia acelerante de un proceso revolucionario en el que se superponen unas veces, y otras se entremezclan, dos conmociones.

La primera, a nivel rural. Es el problema de los *payeses de remensa*. Frente a las pretensiones de los señores de ampliar las rentas que percibían, el payés trata no sólo de liberarse de los malos usos sino también de mantenerse en posesión del predio que ocupa. Los monarcas trataron de mediar en la disputa, aunque su actitud resultó a menudo contradictoria e interesada. Los consejeros de Martín el Humano fueron autores de un proyecto para transformar los malos usos en rentas o censos perpetuos y a los remensas en aparceros o arrendatarios. Con Alfonso V la política de la realeza fue ambigua. En 1454 dio una sentencia favorable a los remensas. Pero dos años después, ante la presión de las Cortes, hubo de revocarla. Frente a la resistencia de la oligarquía, los payeses se fueron arrojando a la rebelión abierta. Grupos organizados paramilitarmente (los «sacramentales») para combatir al bandolerismo fueron aprovechados por los remensas para la revuelta armada contra los señores.

A nivel rural se desarrolla también en la Corona de Aragón el problema de los *forans* mallorquines. Lo que en principio era oposición entre el medio rural y el urbano de la Isla acabó degenerando en un enfrentamento abierto entre las clases populares y los privilegiados. Los campesinos llegaron a sitiar Palma en 1450-51. La realeza actuó sin embargo con feroz energía. Alfonso V envió desde Italia un cuerpo armado que derrotó a los rebeldes en Inca. Sólo algunos pequeños focos de revuelta se mantendrán en los años siguientes.

A nivel urbano, la revolución catalana es el resultado de la crisis económica e institucional de la *oligarquía barcelonesa.* Las dificultades económicas que sacudieron al Principado ya desde mediados del XIV llevaron a la cristalización de dos partidos. La Biga, dentro de las pautas de la oligarquía pactista, agrupó a capitalistas, rentistas, banqueros y detentadores de los más importantes cargos. La Busca, partido más popular, agrupó a ciudadanos vinculados a la industria textil y a los mercados de exportación. Pronto en ella se dibujó un ala radical —paralela a la remensa— que agrupó al mundo del trabajo bajo el nombre de «Sindicato de los Tres estamentos».

La tensión en la ciudad aumentó cuando en 1453 el lugarteniente real, Galcerán de Requesens, suspendió las elecciones de consellers y entregó al gobierno a buscarios moderados. Sin embargo, ciertas medidas proteccionistas y la devaluación del croat de plata no trajeron ningún efecto positivo. Cuando muere Alfonso V en 1458 la situación es explosiva: la Busca controlaba el municipio barcelonés y la Biga la Diputación del General, organismo de gobierno del Principado. En este año Juan de Navarra, hermano del difunto monarca, accedía al trono aragonés con el nombre de Juan II.

La *primera fase del conflicto* tiene como punto de referencia la figura del primogénito del nuevo monarca, Carlos de Viana, en torno al cual se unieron todas las fuerzas del Principado, opuestas a las medidas autoritarias de su padre. La muerte del príncipe, que hubiera podido ser un elemento de equilibrio, precipitó la guerra.

Se abría, así, una *segunda fase* en el conflicto. La aristocracia y el patriciado urbano catalán aspiraron a crear una especie de monarquía constitucional, ofreciendo el título condal a una serie de candidatos: Enrique IV de Castilla, el condestable Pedro de Portugal, Renato de Anjou... Sin embargo, el soporte con que los revolucionarios contaban era escaso. Aragoneses, valencianos y baleares sostuvieron, con escasas excepciones, la causa de Juan II. Dentro del propio Principado, la unidad de las fuerzas catalanas no era total. Así, en febrero de 1462, los remensas de Gerona se alzaron en armas contra los señores. Juan II supo jugar siempre con esta baza y con el acercamiento hacia los sectores más moderados tanto de la Busca como de la Biga. La tenacidad del monarca se fue progresivamente imponiendo en un Principado arruinado en el que Barcelona acabó cargando con todo el peso de la guerra. Al fin, el 17 de octubre de 1472, la ciudad capitulaba previa condición de una amnistía general y del respeto a las Constituciones de Cataluña.

Diez años de guerra civil habían terminado de

arruinar al Principado. Al hundimiento económico se unió la amputación del Rosellón, ocupado por fuerzas francesas como pago a la ayuda que Luis XI facilitó al rey aragonés. El *problema remensa*, además, quedaba todavía pendiente de solución. El heredero de Juan II, Fernando, hubo así de enfrentarse con una revuelta de payeses, encabezada por Joan Sala, que se extendió por la Plana de Vich y el Vallés. La actuación de la autoridad real fue drástica: la rebelión fue aplastada y sus jefes ejecutados. Sin embargo, Fernando apoyó la solución de compromiso que quedó plasmada en la Sentencia de Guadalupe (1486). Por ella, se procedió a la supresión de los malos usos. La medida favoreció a un sexto de la población del Principado y supuso «un acierto feliz, que hacía entrar al campo catalán en una nueva etapa: la de la libre contratación enfitéutica que, uniendo al campesino a la tierra por vínculos de trabajo honesto y digno, le permitiría atravesar más de cuatro siglos sin commociones de carácter social» (F. Soldevila). Para Fernando en concreto —apunta Vicens—, la sentencia robustecía la autoridad jerárquica de la monarquía y la nobleza contra cualquier veleidad demagógica, ya que se presentaba como derivación de un principio jurídico y no como resultado de una revolución triunfante.

Portugal: entre la revolución social y la reacción nobiliaria

El ascenso de la Casa de Avis al trono lusitano tras la crisis de 1383-85 trajo al país una serie de *profundas transformaciones sociales*. La burguesía, enriquecida con el comercio o con el aprovechamiento de nuevas tierras, fue el soporte de la nueva dinastía, que recurrió con frecuencia a los empréstitos de los burgueses de Oporto, Lisboa o Coimbra. Los descubrimientos y la expansión de nuevos mercados resultarían inexplicables sin las transformaciones que se produjeron en Portugal desde 1385. Transformaciones que han sido objeto de estudio por parte de autores de distinto signo: Dias Arnaut, Suárez Fernández, Marcelo Caetano, Alvaro Cunhal, etc...

La emigración de nobles portugueses protrastámara a Castilla tras Aljubarrota propició la aparición de una *nueva nobleza*, a veces de origen burgués, que había apoyado al maestre de Avis. Serán los Nun'Alvares Pereira, los condes de Barcelos, duques de Braganza, etc... Bajo los primeros Avis se persiguió, sin embargo, afirmar el carácter absoluto del poder real mediante algunas disposiciones que limitasen los posibles efectos negativos de la promoción de esta nueva aristocracia. La Lei Mental, dada por Don Duarte en 1434, es la mejor muestra de esta preocupación.

No obstante, la minoridad de Alfonso V de Portugal favoreció el choque frontal entre la nobleza y la realeza. La primera se agrupó en torno al duque de Braganza Don Alfonso. El autoritarismo monárquico quedó representado en la figura del regente Don Pedro, duque de Coimbra, un personaje que guarda cierto paralelismo con Don Alvaro de Luna en Castilla. La derrota y muerte del regente en Alfarrobeira supuso una reavivación de la intervención del estamento nobiliario en las decisiones políticas. En cualquier caso, sin embargo, la expansión ultramarina constituía para el reino lusitano un elemento de equilibrio y convergencia de las distintas fuerzas sociales: los móviles burgueses (caña de azúcar, oro, mercado de esclavos) y aristocráticos (prolongación en Marruecos del ideal de la Reconquista) entraban en conjunción en el continente africano.

Los Estados menores peninsulares: las luchas de bandos nobiliarios

Aislada del mar desde comienzos del XIII, *Navarra* arrastrará en la Baja Edad Media una precaria vida económica. País —como ya adelantamos— esencialmente rural, los intentos de crear una industria textil en Estella y Tudela estuvieron condenados al fracaso. El proyecto de convertir Fuenterrabía —bajo dominio de la Corona de Castilla— en puerto franco tampoco tuvo demasiado éxito. Los conflictos internos del reino están marcados —como en las vecinas Vascongadas— por el enfrentamiento de dos grandes *bandos nobiliarios* que adquieren ya ciertas características definidas desde comienzos del XV, bajo el reinado de Carlos III. Serán los *beaumonteses* y *agramonteses*. En cierta medida se identifican con las dos grandes regiones geográficas del país: los beaumonteses (del nombre del condestable Carlos de Beaumont) tenían sus principales posiciones en Lerin y en la zona montañosa del norte, el área pastoril y uniformemente euskérica. Los agramonteses (ligados a Leonel de Navarra, bastardo de Carlos III) eran fuertes en la Ribera, área culturalmente más influenciada por los Estados vecinos.

Al morir Carlos III, su yerno Juan —casado con Blanca de Navarra— se tituló rey. Como hijo de Fernando de Antequera, tenía amplios intereses señoriales en Castilla. El será uno de los rivales de la política autoritaria de Don Alvaro de Luna. Los bandos navarros acabaron aliándose con las distintas facciones que pugnaban en Castilla. En 1458 y después de unas borrascosas relaciones con su hijo Carlos de Viana y los beaumonteses, Juan de Navarra sucedía a su hermano Alfonso en la Corona aragonesa. El problema navarro se imbricaba así en el panorama auténticamente revolucionario —nobleza castellana revuelta contra Enrique IV, Cataluña levantada contra Juan II— en el que vive la Península en la etapa final del Medievo. El encarnizamiento de los bandos navarros no decaerá, y el país se convertirá en «un centro de gangrenamiento de la política hispánica» (Vicens Vives) en los años sucesivos.

* * *

La pugna de grandes bandos rivales afectó igualmente al otro Estado menor de la Península: el *reino nazarí*. Sólo las dificultades internas de Castilla impidieron su desaparición en estos años. Desde 1417 el estado de guerra civil es endémico. Dos partidos se disputaron sangrientamente el poder: el legitimista y el nacionalista, partidario éste del gobierno de caudillos militares apoyados en hafsíes tunecinos y meriníes marroquíes. Abul-Hasan, subido al trono en 1464, procedió a perseguir sistemáticamente a los abencerrajes, el más importante linaje del país. Bajo esta situación, en los años inmediatos Castilla se dispuso a la conquista del reino nazarí.

3

SENTIMIENTOS RELIGIOSOS Y MANIFESTACIONES CULTURALES PRERRENACENTISTAS EN EL BAJO MEDIEVO

Medieval y moderno, el período que comprenden los siglos XIV y XV supone un puente entre dos épocas de la Historia. La crítica a las estructuras eclesiales tradicionales y al pensamiento escolástico ortodoxo marcan la pauta de un mundo en transformación. El «otoño de la Edad Media» tuvo en los reinos hispánicos manifestaciones de indudable garra.

Los reinos hispánicos ante la crisis de unidad de la Iglesia

El *Cisma de Occidente* que estalla en 1378 se mantuvo durante varias décadas porque fue tanto el reflejo de una Europa espiritualmente desgarrada como el de un mundo sacudido por el conflicto de la Guerra de los Cien Años. Los grandes bloques de alianzas dirigieron sus obediencias según sus propios intereses. Francia y Castilla fueron bastiones del aviñonismo, mientras que Inglaterra y parte de Italia lo fueron del romanismo. Las vicisitudes políticas que los Estados hispánicos atraviesen a lo largo de los años orientarán sus posiciones. Navarra y Aragón empezaron dubitantes, pero desde fines del siglo —la propaganda de San Vicente Ferrer tuvo en ello un peso decisivo— bascularán hacia el papado de Aviñón. Caso contrario acaecerá en Portugal, que será en un principio aviñonista pero, desde la entronización de los Avis, y debido a la alianza con Inglaterra, acabará deslizando sus simpatías hacia Roma.

El fracaso de las vías de solución al cisma (vía cesionis, vía transactionis, negativa de obediencia de los poderes laicos) forzó a la puesta en práctica de la convocatoria de un *concilio*. El terrible papa Luna (Benedicto XIII), abandonado por Fernando de Antequera, su principal y último soporte, optó por un autoexilio en Peñíscola.

El Concilio de Constanza, tras el fracaso del de Pisa, puso a prueba las dos posturas encontradas de los asistentes en lo que se refería a orden de prioridades: o elección de un nuevo y único papa al que obedecieran todos, o reforma a fondo de la Iglesia («in capite et in membris») tal como pretendían el emperador Segismundo y sectores del bajo clero. El voto de la nación española, en la que Castilla tenía un enorme peso, al unirse a los de Italia y Francia, decidió la orientación del Concilio en el primero de los sentidos. Quedaba para los reformistas la esperanza del decreto «Frequens» por el que se daba regularidad a la convocatoria de concilios.

La oportunidad vino con la reunión de Basilea en la que en 1436 se produjo el enfrentamiento abierto entre reformadores y pontífice. La delegación castellana (para quien el sentido de la reforma se debía reducir exclusivamente a la erradicación de abusos) fue también en esta ocasión una ayuda inestimable para la autoridad pontificia. Su ejemplo fue seguido por Italia, Inglaterra y Francia en el momento en que los rebeldes conciliares llegaron a deponer a Eugenio IV para nombrar un antipapa, Félix V. Sólo el Imperio apoyó a los conciliaristas radicales. La muerte del emperador Segismundo fue para ellos un golpe decisivo. El nuevo emperador, Federico III, dejándose llevar de la postura capitaneada por los franco-castellanos, se decidió a terminar con tan anómala situación expulsando de Basilea a los rebeldes. La autoridad pontificia se salvaba «in extremis» de los excesos conciliaristas. Pero la hipoteca que haya de pagar en el futuro será gravísima.

Corrientes reformistas y religiosidad popular

El Cisma y avatares conciliares son fenómenos que en el contexto de la crisis espiritual de la Baja Edad Media no tendrían más que el calificativo de superestructurales. Suponen —como ya hemos adelantado— aparatosas muestras de los deseos de reforma de la Iglesia a todos los niveles.

La crisis del *estamento eclesiástico* en la Península —al igual que en todo el Occidente— es denunciada en los más variados testimonios literarios, incluso por personas de más que dudosa moralidad. Así, el Arcipreste de Hita se permitirá el lujo de fustigar a frailes y clérigos que «Sy varruntan que el rrico esta para moryr, / Quando oyen sus dineros, que comyençan rreteñir / Qual dellos lo levará, comyençàn a reñir». El Canciller Ayala en el RIMADO DE PALACIO ataca los vicios del pontificado aviñonense y su lujosa corte. El CAN-

CIONERO DE BAENA llama a Benedicto XIII hereje, cismático, desnaturalizado... Los Cuadernos de Cortes se hacen repetidas veces eco del excesivo boato del que hace alarde el estamento eclesiástico. La activa participación en la vida política de representantes del alto clero (los arzobispos Pedro Tenorio y Carrillo, por ejemplo) no constituyó precisamente un factor favorable para el juicio popular.

* * *

La denuncia de estos vicios eclesiásticos tiene la contrapartida de una serie de *proyectos reformistas,* algunos llevados a buen puerto. Entre las *figuras* destacadas se encontrarían las de Alonso de Madrigal; Juan de Torquemada, tío del inquisidor, autor de una SUMA CONTRA LOS ADVERSARIOS DE LA IGLESIA Y DEL PRIMADO DE PEDRO; el cardenal Margarit, obispo de Elna en 1454 e impulsor de la educación teológica de sus canónigos; o el controvertido Vicente Ferrer, autor de un ESPEJO DE LOS HERMANOS PREDICADORES, en donde, aparte de defender las virtudes tradicionales, aboga por unas formas de vida interna parejas a las de la «devotio moderna».

A nivel de *grupo,* frente a la crisis de autoridad y a la oligantropía que sufren las órdenes religiosas, surgen algunos intentos de restauración. Serán, en primer término, las «Congregaciones de Regular Observancia», nacidas en época anterior, pero que en ésta tendrán un gran desarrollo. Su objetivo es el restablecimiento de la primitiva disciplina de la propia orden. En Castilla destacó por encima de todas la de San Benito de Valladolid, fundada hacia 1390 y que logrará en los años siguientes afiliar a importantes monasterios como el de Oña (1455). La obra reformadora de Cisneros bajo los Reyes Católicos no careció así de valiosos precedentes.

Lo más original dentro del monacato hispánico fue, sin embargo, la aparición a mediados del XIV de la orden de los Jerónimos. A fines de la centuria la orden tenía veinticinco casas y gozaba del apoyo de monarcas y miembros de la aristocracia. A. Castro ha destacado que la revalorización del trabajo manual y experimental por esta orden suponía una cierta reacción frente al espíritu mendicante. Incluso puede hablarse del impulso a un cierto humanismo cristiano que se desenvolvió en los centros de Guadalupe, la Sisla y San Isidoro de Sevilla.

* * *

El desarrollo de una *religiosidad popular de signo escatológico* y apocalíptico ha sido una de las características más acusadas de los sentimientos espirituales del Bajo Medievo. Arnau de Vilanova en la transición al XIV fue ya un precursor. Manifestaciones literario-religiosas como LAS DANZAS DE LA MUERTE, el DIES IRAE y los distintos tratados del ARS MORIENDI son la mejor expresión de una sociedad atormentada por la muerte y por el Más Allá.

En este contexto son explicables las predicaciones de San Vicente Ferrer, arrastrando una multitud de penitentes por los caminos de España, Provenza, Saboya o el Delfinado, entre 1409-15. El signo penitencial, el Juicio Final y el Anticristo, aparecen de forma obsesiva y patética en sus sermones. Su pensamiento y actitudes se prolongarán en otros personajes como Mateo de Agrigento. Franciscanos, cartujos y beguinos fueron las comunidades (la última más en la Corona de Aragón que en Castilla) que exacerbaron unos sentimientos místico-ascéticos en ocasiones imbricados con las posturas socialmente más radicalizadas, como el sindicalismo buscario.

En las corrientes de religiosidad popular resulta difícil en ocasiones encontrar la frontera entre ortodoxia y heterodoxia. El beguinismo rozó en numerosas ocasiones esta última. Fue, sin embargo, el movimiento de los «herejes de Durango» el que puede calificarse de *herejía* estrictamente peninsular, aunque las influencias exteriores hayan sido acentuadas. El brote herético se desarrolló entre 1442 y 1445, quizás como proyección de las doctrinas de los «fraticelli», la extrema izquierda de los mendicantes. Su portavoz, Alonso de Mella, logró reunir una comunidad de adeptos, entre los que se encontraban gentes de humilde extracción, que crearon un sistema de vida de signo comunitario y exaltado misticismo. La intervención de la justicia aplastaría este movimiento que se saldaría con la condena en la hoguera de numerosos herejes.

* * *

Las *conmociones antijudías,* aunque susceptibles de estudio desde distintos ángulos, tienen una vertiente espiritual importantísima. La guerra civil entre Pedro I y Enrique II favoreció la animosidad popular plasmada en el saqueo de la judería toledana. La explosión más grave, sin embargo, fue la de 1391. Atizada por el exaltado arcediano de Ecija Ferrán Martínez, se inició en Sevilla. De aquí saltó a las principales ciudades de la Corona castellana y, rebasando las fronteras, afectó duramente a Barcelona y Valencia. El número de bajas en la comunidad hebrea resulta difícil de verificar. Pero lo que es indudable es que desde 1391 la relativa concordia entre las comunidades étnico-espirituales de la Península quedó rota.

En los años sucesivos, el elemento hebreo se verá sometido a numerosas presiones. A los ordenamientos contra usuras dados en las Cortes se unirán las predicaciones exaltadas de San Vicente Ferrer y la controversia de Tortosa de 1413, después de la que triunfarán los criterios doctrinales más abiertamente hostiles a la comunidad judía. Serán los de Jerónimo de Santa Fe (HEBRAEOMASTIX), y luego los de Pedro de la Caballería (CELO DE CRISTO CONTRA LOS JUDÍOS) o Fray Alonso de la Espina (FORTALEZA DE LA FE). Tal clima de hostilidad irá favoreciendo un amplio movimiento de apostasías, de resultas del cual una nueva clase surge en la Península: la de los conversos. Algunos, como los Santa María, llegarán a desempeñar importantes cargos. Otros, menos afortunados, serán víctimas de los recelos de los cristianos viejos. A lo largo del xv, la literatura antijudía se va convirtiendo en literatura anticonversa. La SENTENCIA-ESTATUTO de Pero Sarmiento, dada en 1449, se ha considerado como el primer estatuto de limpieza de sangre.

Las conmociones políticas por las que atraviesa Castilla bajo los reinados de Juan II y Enrique IV favorecieron la utilización de la masa popular contra el elemento hebreo o sus (supuestos o reales) favorecedores: un Don Alvaro de Luna con fama de tolerante hacia esta minoría, o un Enrique IV que pretendió obrar en una línea semejante en relación con los conversos. El ambiente estaba lo suficientemente caldeado como para propiciar la expulsión unos años más tarde.

La literatura como reflejo de un tono de vida

Desde comienzos del XIV las lenguas romances peninsulares sienten la necesidad de unas superiores exigencias literarias. El Infante Don Juan Manuel, uno de los mejores prosistas de la centuria, dirá, al referirse a su libro EL CONDE LUCANOR, que «le fiz con las más apuestas palabras que pude». Otra de sus obras, EL LIBRO DE LOS ESTADOS, es una revista completa de la sociedad de su momento. Una sociedad que, cuando muere el infante (1349), está experimentando violentas convulsiones.

La *confluencia* en el Bajo Medievo de *corrientes culturales* y actitudes vitales del pasado y del Renacimiento propician en las manifestaciones literarias la perduración de los ideales caballerescos y la aparición de la más acerada crítica.

Los *ideales caballerescos* (sustitución, dice Huizinga, de lo heroico por el artificio de lo heroico) se presentan en las más variadas manifestaciones: los temas bélicos de los romances fronterizos, los libros de caballerías (el AMADIS y el TIRANT LO BLANCH a la cabeza) o la idea de la fama, que aparece ya en don Juan Manuel y que se proyecta-

318

rá hacia las composiciones poéticas (Jorge Manrique) y hacia una historiografía con una veta biográfica (Pérez de Guzmán, Hernando del Pulgar, diversas crónicas de destacados personajes...). Ideales caballerescos de cuyo carácter perecedero tienen conciencia algunos de sus mantenedores: el ¿Que fueron sino verduras / de las eras?» de Jorge Manrique es por demás significativo.

Las corrientes literarias satíricas y de *crítica social* tienen sus precursores en el Arcipreste de Hita y el Canciller Ayala, festivo y regocijado el primero, más grave y severo el segundo. En ambos casos, el LIBRO DEL BUEN AMOR y EL RIMADO DE PALACIO dan una clara visión de lo que es una sociedad en crisis. En el siglo xv, EL CORBACHO del Arcipreste de Talavera y el LIBRE DES DONES de Jaume Roig constituirán gérmenes de diversas manifestaciones literarias, desde LA CELESTINA a la novela picaresca. En el caso del CORBACHO, su antifeminismo (la mujer como portadora de un cúmulo de vicios) y el repudio del amor profano (que «es penar el cuerpo en la vida e procurar tormento al anima despues de la muerte») llevarían a conectar esta obra con alguno de los sentimientos moralizantes antes mencionados.

Aunque dentro de la poesía culta del siglo xv, los sentimientos críticos se encuentran también en los *Cancioneros*. El de Baena es el más copioso, mezcla de elementos renacentistas y medievales. En otras colecciones semejantes se agudiza la grosería y el mal gusto (el llamado «plebeyismo hispánico») como en las Coplas de AY, PANADERA, las COPLAS DEL PROVINCIAL o las de MINGO REVULGO. La crítica no está ausente de autores tan cultos como el Marqués de Santillana o Juan de Mena.

El *pathos de la muerte* rebasa en las manifestaciones literarias la pura remembranza religiosa. La muerte es vista en ocasiones como la negación de la misma vida, no como un tránsito hacia otra (Rodríguez Puértolas). La DANZA GENERAL DE LA MUERTE castellana tiene este sentido, amén de un trasfondo de protesta social y de deseo de nivelación. Lo que en este poema el autor expresa de forma sarcástica y brutal a veces («A la danza mortal venid los nascidos / que en el mundo soes, de cualquiera estado / el que nin quisiere a fuerza e amidos / fazerle he venir muy toste parado») son idénticos sentimientos a los reflejados, de manera más suave y melancólica, por Jorge Manrique («allegados, son iguales / los que viven por sus manos / y los ricos...»)

Sentimientos caballerescos y crítica exacerbada, actitudes contradictorias en los personajes, «nostalgia de una vida más bella» según Huizinga, constituyen parte del cúmulo de reacciones bajo las que vive el Bajo Medievo. Reacciones junto a las que la progresiva secularización de la vida y la también progresiva visión de la Antigüedad como meta permiten el afloramiento de los primeros *sentimientos renacentistas*.

La *Historia* fue uno de los géneros que acusó el impacto. Las Crónicas de Ayala se alejan ya de los elementos épicos o legendarios que han adornado manifestaciones anteriores de la historiografía romance. Pérez de Guzmán (GENERACIONES Y SEMBLANZAS) y las historias de personajes particulares (EL VICTORIAL, CRÓNICA DE DON ALVARO DE LUNA) refuerzan las tendencias individualizantes propias del humanismo. En la profusión de recursos greco-latinos tuvo una gran influencia el contacto de los autores castellanos con escritores italianos clásicos y modernos. Ayala traducirá las primeras DÉCADAS de Tito Livio, Alfonso de Palencia traducirá a Plutarco... Los latinismos e italianismos serán abundantes en Juan de Mena y el Marqués de Santillana. Dante, Virgilio, Lucano, Petrarca y Boccaccio figuran en lugar destacado.

Pero la Historia no solo fue el reflejo de las influencias prerrenacentistas, sino también —como en cierta medida en el período anterior— el instrumento para hacer la apología de una entidad política concreta. Así, la COMPENDIOSA HISTORIA HISPÁNICA de Rodrigo Sánchez de Arévalo o la ANACEPHALEOSIS de Alfonso de Santa María son obras en las que se augura un glorioso destino a la Corona de Castilla como auténtica esencia de España.

Las tendencias historiográficas nacionalistas se agudizaron también en la *Corona de Aragón* al calor de la expansión mediterránea. La CRÓNICA de Muntaner, escrita algunos años después que la CRÓNICA DE PEDRO III Y SUS ANTEPASADOS de Bernat Desclot, es la auténtica epopeya de la dinastía barcelonesa. El ciclo cronístico se completará con Pedro IV, bajo cuyo gobierno se redactan las Crónicas de su reinado y la PINATENSE.

Desde mediados del XIV las *corrientes poéticas* estrictamente barcelonesas (Pere y Jaume March) alternan con las italianizantes, que se acentúan desde el reinado de Juan I. La obra de Bernat Metge LO SOMNI es una buena expresión de estas últimas.

La corte napolitana de Alfonso V vio el desarrollo de dos tendencias literarias: la latinista, influida por Valla, Picolomini y Filelfo, y la representada por autores en catalán y castellano. En este y en parecidos ambientes se compusieron el CANCIONERO DE STÚÑIGA y la PASION DE AMOR de Jordi de San Jordi. El Príncipe de Viana llevaría a cabo la traducción de la ETICA de Aristóteles y la redacción de la CRÓNICA DE LOS REYES DE NAVARRA.

Ausias March puede considerarse como la máxima figura de la cultura en catalán de fines del Medievo. Con él puede decirse que el centro de gravedad cultural de la Corona aragonesa (al igual que el financiero) se ha desplazado a Valencia. Sus CANTS D'AMOR son la expresión de la influencia de Dante y Petrarca.

Las magníficas *perspectivas* abiertas por la labor de estos autores y el mecenazgo de Alfonso V quebraron en el último tercio del xv. Los pilares sobre los que la cultura del Principado se hubiera podido apoyar se hundieron con la crisis generalizada del país: la corte, la nobleza y el patriciado (Vicens Vives). La «sentimentalización» y la exaltación mística ganaron la partida en una sociedad desquiciada por la crisis económica. Las universidades del ámbito político aragonés, surgidas a partir de 1300, tampoco supieron estar a la altura de las circunstancias. Las de Lérida y Valencia arrastraron una vida lánguida; la de Barcelona, fundada en 1450, hubo de sufrir en los años siguientes los efectos de la lucha contra Juan II.

* * *

Fernao Lopes es el verdadero creador de una historiografía nacional en el *reino portugués*. Su CRONICA DE JUAN I, que cierra el ciclo de tres que redactó, refleja ya los sentimientos nacionalistas que elevaron al trono a la dinastía de Avis. Gomes Eannes de Zurara será el continuador de Lopes. Su CHRONICA DA CONQUISTA DA GUINÉ logra dar al romance portugués un contenido más literario que el de su predecesor.

La *lírica* provenzal que tan fuerte arraigo tuvo en Portugal contó con uno de sus mejores impulsores en Don Dionís. En la etapa siguiente la poesía quedó comprendida en el CANCIONEIRO GERAL, reunido por el secretario particular de Juan II García de Rezende, que escribió también una biografía de este monarca. A los viejos provenzalismos suceden las galanterías de la vida palatina, como las del pleito CUIDAR E SUSPIRAR, la CANTIGA PARTINDOSE, o las coplas del condestable don Pedro de Portugal, autor también del poema moral DEL CONTEMPTO DEL MUNDO. Dueño de una vasta erudición, estuvo bien conectado con los poetas castellanos del momento: Juan de Mena y Santillana.

La tradición iniciada por Don Dionís en lo referente al interés directo de los monarcas por la vida literaria, prosiguió bajo los primeros Avis. Varias muestras son claras: O LIVRO DA MONTARIA, atribuido a Juan I, el LEAL CONSELHEIRO de su hijo don Duarte o la VIRTUOSA BEMFEITORIA del regente don Pedro de Coimbra. Aunque se trate, en este último caso, de un tratado de ética cristiana, la influencia de Aristóteles, Cicerón y Séneca hacen del libro una obra claramente abierta a las tendencias clasicistas.

Las corrientes artísticas de un mundo en transformación

La Corona de Aragón ejerce *a lo largo del XIV* la preeminencia artística en la Península. Es el momento en que se erigen las grandes catedrales levantinas (Gerona, Palma, Barcelona).

En la escultura, la belleza un tanto abstracta e ideal del siglo XIII se ve sustituida por otra más real que propicia un gran desarrollo del retrato, tal y como lo plasma Jaume Cascalls en el sepulcro de Pedro IV en Poblet.

En la pintura, a las influencias francesas sucederán las italianas, de las que los hermanos Serra y Ferrer Bassa son buenos exponentes.

* * *

El *arte del siglo XV* es un buen reflejo de las transformaciones que la sociedad medieval experimenta en sus últimos momentos: artificiosidad de vida (propia también de ciertos géneros literarios), ideal de la fama y de la perpetuación de la memoria más allá de la muerte, enriquecimiento de una burguesía cuyo poder económico se refleja en la construcción de edificios civiles (vg. las lonjas) que compiten con los eclesiásticos, pujanza de una nobleza castellana orientada parcialmente hacia el mecenazgo, etc...

La decadencia de Cataluña favoreció (como en el caso de las finanzas y de las letras) un desplazamiento hacia otras zonas de los centros motores de la arquitectura. A este respecto son significativas las figuras de Pere Compte con la lonja de Valencia, o de Guillem Sagrera con la de Palma.

Las relaciones económicas de Castilla y Flandes favorecieron la formación de un estilo exuberante en torno a dos focos: Toledo, con Hanequin de Bruselas y los Egas; y Burgos, con Juan y Simón de Colonia. La fusión de estos aportes con elementos de influencia mudéjar dará lugar a un estilo nacional: el hispano-flamenco o isabelino.

Algo semejante cabría decir de Portugal. El gótico puro llegó a su máxima expresión a fines del XIV, con el monasterio de Batalha. En la centuria siguiente, la fusión de elementos de procedencia flamenca y otros de inspiración marina creará el estilo nacional portugués: el manuelino.

La escultura funeraria llega a un alto grado de perfeccionamiento en el XV, con la proyección de influencias flamencas y borgoñonas: las figuras de Janin de Lomme en Navarra y de Simon de Colonia, Gil de Siloé y Egas Cueman en Castilla son sumamente representativas.

En la pintura, la primera mitad del siglo queda marcada por el llamado «estilo internacional», producto de la influencia de lo flamenco y lo francés. En la Península contribuyeron a este género tanto artistas del ámbito aragonés (Lluis Borrassá y Pedro Nicolau) como castellano (Nicolás Florentino y Nicolás Francés). La floración de artistas será prodigiosa en la segunda mitad de la centuria. La influencia flamenca acaba por prevalecer con su brillante colorido y su técnica minuciosa. Un elevadísimo número de retablos son la mejor expresión del trabajo de autores desde Dalmau y Huguet en Cataluña, pasando por Bartolomé Bermejo en Aragón, hasta Fernando Gallego en Castilla.

Paralelamente a la evolución de las formas del gótico en la España cristiana, se desarrolla en el Sur de la Península el *arte nazarí*. Con más originalidad en el xiv que en el xv, acentuará un decorativismo nacido en etapas anteriores, que trata de ocultar la pobreza de los materiales constructivos: lacerías, mocárabes, motivos epigráficos, etc... Pero también el arte nazarí —nueva diferencia frente a otras manifestaciones artísticas— trata de abrirse a su contorno, integrándose en el medio circundante.

Aún reducida a la impotencia política, la España islámica fue capaz en sus últimos estertores de legar al arte universal una de sus mejores joyas: el conjunto arquitectónico de la **Alhambra**.

4

LAS ESTRUCTURAS POLITICAS
DE LA ESPAÑA BAJOMEDIEVAL

Por su pensamiento y por sus instituciones políticas, los siglos XIV y XV son un puente echado entre el Medievo y la Modernidad. El aparato administrativo del que se valgan las monarquías del Renacimiento se ha ido forjando a lo largo de estas dos centurias. Algo semejante podríamos decir de la unidad peninsular que, por la vía dinástica, da sus primeros y decisivos pasos desde comienzos del XV.

Principios doctrinales

Los tratados políticos bajomedievales tomaron sus modelos de las obras de Séneca, Aristóteles, Santo Tomás (DE REGIMINE PRINCIPUM) y Egidio Romano (DE REGIMINE PRINCIPUM también) entre otros. Sin embargo, desde mediados del XIV se reavivó la polémica en torno a los dos conceptos posibles de monarquía: monarca elegido y responsable, o monarca como jefe consagrado por Dios. Tal conflicto fue tanto más agudo en cuanto el choque se estaba desarrollando a un nivel más elevado: el de la propia autoridad del pontífice, puesta en tela de juicio —en sus aspiraciones más absolutistas— por los sectores más radicalizados del conciliarismo.

Aunque la *teocracia pontificia* estaba sufriendo rudos golpes desde comienzos del XIV (atentado de Anagni, redacción del DEFENSOR PACIS de Marsilio de Padua), muchos autores aún defendían la plena potestad de los papas. Entre ellos se encontraron algunos españoles: los ya mencionados Alfonso de Madrigal y Juan de Torquemada y, sobre todo, el franciscano gallego-portugués Alvaro Pelayo, autor de un DE PLANCTU ECCLESIAE. Para este último, el pontificado es un poder superior a cualquier otro; el ejercicio de la potestad temporal por los poderes civiles no es más que una solución práctica, no el reconocimiento de un derecho.

Los «espejos de príncipes» ejercieron una fuerte influencia a la hora de explicitar cuáles debían ser las *virtudes* de los gobernantes. Ayala, muy influenciado por Santo Tomás y Egidio Romano, considera que el objetivo primordial de los poderosos está «en guardar la justiçia e al pobre defender / e perseguir al malo, que l'non pueda atrever». Rodrigo Sánchez de Arévalo (1404-70), uno de los más prolíficos tratadistas, definirá al rey como «cabeça e fundamento de su República, de cuya virtut todos los miembros resçiben influencias virtuosas». En la segunda mitad del XV, Joan Margarit redacta una CORONA REGUM con vistas a instruir a Fernando el Católico. Por los mismos años, Pedro Belluga redactaba su SPECULUM PRINCIPUM en donde mostraba su interés por el sistema político de la confederación catalano-aragonesa.

La peculiar dinámica política de ésta facilitó el desarrollo de una literatura vinculada a los principios del *pactismo*. En este sentido es básico el tratado REGIMENT DE PRINCEPS de Francesc Eiximenis (muerto en 1409). La idea se mantendrá en los años siguientes en los que con comentaristas como Guillermo Vallseca, Callis y Marquilles se alcanza la época dorada de esta posición política.

La política legislativa

La labor codificadora emprendida en el XIII fue un importante paso, pero no definitivo. Los grandes textos como LAS PARTIDAS no tuvieron la mayor parte de las veces un carácter superior al de ley supletoria. Así: los fueros locales siguieron teniendo una amplia vigencia; las sucesivas disposiciones aprobadas en Cortes (ordenamientos, capitols...) tuvieron igualmente fuerza de ley; y, en definitiva, diversos juristas siguieron la labor de nuevas recopilaciones y reelaboraciones del Derecho territorial.

En el caso de *Castilla*, ocupa un importante lugar el llamado FUERO VIEJO de 1356, tradicionalmente considerado (aunque no lo sea en toda la extensión del término) como código comprensivo de los fueros de la nobleza. En él, entre otros textos, se recoge el Pseudo Ordenamiento de Nájera, atribuido a unas supuestas Cortes reunidas por Alfonso VII en esta localidad.

Desde fines del XIV, los *territorios vascongados* fueron sistematizando sus propios aparatos legales, aprobados en las correspondientes Juntas generales. La Hermandad de Alava tuvo sus Ordenanzas aprobadas por la Corona en 1417. Las Juntas de Hermandad de Guipúzcoa regularon el régimen administrativo y judicial del territorio por una serie de Ordenanzas aprobadas entre 1375 y 1463. El señorío de Vizcaya, tras diversas vicisitudes, se dio su fuero, aprobado por Juan II en 1452, basado en unos principios esencialmente consuetudinarios.

En *Navarra*, al FUERO GENERAL se irán añadiendo, desde principios del XIV, una serie de disposiciones y clarificaciones: los AMEJORAMIENTOS.

En la *Corona aragonesa* se redactan nuevas compilaciones a lo largo del Bajo Medievo. En *Aragón* fueron las OBSERVANCIAS. Las de Jacobo de Hospital, de la segunda mitad del XIV, acaban desplazando a colecciones anteriores. Sobre su base, aparecerán en 1437 las OBSERVANTIAE CONSUETUDINISQUE REGNI ARAGONIAE, redactadas por el Justicia de Aragón Martín Díez de Aux, que comprendieron doce libros con los fueros generales.

En *Cataluña*, desde Martín el Humano se emprendió la tarea de fijar la jerarquía de fuentes de Derecho aplicables al Principado. En 1413, las Cortes de Barcelona acordaron una recopilación de todo el Derecho catalán. A esta lengua se vertieron los USATGES y otras leyes emanadas de las distintas resoluciones de Cortes. En otros países de ámbito catalán se acometieron tareas semejantes: el LIBER REGUM, recopilación de privilegios reales a *Mallorca*, redactado en 1334, es una buena muestra. La restauración política impulsada por los Avis en *Portugal* se proyectó también al ámbito legislativo. El deseo de uniformar una legislación demasiado heterogénea se hizo patente ya en las Cortes reunidas bajo Juan I. La obra de recopilación y sistematización no se ultimará, sin embargo, más que con Alfonso V: serán las ORDENAÇOES AFONSINAS.

Recursos y soportes de la realeza

El papel preponderante de la nobleza en el panorama político bajomedieval de los reinos hispánicos no fue obstáculo insalvable para que las monarquías prosiguiesen la labor de perfeccionamiento del aparato administrativo iniciada en los años anteriores.

Los *recursos económicos* de la realeza seguían siendo un tanto aleatorios. Pero en este período se van echando las bases de una administración financiera que se perfeccionará en la Modernidad. En *Castilla*, el Mayordomo Mayor se perfila como el oficial superior al que se rendía cuenta de los ingresos y gastos de los demás oficiales, entre los que los Contadores Mayores y Tesoreros irán ocupando los más importantes papeles hacendísticos. A los tradicionales ingresos antes reseñados, la monarquía añadirá desde mediados del XIV un nuevo impuesto, en principio extraordinario pero luego permanente: la alcabala, que gravaba todo tipo de compraventas y permutas en una cuantía entre el 5 y el 10 por ciento.

En *Aragón*, las reformas de Pedro IV hicieron del maestre racional la figura clave de los mecanismos financieros, con algunos funcionarios delegados en los distintos territorios de la Corona: los Batlles generales de Cataluña, Valencia y Mallorca. En *Navarra*, bajo los monarcas de la casa de Evreux, Carlos II y Carlos III, se estructura firmemente la Cámara de Comptos con la finalidad de fiscalizar las cuentas del reino y la imposición de penas a quienes cometiesen infracciones financieras.

Sin embargo, las numerosas exenciones fiscales, y la política de liberalidad de los monarcas, rindieron como muy problemática la eficacia de estas medidas.

Algo semejante cabría decir del otro soporte en el que se podía apoyar la realeza: el *ejército*. En los siglos bajomedievales seguirá siendo tan heterogéneo como en el período anterior. A los jefes militares tradicionales se yuxtaponen otros de nuevo cuño: el condestable en Castilla, el senescal en la Corona de Aragón, el condestable en Portugal, el mariscal y el condestable en Navarra. Las grandes unidades militares («batallas») siguieron esencialmente constituidas por las milicias concejiles, huestes señoriales y caballeros de las Ordenes Militares.

* * *

La incipiente política centralizadora impulsada por los monarcas se plasma en la aparición de una serie de organismos sobre los que se apoyará en el futuro la monarquía autoritaria del Renacimiento.

En el caso de *Castilla* serán, esencialmente, la Audiencia o Chancillería y el Consejo Real. La primera aparece en 1371 en las Cortes de Toro bajo Enrique II e irá siendo perfeccionada con sus sucesores como organismo supremo de administración de justicia. En cuanto al Consejo Real, el año 1385 será clave en su estructuración: cuatro nobles, cuatro eclesiásticos y cuatro representantes del estado llano. La entrada en él de legistas romanistas reforzará, desde el punto de vista doctrinal, la autoridad monárquica, aunque para ello se tenga que esperar a la superación de las turbulencias habidas bajo los últimos Trastámara.

En la Corona de Aragón, la labor de Pedro IV fue decisiva en lo referente al desarrollo de un aparato administrativo capaz de conjurar el peligro de las fuerzas centrífugas. Los colaboradores del monarca, buenos conocedores del Derecho romano, serán agentes eficaces de esta política. En el saldo favorable cabe considerar la estructuración definitiva del Consejo Real como cuerpo consultivo permanente, la reglamentación de los grandes oficios de corte o la organización de la Audiencia i Conseyl de Cataluña. El carácter confederal de la Corona propiciará la aparición de delegados de la autoridad real en cada uno de los grandes territorios históricos de la Corona, bajo distintos nombres: procuradores generales, lugartenientes, virreyes... estos últimos con más arraigo en los territorios insulares.

Aunque más lentamente, en *Navarra*, aparecen organismos de gobierno semejantes a los de los reinos vecinos. Así será como surja también un Consejo como organismo separado de la Corte del Rey.

En *Portugal*, desde 1383-85, y por influencia de Joao das Regras, la preponderancia de los legistas en el Consejo será también una realidad.•

Las dificultades del municipio hispánico en la Baja Edad Media

La vida municipal se vio profundamente afectada por las convulsiones bajomedievales. La *autonomía concejil* sufrirá rudos golpes.

En la Corona de *Castilla*, al antiguo concejo abierto y democrático sucederá, desde mediados del xiv, el regimiento o ayuntamiento, cuerpo colegiado de reducido número de miembros (en torno a veinte) de extracción hidalga, nobiliaria o altoburguesa, que acabará controlando la vida municipal. El cargo de regidor acabará patrimonializándose y convirtiéndose en una codiciada prebenda. La serie de abusos y corrupciones a que ello dará lugar forzará a los monarcas castellanoleoneses a enviar a agentes como los pesquisidores, veedores, emendadores y, en definitiva, los *corregidores*, dotados de amplísimos poderes. Hacia 1348 aparecen ya corregidores nombrados por Alfonso XI para las merindades cántabras. Con Enrique III, hacia 1400, el sistema cobra un fuerte impulso. El corregidor será, en principio, designado por un espacio de tiempo limitado para poner orden en la administración municipal o acabar con los abusos de las oligarquías locales. Sin embargo, con el correr de los años, los monarcas deciden enviarlos siempre «que yo entendiere que cumple a my servicio», como se dice en las Cortes de Córdoba de 1455. Fórmula harto ambigua que oculta el deseo de los reyes castellanos de implantar el sistema de corregidores en todos los municipios de realengo dando con ello un golpe mortal a su vieja autonomía.

En la *Corona aragonesa,* el municipio experimenta algunas transformaciones en relación con la etapa anterior. En Barcelona, las reformas emprendidas por Alfonso V en 1455 elevaron a 128 el número de miembros del Consejo de Ciento (32 por cada estamento de ciudadanos honrados, mercaderes, artistas y menestrales). Aparte de que el Consejo rara vez se reunía completo, las medidas no consiguieron evitar la ruptura del monopolio ejercido por la cerrada oligarquía del Principado. Las continuas intromisiones de los monarcas trastámaras en el funcionamiento de las instituciones del Principado habrían de contribuir a medio plazo a hacer inevitable la guerra, tal y como hemos expuesto. El peligro de enquistamiento de la vida municipal que se advertía en otros municipios de estilo catalán (Valencia y Mallorca) se intentó evitar por el sistema de la *insaculación,* puesto en práctica por primera vez en Játiva en 1427. El sorteo era, en este caso, quien decidía el nombre de aquellos que habían de desempeñar los cargos municipales.

Las Cortes: esplendor y declive

El sigló XIV puede ser considerado como el del esplendor de las *Cortes en los Estados ibéricos occidentales.* Unas cortes —las de Coimbra de 1385— fueron capaces de imponer un monarca nacional en el reino lusitano; otras, las de Burgos de 1392, actuaron como auténtico árbitro en el oscuro panorama de la regencia de Enrique III... Sin embargo, en Castilla, el sacrificio de la autonomía municipal va teniendo también su lógico equivalente en el declinar de las Cortes como organismo representativo. Hay algunos datos que son sumamente significativos: a las Cortes de Burgos de 1315 acudieron representantes de un centenar de localidades. En 1391, el número de villas y ciudades representadas era de 48. Un siglo más tarde sólo serán 17. A esta fulminante disminución contribuyó la política de donaciones de la realeza hacia la aristocracia castellana que hizo que numerosos lugares de realengo pasasen a ser de señorío y, consiguientemente, los señores se arrogasen su representación. La monótona reiteración de peticiones hechas por los procuradores es una muestra del escaso eco que éstas acaban teniendo en las más altas instancias de poder. Las Cortes *castellano-leonesas* a fines del Medievo son, en definitiva, el telón de fondo de determinados acontecimientos: la jura del heredero y, sobre todo, la votación de subsidios solicitados por el rey. El período entre 1419 y 1430 lo señala Julio Valdeón como el de la «muerte práctica de la institución».

En *Portugal*, la asamblea de Torres Vedras de 1438 impuso la convocatoria de Cortes todos los años, pero tal providencia no iba a tener tampoco más que un carácter transitorio. Desde el año siguiente (Cortes de Coimbra) la intervención real en el nombramiento de los representantes del estamento popular se acentúa.

En la *Corona aragonesa*, la vitalidad de las Cortes se mostró de forma inequívoca a lo largo de todo el Bajo Medievo, aunque luego también hayan de claudicar en parte ante la autoridad monárquica. Frente a un soberano de la talla y energía de Pedro IV, las Cortes catalanas lograrán

—tal y como nos lo ha mostrado Ramón de Abadal— mantener una actitud de cierta contestación. Es significativo que en 1359 la *Diputación* se convierta en organismo permanente, en principio para vigilar la percepción de impuestos votados y fiscalizar el cumplimiento de las decisiones tomadas. A la larga, al darse su estatuto definitivo en 1413, la «Diputación del General de Catalunya» trata de crear un Estado representativo frente al Estado puramente monárquico. Se convertirá, así, en uno de los más acabados instrumentos del pactismo, capaz de sobrevivir a la derrota frente a Juan II. Bajo un modelo semejante, Valencia se dará una «Diputació del regne» con seis diputados, y Aragón otra, desde 1412.

Desde 1300, *Navarra* tendrá sus Cortes, con una organización y un funcionamiento parecido al aragonés. La eficacia del organismo quebrará desde el momento en que el reino se desangre en las parcialidades de agramonteses y beaumonteses, que provocarán la descomposición del aparato administrativo navarro. Incluso la aparición de la Diputación del Reino será tardía: de 1501.

5

EL TRANSITO HACIA LA MODERNIDAD: LA MONARQUIA AUTORITARIA

Entre Caspe y Alcaçovas: de la unidad dinástica a la personal de las Coronas de Castilla y Aragón

La muerte de Martín el Humano el 31 de marzo de 1410 provocó la extinción de la dinastía de Barcelona. Durante los meses siguientes, cinco pretendientes, ligados familiarmente al difunto, entraron en liza : Fadrique de Luna, Luis de Anjou, Alfonso de Gandía, Jaime de Urgel y el infante Trastámara (en aquellos momentos regente en Castilla de su sobrino Juan II) Fernando de Antequera. Estos dos últimos acabarán siendo quienes tengan más posibilidades.

La sentencia de los compromisarios catalanes, aragoneses y valencianos reunidos en Caspe impuso en el trono a Fernando de Trastámara (24 de junio de 1412).

El *Compromiso de Caspe* ha despertado encontradas opiniones. Autores de signo catalanista (Domenech i Montaner, Soldevila) lo han considerado como una imposición castellanista que supuso el inicio de la liquidación de la personalidad del Principado. Historiadores de signo contrario (al estilo de Menéndez Pidal) han mantenido que en Caspe triunfó la sensatez e incluso el principio de «autodeterminación», que supuso un primer paso para la ulterior unidad peninsular bajo los Reyes Católicos. Otros autores, en fin, como Dual-de Serrano y Vicens Vives han mantenido una posición menos apasionada. El declive catalán, en efecto, no se inició con los Trastámaras, sino que sus primeros síntomas ya se habían manifestado medio siglo antes.

En la elección de Fernando frente al de Urgel concurrieron una serie de circunstancias. En primer lugar, una razón de hecho, cual era la potencia política y económica del candidato castellano, que echó mano de amplios recursos militares y monetarios para apoyar a sus parciales. En segundo término, el miedo a la guerra civil en los Estados de la confederación aragonesa: en el interregno se había llegado a la confrontación abierta en Valencia entre los clanes de los Centelles y los Vilaragut; en Aragón se estuvo al borde de la tragedia al ser asesinado el arzobispo de Zaragoza; Cataluña se mantuvo en paz. Ello hubiera podido conducir al Principado a convertirse en árbitro de la situación, pero no supo encontrar un candidato idóneo, ya que el más calificado, Jaime de Urgel, despertaba amplios recelos por su vinculación demasiado pronobiliaria. En última instancia, el papa Benedicto XIII y San Vicente Ferrer tuvieron un decisivo papel al considerar a Fernando como el candidato idóneo para liquidar la situación de desgarro en que se encontraba la Iglesia. De hecho, el parlamento aragonés reunido en Alcañiz y a quien acabaron adhiriéndose —de mejor o peor gana —catalanes y valencianos fue quien dio, a comienzos de 1412, la fórmula para la elección de nuevo monarca a través de nueve compromisarios, tres por cada uno de los Estados. El

Compromiso de Caspe, así, no fue más que la ratificación de una situación que había ido madurando en los meses anteriores.

* * *

Caspe significaba la *unión dinástica* de los dos grandes Estados peninsulares. Desde el punto de vista económico, el acercamiento a la Meseta despertó grandes esperanzas en Cataluña y Valencia. Sólo parcialmente se iban a ver satisfechas. Fernando de Antequera y sus sucesores hubieron de enfrentarse con la grave crisis catalana cuya evolución general ya ha sido antes expuesta.

Desde el punto de vista de la gran política peninsular, la entronización de los Trastámara en Aragón se acompañó del mantenimiento de unos fuertes intereses señoriales en Castilla. Los hijos de Fernando (los famosos «infantes de Aragón») tuvieron una decisiva importancia en la evolución de los acontecimientos castellanos a lo largo del reinado de Juan II. De hecho, la política de éste y de su valido don Alvaro de Luna —ya lo hemos adelantado— se vio condicionada por la fuerza de los herederos de esta rama menor de los Trastámara. Una fuerte red de intereses personales estaba, así, limando el distanciamiento entre las Coronas castellana y aragonesa.

El progresivo alejamiento de Alfonso V —demasiado enfrascado en sus aventuras italianas— propició el encumbramiento de su hermano Juan. Duque de Peñafiel, rival acérrimo del de Luna, rey consorte de Navarra, lugarteniente en Cataluña y, por último, soberano de la confederación aragonesa, la labor de este vástago de Fernando de Antequera fue realmente prodigiosa. Mezcla de doblez y perspicacia política, Juan II de Aragón logró evitar, con ímprobos esfuerzos según ya hemos indicado, la desmembración de sus Estados amenazados por la revolución catalana. Pero aún llegó más lejos en sus proyectos cuando supo sacar partido de la anárquica situación en la que se debatía Castilla en aquellos años.

En efecto: la revolución catalana corre pareja con la rebelión abierta de la nobleza castellana contra Enrique IV, de la que ya hemos hablado. Hábil diplomático aun en las situaciones más desesperadas, Juan II fue capaz de mantener en Castilla un partido «aragonesista» capaz de tener en jaque a su colega. La puesta en tela de juicio de la legitimidad de la heredera de Enrique, Juana, por parte de la nobleza condujo, a la larga, a la fórmula de compromiso conocida como concordia de los Toros de Guisando. Por ella Enrique IV era acatado (1468) y reconocida su hermana Isabel como heredera. La princesa se convertía, así, en la más codiciada heredera del Occidente.

Frente a las pretensiones portuguesas, apoyadas por un sector de la nobleza castellana, Isabel optó por la candidatura matrimonial aragonesa —el heredero Fernando—, suscrita por los poderosos linajes de Mendoza y Enríquez. Los dos príncipes (unidos el 18 de octubre de 1469) representaban el espíritu de restauración de la autoridad real. El apoyo de Juan II frente a los intentos para rehacer la candidatura de Juana pudo ser más efectivo desde 1472, en que logró rendir Barcelona. Dos años más tarde, la muerte de Enrique IV daba paso al *último conflicto civil castellano* del Medievo.

El partido isabelista, mediante la redacción de la sentencia arbitral de Segovia, creó la fórmula de gobierno conjunto para Castilla de Fernando e Isabel. Pero amplios sectores de la nobleza (Stúñiga, Girón, arzobispo Carrillo) favorecieron la candidatura de Juana, apoyada en su prometido Alfonso V de Portugal. La guerra de sucesión castellana acabó cobrando unas amplias connotaciones internacionales: isabelistas y aragoneses (conectados éstos con borgoñones y yorkistas ingleses) de un lado; juanistas, portugueses y franceses de otro. Pareció, por un momento, replantearse el conflicto de la Guerra de los Cien Años, aunque con un nuevo sistema de alianzas. La invasión de Alfonso V, remontando el valle del Duero y ocupando algunas plazas extremeñas, careció del necesario apoyo. Tras diversas alternativas militares, la confusa batalla de Toro (1 de marzo de 1476) hizo oscilar la balanza a favor de Isabel y Fernando. En los años siguientes, la labor de pacificación acometida por los dos soberanos provocó la disolución del partido juanista. Al mismo tiempo, el apoyo francés a Alfonso V se desvanecía ante la imposibilidad, por parte de Luis XI, de utilizar la cuña navarra. Al fin, los tratados de Alcaçovas (4 septiembre de 1479) liquidaron el pleito dinástico: marginada Juana, Isabel se consolidaba en el trono y echaba incluso las bases de una futura alianza dinástica con la monarquía lusa.

En 1479 moría el viejo Juan II de Aragón. Al hacerse cargo directamente Fernando de los Estados de la confederación catalano-aragonesa, la unidad personal de los dos grandes Estados hispánicos daba un nuevo paso. El autoritarismo real, también.

El autoritarismo real y sus intrumentos

La liquidación del pleito sucesorio en Castilla trajo la rápida *sumisión de la nobleza* a Fernando e Isabel. El conflicto entre el estamento aristocrático y la realeza parecía saldarse a favor de ésta. Se han invocado, amén de la victoria en la guerra civil del bando isabelista, otros ejemplos: las medidas punitivas tomadas contra Guzmanes y Ponce de León sevillanos, la incorporación de la mayor parte de las villas del marquesado de Villena a la Corona, o las operaciones de limpieza en Galicia contra los más turbulentos nobles. Sin embargo, el poder económico y el status social de la nobleza permanecen inalterables por más que las decisiones políticas queden en manos de la Corona. Los turbulentos linajes que protagonizaron los conflictos civiles en los siglos XIV y XV y que se habían beneficiado del proceso señorializador, serán los mismos que ocupen los puestos clave de la vida socioeconómica peninsular a partir del quinientos. Y los mismos también cuya fortuna política dependerá del favor del rey, ya que no de la usurpación de sus funciones.

Los *municipios castellanos* se vieron más afectados aún por el autoritarismo monárquico. El sistema de corregidores fue implacablemente impuesto. A la veintena de corregimientos que figuran —de forma muchas veces coyuntural— hacia 1400 se sumarán otros hasta superar el medio centenar, establecidos ya de forma permanente.

El declive del municipio corre pareja con el de las *Cortes*. Los Reyes Católicos sólo las reunieron seis veces. Dos convocatorias tuvieron particular relevancia: la de Madrigal, después de la victoria de Toro, y la de Toledo de 1480. En ambos casos, los monarcas aprovecharon para intensificar el proceso de reforzamiento de su autoridad.

Así, en las Cortes de Madrigal se reestructuró la *Hermandad* (Santa Hermandad desde entonces) que tan buenos servicios había prestado a la realeza en los momentos más críticos. Desde este momento figurará como un instituto armado en el que la cuadrilla será la célula fundamental para la represión de delitos en despoblado, aunque en ocasiones actúa como un cuerpo paramilitar perfectamente integrable en un ejército permanente. Todos los concejos castellanos colaboraron en el mantenimiento de esta institución que, si bien en un principio no tenía carácter permanente, acabó adquiriendo las características de un organismo estable.

De las Cortes de Toledo de 1480 surgió la reorganización del *Consejo Real*, en el que los letrados (en torno a ocho), como personas versadas en Derecho romano, serán los grandes impulsores de la concepción cesarista de la realeza. Los organismos de tipo consiliar irán en aumento (Consejo de Hacienda, de la Inquisición, de Indias...) en los años siguientes y constituirán uno de los principales soportes de la monarquía de los Austrias.

Desde 1489, se procedió también a una reestructuración de los organismos judiciales supremos: a la *Audiencia y Chancillería* de Valladolid se sumará (para los asuntos al sur del Tajo) la de Ciudad Real, luego trasladada a Granada. En Galicia —dado su alejamiento de los centros de poder— surgirá también una Audiencia dependiente en algunos aspectos de la de Valladolid.

La labor recopiladora en el *ámbito legislativo* cobró un nuevo impulso: en 1484 aparecieron las Ordenanzas reales de Castilla, llamadas también Ordenamientos del doctor Montalvo, en donde se recogieron disposiciones de carácter político, administrativo, civil y penal, desde tiempos de Alfonso X. En 1505, se promulgaron las Leyes de Toro, gracias a la labor de un grupo de juristas dirigidos por Palacios Rubios.

Los *recursos económicos* del Estado experimentaron una reestructuración en la Corona castellana. Las Ordenes Militares pasaron a ser administradas por la realeza entre 1485 y 1495. La Mesta fue objeto de particular atención y control, particularmente desde 1489. En el exterior se estimuló el desarrollo y creación de consulados, que proseguían la tradición forjada a lo largo de la dinastía trastámara. Sin embargo, el movimiento de dinero quedaba principalmente en manos de extranjeros (genoveses, florentinos, alemanes...) y la industria textil, aunque objeto de atención de los monarcas, no llegó a ocupar en el contexto económico internacional un papel de claro protagonismo.

En *política monetaria* los Reyes Católicos trataron de poner orden en un ambiente un tanto desquiciado desde siglo y pico antes. El maravedí había sido relegado progresivamente a la categoría de moneda de cuenta. La pieza de oro básica era la dobla, aunque el proceso inflacionista y las serias fluctuaciones se dejaron sentir más sensiblemente en la moneda de plata. Pedro I había creado el real de plata (doce reales hacían una dobla), pero bajo sus sucesores se acuñaron una serie de monedas de baja ley (cruzados, blancas, cornados...) que oscurecerán el panorama a pesar de algunos intentos de saneamiento emprendidos por iniciativa de procuradores en Cortes (vg: las de 1391). Con Enrique IV se acuñó una dobla conocida como el «enrique» o «castellano», moneda de oro de excelente factura equivalente a 435 maravedíes. Por último, los Reyes Católicos acuñaron desde 1497 el excelente de la granada, equivalente a un ducado veneciano o a 375 maravedíes. A su lado siguieron figurando el real (34 maravedíes) y la blanca (1/2 maravedí).

Para la *Hacienda* en general los estudios del Prof. Ladero han fijado un aumento de los ingresos que ascenderían desde 49 millones en 1480 a 223 millones en 1492. El recurso a los ingresos extraordinarios es clave, más aún si tenemos en cuenta el desarrollo en este período de la Guerra de Granada. Se trata, dice el propio Prof. Ladero, de «una Hacienda modesta pero equilibrada, aunque en tenso equilibrio, pronto a romperse a favor de los gastos».

La Guerra de Granada y las posteriores guerras en Italia contribuyeron a la configuración de otro de los instrumentos de la monarquía autoritaria: el *ejército permanente*. Durante las campañas de culminación de la Reconquista se ven aún amplios resabios del pasado militar medieval (milicias municipales, mesnadas señoriales...), pero la técnica empieza a ser moderna. A la estructuración en batallas sucederá la organización en contingentes más homogéneos desde comienzos del quinientos: las capitanías y las coronelias, formadas por 12 capitanías. La caballería y la artillería —la gran revolución del momento— acabarán figurando como cuerpos de apoyo.

El carácter confederal de la Corona aragonesa provocará el que las soluciones del autoritarismo real sean distintas en algunos aspectos a las de Castilla.

El interior de la Corona (las tres provincias actuales de *Aragón*) mantuvo su estructura predominantemente rural, por cuanto sólo algo más del 16 por 100 de la población, en opinión de Lacarra, residía en núcleos de más de dos mil habitantes. La población del campo estaba constituida por vasallos cristianos o moros, cada vez más estrictamente sujetos a la autoridad de los señores. La política de Fernando el Católico, aunque en algunos casos como el de la rebelión de Ariza tratase de beneficiar a los sublevados, a la larga acabó por acomodarse a los intereses de la aristocracia. En el medio urbano, el enfrentamiento entre los distintos clanes nobiliarios (Urreas y Lunas, Heredias y Bardajís, etc...) fue una herencia del siglo XIV que se prolongó más allá del quinientos.

El reino de *Valencia* no planteó graves problemas a los monarcas. Constituyó la entidad más estable de toda la Corona, basada en el predominio de una aristocracia terrateniente bajo cuya autoridad quedaba una masa de población de ascendencia islámica: los mudéjares que, bautizados más adelante a la fuerza, se convirtieron en moriscos. Hasta su expulsión a comienzos del XVII no se producirá una seria alteración en el equilibrio de fuerzas sociales.

Cataluña era, en definitiva, quien más graves problemas podía plantear a la monarquía autoritaria. La liquidación de la revolución y la sentencia de Guadalupe pusieron éstos en vías de solución. De hecho, Fernando el Católico se encontró ante un Principado profundamente debilitado a pesar de que en 1492 Carlos VIII de Francia devolvió el Rosellón. El monarca prosiguió la política de su progenitor, aunque, más que de absolutismo quepa hablar, según expresión de Vicens Vives, de «preeminencialismo». Su actuación la llevó a cabo como «cabeza, defensor y protector, por la Gracia de Dios, del Principado de Cataluña».

Fernando permitió la persistencia de las instituciones propias del país, pero rebajándolas considerablemente de contenido. El principal agente de esta política fue Jaume Destorrent, que desde 1490 encabezó en Barcelona un Consejo de Ciento fiel a las directrices de la Corona. El sistema de *insaculación* fue sistemáticamente introducido para la provisión de los cargos municipales. En Barcelona lo fue desde 1498. Medidas semejantes se adoptaron para la Generalidad, en la que los diputados fueron directamente nombrados por el rey.

La hostilidad que las *Cortes* de la Corona aragonesa manifestaron frente a las medidas autoritarias de Fernando propiciaron el que éste no las convocase con excesiva frecuencia. Desde 1481 a 1515, se reunieron sólo ocho veces en Aragón, una en Valencia y seis en Cataluña. La actitud del monarca hacia ellas fue la de amenaza de disolución en caso de que los subsidios solicitados no fueran aprobados.

La novedad más importante en el aparato burocrático queda centrada en la reestructuración de la antigua Cancillería. Una parte se desdobló y se adscribió a los distintos países integrados en la confederación como órgano para la administración de justicia. La otra parte de la Cancillería pasó, desde 1494, a integrarse en el Consejo Real de Aragón, con la finalidad de tratar todo tipo de disposiciones referentes a los Estados de la Corona «con arreglo a sus particulares fueros y costumbres».

De forma análoga a lo sucedido en Castilla, la Orden Militar de Montesa pasó, desde 1487, a ser administrada directamente por la Corona.

Adelantándose a Castilla en quince años, Fernando acometió la reforma monetaria en sus Estados tomando, también, como modelo el ducado veneciano. Valencia —capital financiera de la Corona— fue la adelantada del proceso, con la acuñación del «excelente», a la que siguió, en 1493, el «principat» catalán. Fue la única medida de unificación con Castilla acometida en el ámbito de la economía. La llegada de las remesas indianas a lo largo del quinientos precipita un conjunto de cambios que anuncian una nueva era.

* * *

El caso del reino de *Navarra* fue inverso al de Castilla o Aragón en lo que a reforzamiento del poder monárquico se refiere. José María Lacarra ha expuesto de forma muy atinada que «los monarcas navarros veían limitada su autoridad por el poder que iban adquiriendo las Cortes y los Estados en Navarra y en el Bearne, sus recursos económicos eran muy reducidos e inseguros, y el ejército permanente de un valor simbólico». En 1450 se creó una Hermandad presidida por el alcalde de Pamplona con la finalidad de devolver la paz al reino. Sin embargo, la institución arrastró una vida lánguida; en los primeros años del XVI la falta de recursos económicos impidió su prórroga.

Navarra se convertía así en una presa fácil para sus vecinos los monarcas castellano y francés, cuya autoridad había conseguido en aquellos años sobreponerse a las distintas fuerzas políticas centrífugas.

* * *

El *reino lusitano* siguió unas líneas de evolución política parejas a las de su vecina Castilla. Al caballeresco e imbuido de ideales feudalizantes Alfonso V sucedió en 1481 Joao II, el «Príncipe perfeito», mucho más enérgico frente a las pretensiones de una nobleza crecida en los años anteriores.

Las Cortes de Evora de 1481 fueron decisivas en el apuntalamiento del poder monárquico, que se hizo esco de las protestas de los procuradores del estado llano. Dos de los más conspicuos representantes de la aristocracia, los duques Fernando de Braganza y Diego de Viseu, pagaron con su vida las intrigas contra la realeza en los años siguientes. Pero tampoco los *concelhos* se vieron libres del intervencionismo regio. Siguiendo una tradición apuntada por sus predecesores y que en Castilla habían impuesto los Reyes Católicos, Juan II echó las bases para que su sucesor Don Manuel generalizase el sistema de «juizes da fora» y uniformase la percepción de tributos a pagar por las ciudades. Bajo este monarca (1495-1521) las Cortes sólo se reunieron cuatro veces, la última en 1502.

La política autoritaria de los soberanos portugueses en el tránsito a la Modernidad se vio respaldada por los éxitos en el exterior: Juan II se titulará «Señor de Guinea» y don Manuel, bajo cuyo gobierno los marinos lusitanos alcanzarán Calicut, será «el Afortunado».

La culminación de la Reconquista

La pacificación impuesta por los Reyes Católicos en Castilla desde el fin de la guerra civil y la continuada pugna de facciones en el interior de Granada fueron circunstancias favorables para la *consumación del proceso reconquistador*.

Bajo los Trastámara sólo se habían hecho algunos intentos sin demasiadas consecuencias. El más importante fue el emprendido por el infante Don Fernando, como regente de Juan II y previamente a su elección en Caspe, que se saldó con la toma de la importante plaza de Antequera. Con Don Alvaro de Luna se hizo otra intentona cuyo resultado fue la victoria de Higueruela, aunque sin ninguna consecuencia apreciable. Enrique IV, en los primeros años de su reinado, llevó también a cabo sistemáticas operaciones de tala en la Vega granadina, pero la insurrección de la nobleza echó por tierra estas halagüeñas perspectivas. Sin embargo, en el verano de 1462 el duque de Medinasidonia se apoderaba de Gibraltar.

Veinte años más tarde, los castellanos procedían a iniciar las operaciones definitivas. Miguel Angel Ladero considera la existencia de *tres etapas* en la conquista. La *primera*, entre 1482 y 1485, se inició con la toma de Alhama, auténtica cuña desde la que se procederá a la ya rutinaria tala de la Vega granadina y a intervenir en la guerra civil en apoyo del príncipe Boabdil. La *segunda* fase transcurrirá entre 1485 y 1487 y se caracterizará por la presión castellana en la zona malagueña, en donde la capital ofrecerá una dura resistencia antes de capitular en agosto de 1487. La *tercera* fase —coincidiendo con la pugna entre Boabdil y su tío «el Zagal»— se inició con un conjunto de operaciones desde el Adelantamiento de Murcia que propiciaron la caída de Vélez Blanco, Vélez Rubio, Mojácar, Baza, Guadix y Almería. Los castellanos, agotados por el esfuerzo de diez años de guerra, se limitarán en lo sucesivo a apretar el cerco de una Granada cuya caída oficial se producirá el 2 de enero de 1492.

Aunque las *capitulaciones* por las que las plazas se entregaron a los castellanos conllevaban el respeto a los bienes y libertades de los vencidos, muchos de éstos (en particular la aristocracia) optaron por la emigración al Mogreb. En los años siguientes, el afianzamiento de los señoríos creados en la zona conquistada, y de la masa de repobladores castellanos, andaluces y murcianos irá haciendo cada vez más difícil la convivencia entre la comunidad cristiana y la islámica.

Hacia la uniformidad religiosa

La política de preeminencialismo monárquico que los Reyes Católicos aplicaron al conjunto político de sus Estados se vio reforzada por unas actitudes semejantes en el ámbito religioso.

Lugar de primer orden ocupa la nueva *Inquisición*. Como tribunal, la institución había funcionado en la Edad Media a cargo de los dominicos. Sin embargo, desde 1478, y por varias bulas pontificias, se delegó en los monarcas la función del nombramiento de inquisidores, o cuando menos se facultó a la realeza a recomendar a las personas que se creía más capacitadas para ejercer el cargo. El primer centro de la nueva Inquisición se encontró en Sevilla desde 1480 y desde ella se extendió su acción a las demás villas y ciudades. La Inquisición se convertía en uno de tantos organismos de la centralización monárquica. Los judaizantes fueron las primeras víctimas de la severidad del tribunal, regido en sus primeros tiempos por el terrible Fray Tomás de Torquemada. El éxito de los Reyes Católicos frente a las reservas del pontificado fue tanto mayor cuanto que consiguieron que la jurisdicción de la nueva Inquisición se extendiera a los Estados de la Corona aragonesa. Las Cortes de Tarazona de 1484 regularon su funcionamiento en este área, lo que dio lugar a una serie de conflictos frente a la resistencia de los poderes forales. Así fue como las Cortes de Orihuela de 1488 trataron de oponerse a la nueva regulación sobre destino de los bienes de los condenados. Y así fue también —el acontecimiento más dramático— como se produjo el asesinato del canónigo e inquisidor de Aragón, Arbués, en 1485. En este mismo año, la ciudad de Teruel tuvo que ser obligada por la fuerza de la excomunión y de las armas a aceptar el tribunal...

Al iniciarse la nueva centuria, la oposición abierta frente a la Inquisición era cada vez más débil.

* * *

El *problema judío*, agravado desde las matanzas de 1391, no había encontrado solución en los años siguientes. La acción inquisitorial no alcanzaba a esta minoría sino sólo a los judaizantes y falsos conversos. A la hostilidad popular (judíos como pueblo deicida y como minoría económicamente pudiente) se sumó la actitud de conversos genuinos, deseosos de justificarse frente a sus antiguos hermanos de religión y frente al judaísmo en general. Los Reyes Católicos, en las Cortes de Madrigal (1476) y Toledo (1480), renovaron de forma rutinaria las antiguas medidas discriminatorias, reforzando las de obligación de residencia en barrios separados. En los años siguientes parece se dieron algunas medidas de destierro para los judíos de Andalucía y de Aragón, que apenas debieron de tener efectividad. Sin embargo, y coincidiendo con la inminente liquidación del reino nazarí, los monarcas se fueron convenciendo de la necesidad de una «solución final» al problema judío. En ello actuaban como auténticos monarcas renacentistas para quienes la unidad religiosa era un elemento más de la unidad política.

La decisión se plasmó en una pragmática de 31 de marzo de 1492 por la que se expulsaba a los judíos de las dos Coronas, dándoles de plazo hasta finales de julio del mismo año, durante el cual quedarían bajo el «amparo y defendimiento real». En los años siguientes, los reinos de Portugal (1496) y Navarra (1498) tomaban decisiones semejantes.

Desde el punto de vista demográfico, Suárez Fernández ha calculado que la expulsión afectó en Castilla a un número de familias en torno a las quince mil.

El problema judío en la Península quedaba solucionado, pero sólo sobre el papel. En la práctica, las circunstancias de fondo que lo habían hecho posible perduraron marcando profundamente la trayectoria social y religiosa de la España de la Modernidad.

* * *

La permanencia de un importante contingente de población islámica (los *mudéjares*) en la recién conquistada Granada planteó otro serio problema en la unidad religiosa.

Desde 1495, los viejos pactos fueron incumplidos en algunos puntos. La presión evangelizadora de Fray Hernando de Talavera y de Fray Francisco Jiménez de Cisneros contribuyó a enrarecer el panorama. A fines de 1499 estalló un motín en el Albaicín que pronto se extendió a la Alpujarra. Sólo en el mes de mayo de 1501 y tras una intervención militar a fondo, se pudo dar como liquidada la insurrección. Por una pragmática de febrero de 1502 se ponía a la población musulmana en el dilema de bautizarse o emigrar. Al revés de lo sucedido con los judíos, muchos de los mudéjares optaron por la primera salida. La alternativa, sin embargo, no fue planteada tan crudamente para los mudéjares de los Estados aragoneses, en donde la presión de los señores de la tierra, temerosos de perderlos, fue eficaz ante Fernando.

De la lógica insinceridad de la conversión de los mudéjares andaluces darán buena prueba las ulteriores rebeliones moriscas de la misma Alpujarra. La desconfianza hacia la población de ascendencia islámica —al igual que la mantenida frente a los descendientes de los judíos— no podía, en efecto, liquidarse a golpe de edicto.

* * *

La política de intervencionismo regio en la vida eclesiástica tuvo una importante veta *regalista* típica de las monarquías renacentistas. El semicontrol de la Inquisición o el cobro de la bula de la cruzada son buenas muestras de ello. Sin embargo, el dato más significativo al respecto fue la extensión del patronato regio a la organización eclesiástica del conquistado reino de Granada acometida por fray Hernando de Talavera, uno de los más eficaces colaboradores de la reina. La bula de patronato habría de extenderse más adelante a las Indias.

Pero el patrocinio de la realeza se extendió más allá de la pura estructuración administrativa eclesial. En efecto, la reina fue una de las más fervientes impulsoras de la política de *reforma del clero* cuyos primeros pasos se habían dado años atrás. Torquemada y Cisneros fueron los principales agentes de esta política.

La Congregación de San Benito de Valladolid y la Observante castellana del Císter constituyeron excelentes instrumentos de renovación, desde Galicia hasta Cataluña. Al igual que la introducción de algunas medidas de reforma política, provocará las lógicas tensiones: conflictos en Montserrat, privación de su cargo en 1495 a la abadesa de Puellas, lentitud de la reforma en Valencia, sólo iniciada en este mismo año. Castilla, sin embargo, fue el campo de acción favorito de la política reformista, que contaba aquí con una ventaja dado que «la autorreforma del clero era ya un hecho de gran volumen, y los reyes comprendieron que su misión no era emprender otra distinta sino favorecer y encauzar la ya existente» (García Oro). Amén de los benedictinos, los mendicantes contaban también con poderosos focos de renovación: los dominicos a través de San Pablo de Valladolid; los franciscanos, gracias a la acción de Cisneros, los agustinos, merced a la labor iniciada por Fray Juan de Sevilla desde 1494.

Las medidas disciplinarias tomadas contra el clero secular desde la asamblea eclesiástica de Sevilla de 1478 completarían el cuadro del saneamiento del estamento religioso en la Península. La España que los Reyes Católicos leguen a sus sucesores se encontraría, así, a la vanguardia de la reforma eclesiástica dentro de los límites de la ortodoxia.

CONCLUSION

Se ha dicho que la toma de Granada por los Reyes Católicos fue una especie de revancha cristiana por la caída de Constantinopla en manos de los turcos cuarenta años atrás. Sin embargo, este acontecimiento no supuso el que se sellase todo un pasado. En efecto, el sentido de guerra religiosa que la Reconquista había ido adquiriendo en los Estados hispano-cristianos del Medievo se fue transmitiendo a la monarquía hispánica de los Austrias. La confrontación con los turcos en el Mediterráneo, la lucha contra los protestantes en Europa o la conquista de Indias llegaron a verse impregnadas de este sentido. Y, lo más dramático para la trayectoria interna peninsular desde comienzos del quinientos: la uniformidad religiosa que la Inquisición impuso implacablemente acabó con las actitudes de tolerancia relativa bajo las que las sociedades hispánicas habían vivido en el Medievo.

Las estructuras medievales se mantuvieron profundamente arraigadas en el ámbito de la ordenación política de la España moderna. El sentido confederal que presidió la trayectoria de algunos Estados hispánicos en el Medievo pervivió después del quinientos. El camino hacia la uniformidad política fue lento. Sólo con la entronización de los Borbones logró la monarquía española privar a Cataluña de sus instituciones de autogobierno tradicionales, herencia del remoto pasado medieval. Y sólo tras la primera guerra carlista, la foralidad vascongada sufrió el golpe decisivo. Los últimos acontecimientos políticos vividos en España nos evitan el extendernos en el análisis de un proceso cuyas líneas generales el lector ya conoce, y cuyo sentido histórico ha podido encontrar parcialmente explicado en las páginas de este libro.

El pasado medieval no influyó menos en las relaciones socio-económicas de la España de la Modernidad.

Así, la plataforma mercantil sevillana, básica en las relaciones mercantiles bajomedievales, habría de cobrar una importancia infinitamente mayor aún cuando se produzcan los grandes descubrimientos geográficos.

Por otro lado, el señorío, fundamento jurídico de unas peculiares relaciones socio-económicas, se mantuvo después del quinientos con toda su fuerza. El sistema de mayorazgo contribuyó a consolidar el poder de una clase social —la aristocracia, heredera de los grandes linajes bajomedievales— dueña de los más importantes resortes de la vida del país. Habrá que esperar a las revoluciones burguesas del XIX, acompañadas de una política masiva de desamortización, para que se pueda hablar de cambios sensibles en este campo.

En definitiva, y aún considerando los matices diferentes de los diversos Estados, el Medievo marcó poderosamente la vida de la sociedad europea desde el Renacimiento. La Península Ibérica no se vio en absoluto al margen de este proceso.

BIBLIOGRAFIA

Orientaciones generales

La breve relación de obras que adjuntamos constituye un complemento a lo expuesto a lo largo de las páginas anteriores. Evitamos dar una lista exhaustiva de trabajos que, por otra parte, nunca llegaría a ser completa. Nos remitimos, así, a obras publicadas la mayoría en los últimos treinta años. Muchas de ellas, a su vez, van acompañadas de un valioso aparato bibliográfico.

Por las mismas razones que acabamos de apuntar, omitimos la referencia a la mayor parte de los artículos —de gran valor algunos de ellos— publicados en revistas especializadas. Nos referimos tanto a publicaciones periódicas dedicadas a la Historia en general como a aquellas otras —*Anuario de Estudios Medievales, Anuario de Historia del Derecho Español, Cuadernos de Historia de España*, etc.— cuyo contenido concierne en buena medida al pasado medieval hispánico. Sólo incluiremos aquellos artículos que resulten de mención imprescindible por la falta de otros trabajos de temática semejante suficientemente accesibles.

Para una completa información, el lector puede recurrir a varias obras de indudable utilidad:

SÁNCHEZ ALONSO, B.: *Fuentes de la Historia Española e Hispanoamericana*, vol. 1. Publicaciones de la Revista de Filología Española, Madrid, 1952. Y del mismo autor: *Historia de la Historiografía española*, vol. I, C. S. I. C., Madrid, 1941.

El *Indice Histórico Español*, publicado por Ed. Teide, Barcelona, desde 1953, constituye una de las más completas obras de trabajo en equipo dedicado a la reseña y crítica históricas.

El *Repertorio de Medievalismo hispánico*, en curso de publicación (aparecidos varios volúmenes) por Edicio-

361

nes El Albir, está siendo un excelente instrumento de trabajo para el estudioso orientado ,hacia nuestro pasado medieval.

* * *

A) Algunas útiles *obras de síntesis* dedicadas a la totalidad del pasado medieval español:

GARCÍA DE VALDEAVELLANO, L.: *Historia de España, I: De los orígenes a la Baja Edad Media*, Revista de Occidente, Madrid, diversas ediciones desde 1952. Optica eminentemente institucionalista.

GARCÍA DE CORTÁZAR, J. A.: *La época medieval*, t. II de *Historia de España*, Alfaguara, Madrid, 1973. Visión del pasado medieval con un sentido innovador.

MARTÍN, J. L.: *La Península en la Edad Media*, Ed. Teide, Barcelona, 1976. Detallada exposición del Medievo hispánico.

SUÁREZ FERNÁNDEZ, L.: *Historia de España. Edad Media*, Ed. Gredos, Madrid, 1970. Visión clásica y muy completa de los avatares políticos.

Algunas editoriales españolas han publicado la correspondiente *Historia de España* en varios volúmenes, a veces con una cierta tendencia a la monumentalidad que ha acabado por perjudicar en alguna medida la visión de conjunto adecuada. El Medievo ha tenido en todas ellas la necesaria cabida. Entre otras podemos citar:

La *Historia de España* de Ed. Espasa-Calpe, dirigida en su momento por Menéndez Pidal. Algunos de sus volúmenes (III, IV, V, VI, XIV y XV) conciernen al mundo medieval.

SOLDEVILA, F.: *Historia de España*, en 8 volúmenes, Ed. Ariel, Barcelona, 1947-1959.

La *Nueva Historia de España*, publicada por Ed. EDAF, dedica los volúmenes 4 al 8 al Medievo hispánico. Madrid, 1973-4.

La *Historia de España y América. Social y económica*, de Ed. Vicéns Vices, Barcelona, 1972. Los vols. I y II se dedican a la Edad Media. Las últimas páginas recogen una abundante y útil bibliografía.

B) La *interpretación* global del pasado hispánico ha tomado al Medievo como un elemento clave de referencia. Varias obras hay a este respecto de sumo interés:

CASTRO, A.: *La realidad histórica de España*, Ed. Porrúa, Méjico, 1954. Trabajo que provocó la contundente réplica de SÁNCHEZ ALBORNOZ, C.: *España, un enigma histórico*, Ed. Sudamericana, 2 vols., Buenos Aires, 1962.

También interesantes:

VICÉNS VIVES, J.: *Aproximación a la Historia de España*, Ed. Vicéns Vives, Barcelona. Varias ediciones desde 1952.

CANTARINO, V.: *Entre monjes y musulmanes*, Ed. Alhambra, Madrid, 1978.

MARAVALL, J. A.: *El concepto de España en la Edad Media*, Instituto de Estudios Políticos, Madrid, 1964.

C) El conocimiento a fondo de la Historia exige el contacto con *otras disciplinas* con las que mantiene ciertos grados de afinidad:

GARCÍA DE VALDEAVELLANO, L.: *Curso de historia de las Instituciones españolas. De los orígenes al final de la Edad Media*, Ed. Revista de Occidente, Madrid, 1968. Importante no sólo por su contenido en sí, sino también por la completa relación de fuentes y bibliografía que recoge en sus primeras páginas.

GARCÍA GALLO, A.: *Manual de Historia del Derecho Español*, 2 vols., Madrid, 1964.

GIBERT, R.: *Historia general del Derecho Español*, Granada, 1968.

LALINDE ABADÍA, J.: *Iniciación histórica al Derecho Español*, Ed. Ariel, Barcelona, 1970.

GACTO FERNÁNDEZ, E.: *Temas de Historia del Derecho: Derecho medieval*, Publicaciones de la Universidad de Sevilla, 1977.

ALBORG, J. L.: *Historia de la Literatura Española. I. Edad Media y Renacimiento*, Ed. Gredos, Madrid, 1968.

DEYERMOND, A. D.: *La Edad Media*, tomo I de *Historia de la Literatura Española*, de Ed. Ariel, Barcelona, 1973.

Historia general de las literaturas hispánicas, dirigida por G. DÍAZ PLAJA, vols. I y II, Ed. Vergara, Barcelona, 1969 y 1968.

RIQUER, M.: *Historia de la literatura catalana*, vols. I y II, Ed. Ariel, Barcelona, 1964.

Carreras Artau, J. y T.: *Historia de la filosofía española. Filosofía cristiana en los siglos XIII al XV,* Asociación Española para el Progreso de las Ciencias, Madrid, 1939-43, 2 vols.

Abellán, J. L., y Martínez Gómez, L.: *El pensamiento español. De Séneca a Zubiri,* Biblioteca de Educación permanente, Aula Abierta, Madrid, 1977.

Ars Hispaniae. Historia universal del arte hispánico, Ed. Plus Ultra. Madrid, desde 1947. Diversos volúmenes dedicados al arte hispano-medieval.

Bozal, V.: *Historia del Arte en España,* vol. I, Ed. Istmo, Madrid, 1978.

Yarza, J.: *La Edad Media,* en *Historia del Arte Hispánico,* Ed. Alhambra, Madrid, 1979.

D) Para los distintos *Estados y comunidades hispánicas* en el Medievo existen algunas obras de síntesis. Resultan útiles, entre otras:

Valdeón, J.: *El reino de Castilla en la Edad Media,* Ed. Moretón, Bilbao, 1968.

Lacarra, J. M.: *Aragón en el Pasado,* Espasa Calpe, col. Austral, Madrid, 1972.

Lacarra, J. M.: *Historia política del reino de Navarra desde sus orígenes hasta su incorporación a Castilla,* Ed. Aranzadi, Pamplona, 1973, 3 vols. Recientemente se ha publicado una síntesis en un volumen bajo el título: *Historia del reino de Navarra en la Edad Media,* Pamplona, 1976.

Soldevila, F.: *Historia de Catalunya,* Ed. Alpha, Barcelona, 2.ª ed., 1963. Se ha publicado un resumen en castellano bajo el título *Síntesis de historia de Cataluña,* Destinolibro, Barcelona, 1978.

Reglá, J.: *Introduccíò a la Historia de la Corona d'Aragó,* Ed. Raixa, Palma de Mallorca, 1969.

Watt, W. M.: *Historia de la España islámica,* Alianza Editorial, Madrid, 1970.

Bourdon, A.-A.: *Histoire du Portugal,* P. U. F., col. «Que sais-je?», París, 1970.

Baer, Y.: *A history of the Jews in Christian Spain,* 2 vols. The Jewish Publication Society of America, Philadelphia, 1961. Ha venido a suplir a la venerable obra de J. Amador de los Ríos sobre este tema.

**Orientación bibliográfica
por capítulos**

PRIMERA PARTE

1. De los inicios de la crisis del Imperio Romano al asentamiento del elemento godo en la Península

BLÁZQUEZ, J. M.: *Estructura económica y social de Hispania durante la anarquía militar y el Bajo Imperio*, C. S. I. C., Madrid, 1964.

DÍAZ Y DÍAZ, M.: «En torno a los orígenes del cristianismo hispánico», en *Las raíces de España*, Madrid, 1967.

LÓPEZ CANEDA, R.: «Prisciliano. Su pensamiento y su problema histórico», Cuadernos de Estudios Gallegos, Santiago, 1966.

MUSSET, L.: *Las invasiones. Las oleadas germánicas*, Ed. Labor, col. «Nueva Clío», Barcelona, 1967.

D'ABADAL, R.: *Del Reino de Tolosa al Reino de Toledo*, Real Academia de la Historia, Madrid, 1960.

THOMPSON, E. A.: *Los godos en España*, Alianza Editorial, Madrid, 1969.

ORLANDIS, J.: *Historia de España. La época visigótica*, Ed. Gredos, Madrid, 1977.

2. Estructuras económicas y sociales de la España romano-goda

ORLANDIS, J.: *Historia social y económica de la España visigoda*, Confederación Española de Cajas de Ahorros, Madrid, 1975. Síntesis clara y ordenada, acompañada de una selecta y útil bibliografía.

GARCÍA DE VALDEAVELLANO, L.: «La moneda y la economía de cambio en la Península Ibérica desde el siglo VI hasta mediados del XI», en *Moneta e scambi nell'alto medievo* (VII Settimana di Studio del Centro Italiano di Studi sull'Alto Medioevo), Spoleto, 1961.

SÁNCHEZ ALBORNOZ, C.: *En torno a los orígenes del feudalismo. Fieles y gardingos en la monarquía visigoda. Raíces del vasallaje y del beneficio hispanos*, EUDEBA, Buenos Aires, 2.ª ed., 1974.

BARBERO, A., y VIGIL, M.: *La formación del feudalismo en la Península Ibérica*, Editorial Crítica, Barcelona, 1978.

3. Cultura y vida espiritual en la España visigoda

FONTAINE, J.: «Conversion et culture chez les wisigoths d'Espagne», en *La conversione al Cristianesimo nell'Europa dell'Alto Medioevo* (XIV Settimana...), Spoleto, 1967.

FONTAINE, J.: *Isidore de Seville et la culture classique dans l'Espagne Wisigothique*, 2 vols., Etudes Agustiniennes, París, 1959.

DÍAZ Y DÍAZ, M.: *De Isidoro al siglo XI*, El Albir Universal, Barcelona, 1976. Recopilación de trabajos de este autor en parte referidos a la España visigoda.

JIMÉNEZ DUQUE, B.: *La espiritualidad romano-visigoda y mozárabe*, Fundación Universitaria Española, Madrid, 1977.

D'ABADAL, R.: «Els concils de Toledo», en *Homenaje a Johannes Vincke*, Barcelona, 1962-3.

LINAGE CONDE, A.: *Los orígenes del monacato benedictino en España*, vol. I, C. S. I. C., León, 1973.

4. La monarquía visigoda a la búsqueda de la unidad peninsular

Aparte de algunas de las obras antes citadas, son de interés para este capítulo:

REINHARDT, W.: *Historia general del reino hispánico de los suevos*, Publicaciones del Seminario de Historia Primitiva del Hombre, Madrid, 1952.

SÁNCHEZ ALBORNOZ, C.: *Estudios sobre instituciones medievales españolas*, Universidad Nacional Autónoma de México, 1965.

ZEUMER, K.: *Historia de la legislación visigoda*, Barcelona, 1944.

D'ORS, A.: «La territorialidad del derecho de los visigodos», en *Estudios Visigóticos. I*, Roma-Madrid, 1956.

ORLANDIS, J.: «El poder real y la sucesión al trono en la monarquía visigoda», en *Estudios visigóticos, III*, Madrid-Roma, 1963.

GARCÍA MORENO, L.: *El fin del reino visigodo de Toledo. Decadencia y catástrofe. Una contribución a su crítica*, Madrid, Universidad Autónoma, 1975.

SEGUNDA PARTE

1. El asentamiento de los musulmanes en la Península

MANTRAN, R.: *La expansión musulmana (siglos VII al XI)*, Ed. Labor, col. «Nueva Clío», Barcelona, 1973.

CHALMETA, P.: «Concesiones territoriales en Al-Andalus (hasta la llegada de los almorávides)», en *Cuadernos de Historia*, Anexos de la Revista Hispania, núm. 6, Madrid, 1975.

GUICHARD, P.: *Al-Andalus. Estructura antropológica de una sociedad islámica en Occidente*, Barral Editores, Barcelona, 1976.

TORRES BALBÁS, L.: *Ciudades hispano-musulmanas*, 2 vols., Instituto Hispano-árabe de Cultura, Madrid, 1970. Hay una buena síntesis por el mismo autor en *Resumen histórico del urbanismo en España*, en capítulo titulado «Las ciudades hispano-musulmanas», Instituto de Estudios de Administración Local, Madrid, 1968.

2. Estructuras socio-económicas de Al-Andalus en la Alta Edad Media

A algunas de las obras antes reseñadas cabe añadir:

IMMAMUDIN, S. M.: *The economic history of Spain (Under the Ummayads 711-1031)*, Asiatic Society of Pakistan, Dacca, 1963.

CAGIGAS, I.: *Minorías étnico-religiosas de la Edad Media española. Los mozárabes*, Instituto de Estudios Africanos, Madrid, 1947.

TERÉS, E.: *Linajes árabes en Al-Andalus*, Rev. «Al-Andalus», 1957.

3. La formación de una cultura hispano-musulmana

CUEVAS, C.: *El pensamiento del Islam*, Ed. Istmo, Madrid, 1972.

CRUZ HERNÁNDEZ, M.: *Filosofía hispano-musulmana*, 2 vols., Asociación Española para el Progreso de las Ciencias, Madrid, 1957.

VERNET, J.: *Literatura árabe*, Ed. Labor, Barcelona, 1966.

GARCÍA GÓMEZ, E.: *Poesía arábigo-andaluza*, Madrid, 1952.

De interés para la mozarabía cultural son las obras antes reseñadas de DÍAZ Y DÍAZ y JIMÉNEZ DUQUE.

4. La superestructura política de Al-Andalus en la Alta Edad Media

Imprescindible para el conocimiento de las vicisitudes políticas andalusíes sigue siendo la obra de LEVÍ PROVENÇAL: *España musulmana hasta la caída del califato de Córdoba (711-1031)*, 2 vols., correspondientes a los tomos IV y V de la *Historia de España*, dirigida por MENÉNDEZ PIDAL.

5. La monarquía astur-leonesa y los comienzos de la Castilla condal

BARBERO, A., y VIGIL, M.: *Sobre los orígenes sociales de la Reconquista*, conjunto de tres artículos recogidos en Ariel Quincenal, Barcelona, 1974.

SÁNCHEZ ALBORNOZ, C.: *Orígenes de la nación española. Estudios críticos sobre la historia del reino de Asturias*, 3 vols., Instituto de Estudios Asturianos, 1972-1975.

SÁNCHEZ ALBORNOZ, C.: *Despoblación y repoblación del valle del Duero*, Facultad de Filosofía y Letras, Buenos Aires, 1966.

PÉREZ DE URBEL, J.: «Reconquista y repoblación de Castilla y León durante los siglos IX y X», en *La Reconquis-*

ta española y la repoblación del país, C. S. I. C., Zaragoza, 1951. En adelante *La reconquista...*

PÉREZ DE URBEL, J.: *Historia del condado de Castilla*, 3 vols., Espasa Calpe, Madrid, 1969.

6. Los focos de resistencia en la línea del Pirineo. La Marca Hispánica

Los diversos trabajos de J. M. LACARRA antes reseñados son de gran utilidad para el estudio de esta problemática en el Pirineo occidental y central. Podemos añadir:

SÁNCHEZ ALBORNOZ, C.: *Vascos y navarros en su primera historia*, Ediciones del Centro, Madrid, 1974.

ARBELOA, J.: *Los orígenes del reino de Navarra*, 3 vols., Ed. Auñamendi, San Sebastián, 1969.

D'ABADAL, R.: *Els primers comtes catalans*, vol. I de *Biografies catalanes*, Ed. Vicéns Vives, Barcelona, 1965.

D'ABADAL, R.: *Dels visigots als catalans*, Edicions 62, Barcelona, 1974.

DE LA TORRE, A.: «La reconquista del Pirineo», en *La Reconquista...*

7. Estructuras socio-económicas de la España cristiana en la Alta Edad Media

Algunas de las obras reseñadas en los dos capítulos anteriores son susceptibles de utilización para éste. Las líneas maestras de la evolución económica altomedieval se pueden seguir, en todo caso, a través de las páginas de la *Historia de España y América social y económica*, mencionada en la bibliografía general. Podemos añadir otros trabajos de interés:

GARCÍA DE VALDEAVELLANO, L.: *El mercado en León y Castilla durante la Edad Media*, Publicaciones de la Universidad de Sevilla, 1975.

SÁNCHEZ ALBORNOZ, C.: *Sobre la libertad humana en el reino astur-leonés hace mil años* (prólogo de J. GONZÁLEZ), Espasa Calpe, col. «Austral», Madrid, 1976.

SÁNCHEZ ALBORNOZ, C.: *Una ciudad de la España cristiana hace mil años*, Rialp, Madrid, 1976.

MORETA, S.: *Génesis y desarrollo del dominio del monasterio de San Pedro de Cardeña (902-1338)*, Universidad de Salamanca, 1971.

GARCÍA DE CORTÁZAR, J. A.: *El dominio del monasterio de San Millán de la Cogolla (siglos X-XIII). Introducción a la historia rural de la Castilla altomedieval*, Universidad de Salamanca, 1969.

BONNASSIE, P.: *La Catalogne du milieu X a la fin du XI siècle. Croissance et mutations d'une societé*, Association des Publications de l'Université, Toulouse, 1975.

VERLINDEN, CH.: *L'esclavage l'Europe medievale. I. Peninsula Iberique. France*, Brujas, 1955.

8. *La cúpula cultural y espiritual de la España cristiana*

La obra ya reseñada de LINAGE CONDE sigue siendo capital para el conocimiento de las estructuras monásticas en los inicios de la Reconquista. Para otros aspectos que conciernen a este capítulo son de interés:

VENTURA SUBIRATS, J.: *Els heretges catalans*, Ed. Selecta, Barcelona, 1963. Con un capítulo dedicado al adopcionismo.

D'ABADAL, R.: *L'abat Oliva bisbe de Vic i la seva epoca*, Barcelona, 3.ª ed., 1962.

Utiles también algunas páginas de la mencionada obra de DÍAZ Y DÍAZ, *De Isidoro al siglo XI*.

LACARRA, J. M.: «La península ibérica del siglo VII al X: centros y vías de irradiación de la civilización», en *XI Settimana...*, de Spoleto, 1964.

CASTRO, A.: *Santiago de España*, Buenos Aires, EMECE, 1958. Sugestivas y controvertidas tesis rebatidas por SÁNCHEZ ALBORNOZ en *España, un enigma histórico*.

9. *Ideales y estructuras políticas*

SÁNCHEZ ALBORNOZ, C.: *Estudios sobre instituciones medievales españolas*, Universidad Autónoma de Méjico, 1965.

Menéndez Pidal, R.: *El Imperio Hispánico y los Cinco Reinos. Dos épocas en la estructura política de España*, Instituto de Estudios Políticos, Madrid, 1950.

Pérez de Urbel, J.: *Sancho el Mayor de Navarra*, Diputación Foral de Navarra. Madrid, 1950.

Ubieto Arteta, A.: «Estudios en torno a la división del reino por Sancho el Mayor de Navarra», en la revista *Príncipe de Viana*, 1960.

TERCERA PARTE

1. *Los reinos occidentales:
   su proyección del Sistema Central
   a las Cadenas Béticas*

González, J.: «Reconquista y repoblación de Castilla, León, Extremadura y Andalucía (siglos XI al XIII)», en *La Reconquista...*

Rivera Recio, J. F.: *Reconquista y pobladores del antiguo reino de Toledo*, Diputación Provincial, Toledo, 1966.

Menéndez Pidal, R.: *La España del Cid*, Espasa Calpe, 2 vols., Madrid, 1969.

Pastor de Togneri, R.: *Del Islam al Cristianismo. En las fronteras de dos formaciones económico-sociales*, Ed. Península, Barcelona, 1975.

Lomax, D. W.: *La Orden de Santiago (1170-1275)*, C. S. I. C., Madrid, 1965.

Martín, J. L.: *Orígenes de la orden de Santiago (1170-1195)*, C. S. I. C., Barcelona, 1973.

González, J.: *Repartimiento de Sevilla*, C. S. I. C., Madrid, 1951.

Font Ríus, J. M.: «Reconquista y repoblación del reino de Murcia», en *La Reconquista...*

Torres Fontes, J.: *Repartimiento de Murcia*, C.S.I.C., Madrid, 1960. Obra que ha servido al autor de punto de partida para múltiples estudios sobre este territorio.

Peres, D.: *Como nasceu Portugal*, Portucalense Editora, Oporto, 1970.

Erdmann, C.: *O papado e Portugal no 1.º século da historia portuguesa*, Coimbra, 1935.

2. *Los Estados orientales hispano-cristianos:*
   de los reductos pirenaicos
   a la conciencia mediterránea

LACARRA, J. M.: «La reconquista y repoblación del valle del Ebro», en *La Reconquista*...

GUAL CAMARENA, M.: «Precedentes de la reconquista valenciana», en *Estudios Medievales*, I, Valencia, 1952.

FONT RÍUS, J. M.: «La reconquista y repoblación de Levante y Murcia», en *La Reconquista*...

RAMOS LOSCERTALES, J. M.: *El reino de Aragón bajo la dinastía pamplonesa*, Universidad de Salamanca, 1961.

SOBREQUÉS VIDAL, S.: *Els grans comtes de Barcelona*, vol. II de *Biografies catalanes*, Ed. Vicéns Vives, Barcelona, 1970.

BAGUÉ - CABESTANY - SCHRAMM: *Els primers comtes-reis*, vol. IV de *Biografies catalanes*, Barcelona, 1963.

SOLDEVILA, F.: *Jaume I. Pere el gran*, vol. V de *Biografies catalanes*, Barcelona, 1965.

FONT RÍUS, J. M.: *Cartas de población y franquicia de Cataluña*, 2 vols., C. S. I. C., Barcelona, 1969.

BURNS, R. I.: *The Crusader Kingdom of Valencia. Reconstruction on a Thirteenth Century frontier*, 2 vols., Cambridge, Mass., 1967.

MARTÍNEZ FERRANDO: *Estado actual de los estudios sobre la repoblación en los territorios de la Corona de Aragón (siglos XII al XIV)*, VII Congreso de Historia de la Corona de Aragón, Barcelona, 1962.

SANTAMARÍA ARÁNDEZ, A.: «Mallorca del medievo a la modernidad», en vol. III de *Historia de Mallorca*, Palma, 1970.

LACARRA, J. M.: *El juramento de los reyes de Navarra (1234-1329)*, Zaragoza, 1972.

3. *El declive político de Al-Andalus:*
   taifas e Imperios bereberes

BOSCH VILÁ, J.: *Historia de Marruecos: los almorávides*, Instituto de Estudios Africanos, Tetuán, 1956.

Huici Miranda, A.: *Historia musulmana de Valencia y su región*, Valencia, 1969-70, 3 vols.

Huici Miranda, A.: *Historia política del Imperio almohade*, Instituto de Estudios e Investigación hispanoárabe, Tetuán, 1956.

Huici Miranda, A.: *Las grandes batallas de la Reconquista durante las invasiones africanas (almorávides, almohades y benimerines)*, Madrid, 1956.

Dufourq, Ch. E.: *L'Espagne catalane et le Maghrib aux XIII et XIV siècles. De la bataille de Las Navas de Tolosa (1212) à l'avènement du sultan merinide Aboul-Hasan (1331)*, P. U. F., París, 1966.

Ladero Quesada, M. A.: *Granada. Historia de un país islámico (1232-1571)*, Ed. Gredos, Madrid, 1969.

Torres, C.: «Noticias económicas y geohistóricas del antiguo reino nazarí de Granada», en *Cuadernos de Estudios Medievales*, 1974-5.

4. *La España cristiana, sociedad en expansión*

Las estructuras agrarias de este período pueden estudiarse a través de las ya citadas obras de García de Cortázar y Moreta. Podemos añadir además:

Gautier-Dalché, J.: «Le domaine du monastere de Santo Toribio de Liébana: formation, structure et modes de exploitation», en *Anuario de Estudios Medievales*, 1965.

Altisent, A.: «Un poble de la Catalunya Nova els segles XI i XII. L'Espluga de Francoli de 1079 a 1200», en *Anuario de Estudios Medievales*, 1965.

Pastor de Togneri, R.: «La lana en Castilla y León antes de la organización de la Mesta», en *Moneda y Crédito*, 1970.

Bishko, Ch. J.: «El castellano, hombre de llanura. La explotación ganadera en el área fronteriza de la Mancha y Extremadura durante la Edad Media», en *Homenaje a Vicéns Vives*, I, Barcelona, 1965.

La renovación en el ámbito económicosocial queda bien reflejada en:

Pastor de Togneri, R.: *Problémes d'assimilation d'une minorité: Les mozarabes de Toledo (de 1085 a la fin du XIII siècles)*, en A. E. S. C., 1970.

Defourneaux, M.: *Les français en Espagne au XI et XII siècle*, P. U. F., París, 1949.

García de Valdeavellano, L.: *Orígenes de la burguesía en la España medieval*, Espasa Calpe, col. «Austral», Madrid, 1970.

Carle, M. C.: *Del concejo medieval castellano-leonés*, Universidad de Buenos Aires, 1968.

Font Ríus, J. M.: «Orígenes del municipio medieval en Cataluña», en *Anuario de Historia del Derecho Español*, 1945.

Lacarra, J. M.: *El desarrollo urbano de las ciudades de Navarra y Aragón*, Zaragoza, 1950.

Irurita, M. A.: *El municipio de Pamplona en la Edad Media*, Ayuntamiento de Pamplona, 1959.

Estepa Díaz, C.: *Estructura social de la ciudad de León (siglos XI-XIII)*, Centro de Estudios e Investigación San Isidoro, León, 1977.

García de Valdeavellano, L.: *Las instituciones feudales en España* (apéndice a *El feudalismo*, de F. L. Ganshof), Ed. Ariel, Barcelona, 1963.

Grassotti: *Las instituciones feudo-vasalláticas en León y Castilla*, 2 vols., Centro Italiano di Studi sull'Alto Medioevo, Spoleto, 1969.

Moxó, S.: «Los señoríos: Cuestiones metodológicas que plantea su estudio», en *Anuario de Historia del Derecho Español*, 1973.

Moxó, S.: «De la nobleza vieja a la nobleza nueva. La transformación nobiliaria castellana en la Baja Edad Media», en *Cuadernos de Historia. Anexos de la Revista Hispania*, 1969.

Sobrequés, S.: *Els barons de Catalunya*, vol. III de *Biografies catalanes*, Ed. Vicéns Vives, Barcelona, 1970.

Pescador, C.: «La caballería popular en León y Castilla», en *Cuadernos de Historia de España*, 1961 a 1964.

Pastor de Togneri, R.: «Las primeras rebeliones burguesas en Castilla y León (siglo XII). Análisis histórico-social de una coyuntura», en *Estudios de Historia social*, 1964. Recogido como los anteriores artículos citados de esta autora en el volumen *Conflictos sociales y estancamiento económico en la España medieval*, Ed. Ariel, Barcelona, 1973.

5. *España, eslabón cultural entre la Cristiandad y el Islam*

SÁNCHEZ ALBORNOZ, C.: *El islam de España y el Occidente*, Espasa-Calpe, col. «Austral», Madrid, 1974.

SEROUYA, H.: *Maïmonide; sa vie; son oeuvre; avec un exposé de sa Philosophie*, P. U. F., París, 1964.

JIMÉNEZ, A.: *Historia de la Universidad española*, Alianza Editorial, Madrid, 1971.

Las cuestiones de índole literaria se encuentran tratadas de forma precisa en las obras de carácter general reseñadas al comienzo de este apéndice bibliográfico. Podemos añadir además otras:

WOLFF, PH.: *Origen de las lenguas occidentales. 100-1500 d. C.*, Ed. Guadarrama, B. H.A., 1971.

MENÉNDEZ PIDAL, R.: *El idioma español en sus primeros tiempos*, Espasa-Calpe, col. «Austral», Madrid (7.ª ed.), 1968.

MENÉNDEZ PIDAL, R.: *La epopeya castellana a través de la literatura española*, Espasa-Calpe, col. «Austral», Madrid, 1974.

CATALÁN y MENÉNDEZ PIDAL, D.: *De Alfonso X al Conde de Barcelos. Cuatro estudios sobre el nacimiento de la historiografía romance en Castilla y Portugal*, Ed. Gredos, Madrid, 1962.

Para la problemática religiosa:

BISHKO, CH. J.: «Fernando I y los orígenes de la alianza castellano-leonesa con Cluny», en *Cuadernos de Historia de España*, 1968.

RIVERA RECIO, J. F.: *La Iglesia de Toledo en el siglo XII*, Instituto Español de Historia Eclesiástica, Roma, 1966.

BARREIRO SOMOZA, J.: *Ideología y conflictos de clases. Siglos XI-XIII*, Ed. Pico Sacro, Santiago de Compostela, 1977.

KEHR, P.: «El Papado y los reinos de Navarra y Aragón hasta mediados del siglo XII», en *Estudios de Edad Media de la Corona de Aragón*, 1946.

LINEHAN, P.: *La Iglesia española y el Papado en el siglo XIII*, Universidad Pontificia de Salamanca, 1975.

COCHERIL, M.: «L'implantation des abbayes cistercien

nes dans la Peninsule Iberique», en *Anuario de Estudios Medievales*, 1964.

ALVAREZ PALENZUELA, V. A.: *Monasterios cistercienses en Castilla (siglos XII-XIII)*, Universidad de Valladolid, 1978.

VALLS TABERNER, F.: *San Ramón de Penyafort*, Ed. Labor, Barcelona, 1936.

URÍA-LACARRA-VÁZQUEZ DE PARGA: *Las peregrinaciones a Santiago de Compostela*, C. S. I. C., Madrid, 3 vols., 1948.

BOTTINEAU, Y.: *El camino de Santiago*, Aymá, Barcelona, 1965.

6. *Los prototipos de una plenitud política*

Para el estudio de las líneas maestras del aparato administrativo e institucional son de suma utilidad las obras reseñadas al comienzo de este apéndice bibliográfico. De forma semejante, la evolución del municipio en los distintos reinos hispánicos puede seguirse a través de los estudios mencionados en el capítulo 4 (CARLE, FONT RÍUS, etc.).

Para este capítulo en concreto se pueden considerar también:

GARCÍA GALLO, A.: «Aportación al estudio de los fueros», en *Anuario de Historia del Derecho Español*, 1956.

LALINDE ABADÍA, J.: *Los fueros de Aragón*, Librería General, Zaragoza, 1976.

MARAVALL, J. M.: «El concepto de reino y los "Reinos de España" en la Edad Media», en *Revista de Estudios Políticos*, 1954.

UBIETO, A.: «Navarra-Aragón y la idea imperial de Alfonso VII de Castilla», en *Estudios de Edad Media de la Corona de Aragón*, 1956.

BALLESTEROS BERETTA, A.: *Alfonso X el Sabio*, C.S.I.C.-Salvat, Murcia-Barcelona, 1963.

PISKORSKI, W.: *Las Cortes de Castilla en el período de tránsito de la Edad Media a la Moderna. 1188-1520*. Un clásico ya sobre este tema recientemente reeditado con un estudio complementario de JULIO VALDEÓN (*Las cortes medievales castellano - leonesas en la historiografía reciente*), Ediciones El Albir, Barcelona, 1977.

Pérez Prendes, J. M.: *Cortes de Castilla*, Ed. Ariel, Barcelona, 1974.

7. *Los reinos hispánicos en el tránsito*
   a la Baja Edad Media

Gaibrois, M.: *Historia del reinado de Sancho IV de Castilla*, 3 vols., Madrid, 1923. De la misma autora y al hilo de la vida de un personaje contamos con otra obra útil para seguir las peripecias políticas de este período: *María de Molina, tres veces reina*, Espasa Calpe, col. «Austral», 1967.

González Mínguez: *Fernando IV de Castilla (1295-1312). La guerra civil y el predominio de la nobleza.*

Moxó, S.: «La sociedad política bajo Alfonso XI», en *Cuadernos de Historia. Anexos de la Revista Hispania,* 1975.

Soldevila, F.: *Jaume I. Pere el Gran*, vol. V de *Biografies catalanes*, Ed. Vicéns Vives, Barcelona, 1965.

Martínez Ferrando-Sobrequés-Bague: *Els descendents de Pere el gran*, vol VI de *Biografies catalanes*, Ed. Vicéns Vives, Barcelona, 1961.

Cabestany, J. F.: *Expansió catalana per la Mediterrania*, Ed. Bruguera, Quaderns de Cultura, Barcelona, 1967.

Runciman, S.: *Vísperas sicilianas. Una historia del mundo mediterráneo a finales del siglo XIII*, Revista de Occidente, Madrid, 1961.

Shneidman, J. L.: *The rise of the Aragonese-Catalan Empire (1280-1350)*, University of London, 1970.

Salavert, V.: *Cerdeña y la expansión mediterránea de la Corona de Aragón (1297-1314)*, C. S. I. C., Madrid, 2 vols., 1956.

Setton, K. M.: *Los catalanes en Grecia*, Aymá, Barcelona, 1975.

García Antón, L.: *Las uniones aragonesas y las cortes del reino (1283-1301)*, C. S. I. C., Zaragoza, 2 vols., 1978.

CUARTA PARTE

1. *Los reinos hispánicos y las líneas maestras
de la política internacional*

TASIS I MARCA: *Pere el Cerimoniós i els seus fills,*
vol. VII de *Biografies catalanes,* Ed. Vicéns Vives, Barcelona, 1962.

VALDEÓN, J.: *Enrique II de Castilla. La guerra civil y
la consolidación del régimen,* Universidad de Valladolid,
1966.

RUSSELL, P. E.: *The english intervention in Spain and
Portugal in the time of Edward III and Richard II,* Clarendon Press, Oxford, 1955.

SUÁREZ FERNÁNDEZ: *Juan· I, rey de Castilla (1379-1390),*
Revista de Occidente, Madrid, 1955. Y *Historia del reinado de Juan I de Castilla.* Universidad Autónoma. Madrid,
1977.

DIAS ARNAUT, S.: *A crise nacional dos fines do seculo XIV,* Coimbra, 1960.

VICÉNS VIVES, J.: *Els Trastàmares (segle XV),* vol. VIII
de *Biografies catalanes,* Ed. Vicens Vives, Barcelona, 1961.

CASTRO, J. R.: *Carlos III el Noble, rey de Navarra,* Institución Príncipe de Viana, Pamplona, 1967.

CHAUNU, P.: *La expansión europea (siglos XIII al XV),*
Ed. Labor, col. «Nueva Clío», Barcelona, 1972.

CORTESAO, J.: *Os descobrimentos portugueses,* 2 vols.,
Arcadia, Lisboa, 1960.

2. *Sociedad y economía
en la Baja Edad Media española*

SOBREQUÉS, J.: «La Peste Negra en la Península Ibérica»,
en *Anuario de Estudios Medievales,* 1970-1.

CARRASCO PÉREZ, J.: *La población de Navarra en el siglo XIV,* Pamplona, 1973.

FERRARI, A.: *Castilla dividida en dominios según el
Libro de las Behetrías,* Real Academia de la Historia,
Madrid, 1958.

KLEIN, J.: *La Mesta,* Revista de Occidente, Madrid, 1936.

MARTÍN DUQUE, A.: «Vida urbana y vida rural en Navarra en el siglo XIV. Algunos materiales y sugerencias», en *La sociedad vasca rural y urbana en el marco de la crisis de los siglos XIV y XV*, Bilbao, 1975.

HAMILTON, E.: *Money, wages and prices in Valencia, Aragon and Navarre*, Cambridge, Mass., 1936.

BONNASSIE, P.: *La organización del trabajo en Barcelona a fines del siglo XV*, Universidad de Barcelona, 1975.

VIÑAS MEY, C.: «De la Edad Media a la Moderna. El Cantábrico y el Estrecho de Gibraltar en la historia política española», en *Hispania*, 1940.

SUÁREZ FERNÁNDEZ, L.: *Navegación y comercio en el Golfo de Vizcaya*, C. S. I. C., Madrid, 1959.

VILAR, P.: «El declive catalán de la Baja Edad Media (Hipótesis sobre su cronología)», en *Crecimiento y desarrollo*, Ed. Ariel, Barcelona, 1976.

CARRERE, C.: *Barcelone centre economique a l'epoque des difficultés, 1380-1462*, Mouton, París, 1967, 2 vols.

FERRER, T. «Els corsaris castellans i la campanya de Pero Niño al Mediterrani (1404)», en *Anuario de Estudios Medievales*, 1968.

NUNES DIAS, M.: *O capitalismo monarquico portugués (1415-1549)*, 2 vols., Coimbra, 1963-4.

RUMEU DE ARMAS, A.: *España en el Africa Atlántica*, C. S. I. C., 2 vols., Madrid, 1956.

SUÁREZ FERNÁNDEZ, L.: *Nobleza y monarquía*, Universidad de Valladolid, 2.ª ed., 1975.

MITRE FERNÁNDEZ, E.: *Evolución de la nobleza en Castilla bajo el reinado de Enrique III*, Universidad de Valladolid, 1968.

VALDEÓN, J.: *Los conflictos sociales en el reino de Castilla en los siglos XIV y XV*, Ed. Siglo XXI, Madrid, 1975.

VICÉNS VIVES, J.: *Historia de los remensas (en el siglo XV)*, Ed. Vicéns Vives, Barcelona, 1978.

SOBREQUÉS, S., y SOBREQUÉS, J.: *La guerra civil catalana del segle XV*, 2 vols., Edicions 62, Barcelona, 1973.

CUNHAL, A.: *As lutas de classes em Portugal nos fins da Idade Media*, Ed. Estampa, Lisboa, 1975.

3. *Sentimientos religiosos
   y manifestaciones culturales prerrenacentistas
   en el Bajo Medievo*

SUÁREZ FERNÁNDEZ, L.: *Castilla, el cisma y la crisis conciliar*, C. S. I. C., Madrid, 1960.

COLOMBAS, G. M.: *Estudios sobre el primer siglo de San Benito de Valladolid*, Montserrat, 1954.

VALDEÓN, J.: *Los judíos de Castilla y la revolución Trastámara*, Universidad de Valladolid, 1968.

BENITO RUANO, E.: *Los orígenes del problema converso*. Es una colección de artículos recogidos por Ed. El Albir. Barcelona, 1976.

RODRÍGUEZ PUÉRTOLAS, J.: *Poesía de protesta en la Edad Media castellana. Historia y antología*, Ed. Gredos, Madrid, 1968.

AVALLE ARCE, J. B.: *Temas hispánicos medievales*, Ed. Gredos, 1974.

MARAVALL, J. A.: *El mundo social de La Celestina*, Ed. Gredos, Madrid, 1968.

TATE, R. B.: *Ensayos sobre la historiografía peninsular del siglo XV*, Ed. Gredos, Madrid, 1970.

4. *Las estructuras políticas de la España bajomedieval*

Los criterios iniciales expuestos para la bibliografía del capítulo 6 de la parte anterior, son válidos también para éste. Podemos añadir otros estudios más específicos:

LADERO QUESADA, M. A.: *La Hacienda real de Castilla en el siglo XV*, Universidad de La Laguna, 1973.

ALVAREZ DE MORALES, A.: *Las hermandades, expresión del movimiento comunitario en España*, Universidad de Valladolid, Estudios y Documentos, 1974.

BERMÚDEZ AZNAR, A.: *El corregidor en Castilla durante la Baja Edad Media (1348-1474)*, Universidad de Murcia, 1974.

PÉREZ BUSTAMANTE, R.: *El gobierno y la administración territorial de Castilla (1230-1474)*, 2 vols., Universidad Autónoma, Madrid, 1976.

BATLLE, C.: *Barcelona a mediados del siglo XV*, Ed. El Albir, Barcelona, 1976.

ZABALO, J.: *La administración del reino de Navarra en el siglo XIV*, Pamplona, 1973.

En el volumen de *Anuario de Estudios Medievales* correspondiente a 1970-1 se encuentran recogidos algunos trabajos de interés para este capítulo:

LACARRA, J. M.: *Las cortes de Aragón y Navarra en el siglo XIV.*

VALDEÓN, J.: *Las cortes Castellanas en el siglo XIV.*

MARONGIU, A.: *La città nelle «corts» e nei parlamenti catalani del secolo XIV.*

5. *El tránsito hacia la Modernidad.*
   La monarquía autoritaria

DUALDE, M., y CAMARENA, J.: *El compromiso de Caspe*, Diputación Provincial de Zaragoza, 1971.

AZCONA, T.: *Isabel la Católica. Estudio crítico de su vida y su reinado*, B. A. C., Madrid, 1964.

VICÉNS VIVES, J.: *Historia crítica de la vida y reinado de Fernando II de Aragón*, C. S. I. C., Zaragoza, 1962.

ARIÉ, R.: *L'Espagne musulmane au temps des nasrides (1232-1492)*, De Boccard, París, 1973.

LADERO QUESADA, M. A.: *Los mudéjares de Castilla en tiempo de Isabel I*, Instituto Isabel la Católica de Historia eclesiástica, Valladolid, 1969.

SUÁREZ FERNÁNDEZ, L.: *Documentos acerca de la expulsión de los judíos*, C. S. I. C., Valladolid, 1964.

GARCÍA ORO, J.: *La reforma de los religiosos españoles en tiempo de los Reyes Católicos*, Instituto Isabel la Católica de Historia eclesiástica, Valladolid, 1969.

KAMEN, H.: *La Inquisición española*, Alianza Editorial, Madrid, 1973.

INDICE ONOMASTICO

384

389

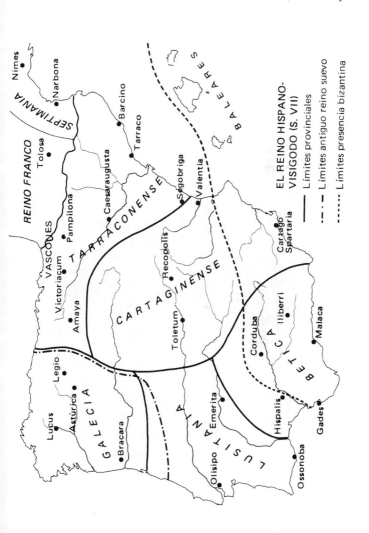

APENDICE
(MAPAS)

EL REINO HISPANO-
VISIGODO (S. VII)

——— Límites provinciales
— · — Límites antiguo reino suevo
········ Límites presencia bizantina

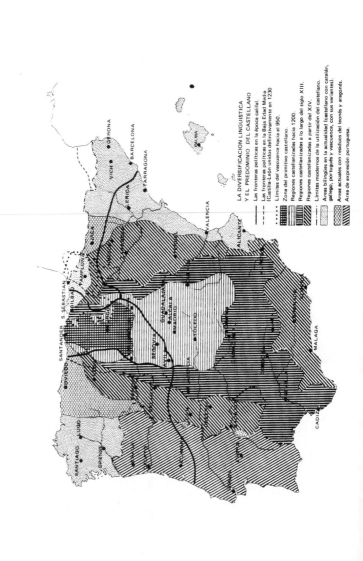

LA DIVERSIFICACION LINGUISTICA
Y EL PREDOMINIO DEL CASTELLANO

Las fronteras políticas en la época califal.

Las fronteras políticas en la Baja Edad Media
(Castilla-León unidos definitivamente en 1230

Límites del vascuence hacia el 950.

Zona del primitivo castellano.

Regiones castellanizadas hacia 1200.

Regiones castellanizadas a lo largo del siglo XIII.

Regiones castellanizadas a partir del XIV.

Límites modernos de la utilización del castellano.

Areas bilingües en la actualidad (castellano con catalán,
gallego, portugués y vascuence, con sus variantes).

Areas actuales con residuos del leonés y aragonés.

Area de expresión portuguesa.

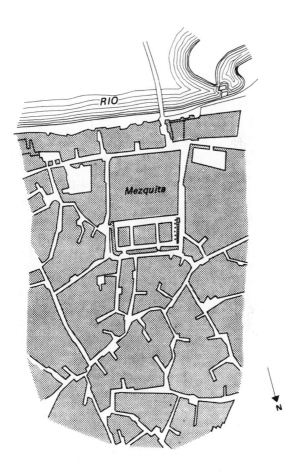

Centro de Córdoba. Modelo de urbanismo hispano-islámico
(según Torres Balbás).

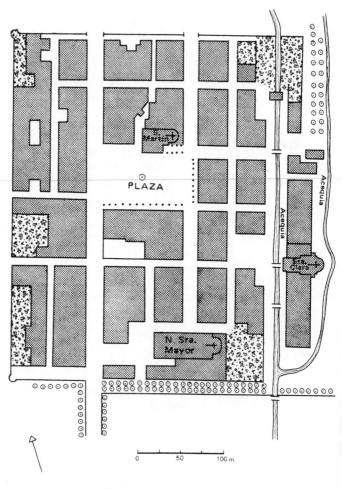

Briviesca. Modelo de urbanismo hispano-cristiano
(según Torres Balbás).

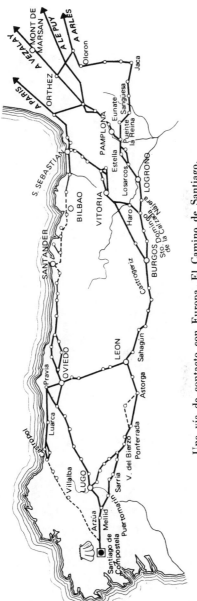

Una vía de contacto con Europa. El Camino de Santiago.

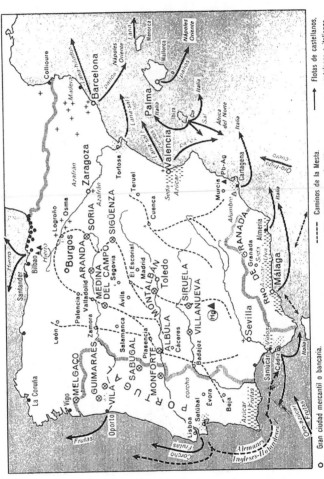

La vida económica en España y Portugal a fines del siglo xv

(Según Heers).

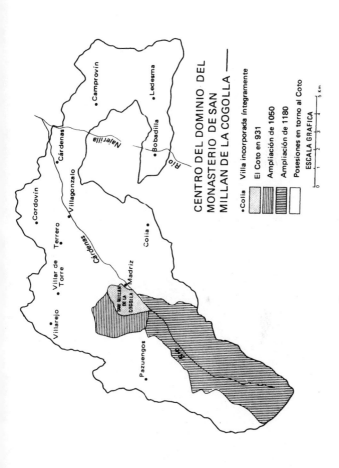

CENTRO DEL DOMINIO DEL
MONASTERIO DE SAN
MILLAN DE LA COGOLLA

- Colia Villa incorporada íntegramente

El Coto en 931

Ampliación de 1050

Ampliación de 1180

Posesiones en torno al Coto

ESCALA GRAFICA

0 1 2 3 4 5 Km

(Según García de Cortázar).